El gran libro de
Colombia

*

El gran libro de

Coordinación de Edgar Bustamante

Colombia

*

Guillermo Abadía
Germán Arciniegas
Eugenio Barney Cabrera
Eduardo Caballero Calderón
Eduardo Carranza
Julio Carrizosa Umaña
Otto Morales Benítez
José Ignacio Perdomo Escobar
Bernardo Restrepo Maya
Darío Ruiz Gómez
Enrique Uribe White

Círculo de Lectores

A los socios de Círculo:

Círculo de Lectores se complace en presentar «El gran libro de Colombia» como un homenaje a sus socios colombianos y a sus familias.

Esta obra ha sido el fruto de años de paciente labor editorial, del intenso trabajo de nuestros colaboradores —entre los que contamos con varias de las primeras figuras nacionales en los campos de la literatura, las artes y las ciencias— y de la callada, pero total y generosa dedicación, de muchas personas que cada vez hacen posible la milagrosa aparición de un libro.

Y ya que de una obra gráfica se trata, no podemos dejar sin constancia que junto a las prestigiosas plumas que la hicieron posible, figuran los creadores de la imagen y el color, los grandes fotógrafos colombianos, que dan aquí prueba una vez más de su bien merecido prestigio internacional.

Es también esta obra un reconocimiento a las regiones del país, que con su particular manera de ser, su cultura y dinamismo propio, conforman el gran país colombiano. De ahí nuestra división de la obra en tres volúmenes.

En este primer volumen nos ocupamos de Bogotá, Cundinamarca, Boyacá, los Santanderes, los Llanos, y la Orinoquia, la Amazonia y otros territorios nacionales.

Contamos en este tomo de la obra con cinco colaboraciones especiales: la introducción general a cargo del escritor y estadista Otto Morales Benítez; del gran erudito Enrique Uribe White incluimos la semblanza del Libertador; por el altiplano cundiboyacense y los Santanderes nos guía magistralmente Eduardo Caballero Calderón; el poeta Carranza nos introduce al llano y la selva; y Germán Arciniegas, el incansable prosista e historiador, nos recrea nuestros hechos memorables.

Eduardo Polo

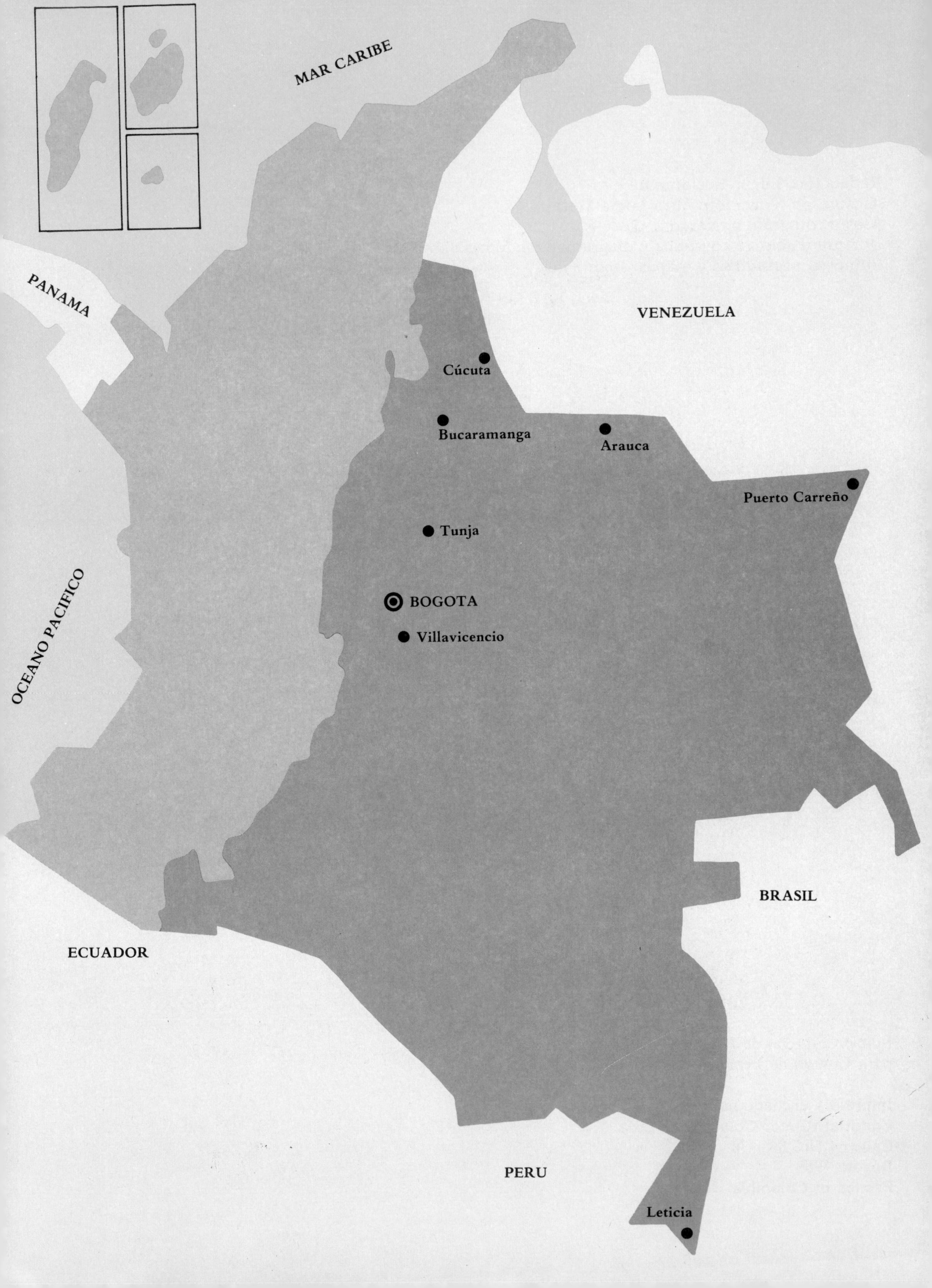

MAR CARIBE

PANAMA

VENEZUELA

Cúcuta

Bucaramanga

Arauca

Puerto Carreño

Tunja

OCEANO PACIFICO

◉ BOGOTA

Villavicencio

BRASIL

ECUADOR

PERU

Leticia

Redacción: Edgar Bustamante
Asesora de redacción: Aura Lucía Mera
Asesor fotográfico: Nereo
Documentación fotográfica y diagramación: María José Isla
Cubierta, portadillas y mapas: Juan Falcó

Edición especial de Printer Colombiana S.A.
para Círculo de Lectores S.A.

Impreso y encuadernado por
Editorial Printer Colombiana Ltda.
Calle 64 No. 88A-30
Bogotá 1988
Printed in Colombia

SUMARIO

MEDITACIONES COLOMBIANAS

Otto
Morale
Beníte:

Un libro de esta naturaleza, en el cual intervienen tantos y tan disímiles escritores, no puede reflejar, en minucioso orden, la totalidad de las realidades y carencias del país. De lo que no queda duda, es que aquí hay una cercanía entrañable con Colombia. Se hace evidente la sutileza en el análisis, la indiscutible perspicacia para comprender la hondura de su existir humano, político, social, geográfico. Hay ensayos que sobresalen poderosos, sobre otros que apenas bordean los temas.

Muchas prosas líricas van descubriendo, en su idioma poético, situaciones o regiones que se enuncian, se ponderan o se indican para que allí acudan los ensayistas de rigor sociológico.

Quienes lo concibieron, pretendieron con el diseño de las materias que abarcaría, que se escudriñase por todas las circunstancias históricas e inmediatas de Colombia. De esa manera, se iría, como en un amoroso trance, tocando cada una de las diferentes vertientes que integran la corriente central de su fuerza. Avanzando hacia su greda social, para situar los perfiles de un ciudadano con su propia y ya bien delineada idiosincrasia. Para descubrir, con sigiloso paso, cada uno de los momentos críticos de su evolución económica. Para sumergirse, también, en un erudito regodeo por las incidencias de la creación en la literatura, en las ciencias y en el arte. Tiene la eficacia del canto y de la investigación; del arrebato y de la comparación.

Son escritos que se confunden con el democrático trote de nuestras luchas por la libertad y se apasionan por el ensueño de lo presentido. Colombia está en la raíz de sus criaturas y de su paisaje.

Las identidades

Un grupo de ensayos, como los que se publican, sirven para atar los hilos que llevan a poner de relieve los valores en los cuales cree el país y confía en ellos. Es un desvelo por ubicar en lo que coincidimos e ir separando, como inútil, aquello que va diluyendo la unidad nacional. Las características de un pueblo las van determinando multitud de circunstancias que se aúnan para darle su sello de autenticidad a ciertas normas de vida.

Es cuando se establece el estilo que las singulariza. Y ello indica una manera de ver las cosas, de aceptarlas, de contradecirlas. De darles eficacia cuando encajan dentro del marco general de creencias y sentimientos que distinguen un estado determinado. Es algo novedoso en las ciencias sociales y, a veces, en su evaluación se involucran tantos juicios equivocados.

El material que integra estos capítulos, tiende a demostrar qué es lo inauténtico en la nacionalidad. Probablemente muchos autores no se propusieron esto, pero es la conclusión a que se puede llegar después de confrontar los trazos coincidentes de sus afirmaciones. De esta manera se conoce el camino que se recorrerá en el futuro. Se identifica lo que permanecerá. Habrá manera de indicar en qué partes se intensificará la posible perdurabilidad. Para gobernantes y líderes, educadores, científicos e investigadores, se indican pautas que permiten acentuar o debilitar ciertos rasgos en el porvenir. Ello, no hace sino indicarnos dónde está la fortaleza interior de nuestro pueblo. Al final, él es quien determina la conducta que acepta.

Descubrimiento de lo subyacente

Se hace evidente, en tono acentuado, la importancia de las ciencias sociales. Estas se estudian muy recientemente en nuestras universidades. Ellas nos están descubriendo un rostro incógnito de la realidad colombiana. Lo desconocíamos, pues no teníamos ni medios, ni diagnósticos intelectuales

Los cultivos de café superan en Colombia el millón de hectáreas y se extienden en su mayor parte en zonas de Antioquia, Caldas, Quindío, Risaralda, Tolima y Valle.

El pueblo colombiano, variopinto y complejo,
lucha por encontrar su identidad,
por afianzar la nacionalidad,
como «resultado de un proceso de aprendizaje social
y de formación de hábitos.»

que científicamente tuvieran validez para el diagnóstico. Ahora priman otras reglas mentales. A muchos no les gusta que ello ocurra, ya que les quiebra el esquema en el cual movían sus querencias y sus repulsas; y no persistirán los derroteros que ellos, idealmente, querían proponerle a Colombia.

Con la antropología, por ejemplo, se destapa nuestro origen, allá, muy remoto, en las bases intricadas de lo arqueológico, y va sobresaliendo la explicación de las actitudes individuales, de la cultura general que nos gobierna, de los programas políticos que nos atraen. Lo social, que es la síntesis, de todo lo acumulado como herencia legítima, de lo que se aprovechó de lo que impusieron los conquistadores. Es un poco la hibridación.

Es lo que se considera incontestable de lo que corresponde a este instante, como legítimo y verdadero. Lo antropológico busca en lo colectivo, en

lo político, en la crematística: no tolera zonas que se muevan en lo incierto. Cuando éste persiste, continúa su tarea de pesquisa.

Lo que aquí se publica puede ser controvertible. Yo mismo puedo tener anotaciones marginales para formular. No se trata de establecer las discrepancias, sino de advertir el significado de este magnífico afán cultu-

12

ral. Poner a tantos escritores, estadistas e investigadores a pensar en Colombia y su casualidad, es algo que nos debe emocionar y comprometer a valorar estas hojas con emoción pero con rigor crítico. Lo que predomina es la intención cultural con la cual se concibió este empeño. Quienes lo impulsaron han aceptado la afirmación esclarecedora: «La nacionalidad no es una característica innata, sino el resultado de un proceso de aprendizaje social y de formación de hábitos.» Se han reunido con calado, unas, y, otras, en esquema, aquellas nociones que nos van dando unidad y destacan la intensidad de nuestro pasado y del porvenir. Al valorar su contenido podremos ir situando de qué manera ha recibido las lecciones nuestro pueblo y cómo las ha aprovechado, cómo las ha vuelto correntío de su propio cauce. Y cómo a la vez, muchos juicios van destacando el contorno de sus costumbres.

Formación de una cultura

Superando el complejo de que en indoamérica no teníamos derecho a una cultura, porque no habíamos concebido una filosofía ni un arte propios, se van despejando muchas pistas. Se llegó a tener que admitir, a contrapelo, lo que se ha indicado como una constante: la filosofía no existe —como el arte— porque sea original, sino porque lleva en sí nociones que le dan validez a una interpretación del universo. Leopoldo Zea lo ha dicho con claridad: «Una filosofía es original, no porque cree, una y otra vez, nuevos y extraños sistemas, nuevas y exóticas soluciones, sino porque trata de dar respuesta a los problemas que una determinada realidad, y un determinado tiempo, han originado.»
En Colombia es necesario contar el largo combate que ha sido la integración de nuestra cultura. Es un accidentado recorrido que podría resumirse en las siguientes etapas:
Primera: durante muchos años se puso de lado lo que constituyó el aporte de nuestros antepasados: las culturas pre-colombinas las sepultaron y despreciaron.
Segunda: en la fundación de la república, se vivió un lento desarrollo, en el cual lo colonial tuvo un influjo que limitaba la capacidad de independencia mental. Pero se fueron dando los perfiles que nos distinguen y aglutinan: democracia; defensa de la libertad; repudio a las monarquías y a las dictaduras; interés de formación intelectual libre; discusión pública de los problemas en la prensa que fortalecieron los próceres e intelectuales de nuestros primeros tiempos; estructuración y vigorización de los partidos como canales de expresión de los anhelos populares, etc. Es decir, que el pueblo participará a través de ellos en la enunciación de las tesis sociales. Este último transcurso, ha tenido períodos realmente admirables y otros de naufragio. Pero no se pierden las constantes que han propiciado la agitación pública, y vuelve a resurgir la capacidad crítica y decisoria de la multitud.
Tercera: la regeneración conservadora de Núñez y de Caro —que se prolongó por mucho tiempo— en la cual se hicieron evidentes algunas constantes regresivas— como el desdén por el pueblo; la centralización de todos los resortes del estado; el vasallaje a lo religioso, que acentuó el sentido teocrático de aspectos de la vida colombiana y rompió la armonía entre muchos sectores, pues lo clerical —unido a la parte reaccionaria del país— fue creando abismos entre nuestra comunidad; y un renacimiento de un apasionado hispanismo, que volvía hacia el desprecio de lo auténticamente originario y a la aseveración de nuestra incapacidad para la administración de nuestra vocación histórica. Como muy bien se puede observar, era detener la evolución del desenvolvimiento de lo que venía haciéndose evidente como actitud colectiva.
Cuarta: esto acarreaba el repudio del mestizo. Este, como lo he afirmado en mi libro «Revolución y caudillos» (aparición del mestizaje en América y la revolución económica de 1850) impuso la liberación de nuestro continente, cuando adquirió conciencia de que esa tierra, y su expansión, le pertenecían. Todo comenzó con el repudio del barroco que le imponían y en los cambios que le impuso a éste;

13

más tarde en las luchas populares de comuneros, que fracasaron por haber designado caudillos que no nacieron de la propia entraña de éstos; y, finalmente, logró la independencia. Aquello era como regresar a lo que Toynbee ha destacado con tanta claridad: «Cuando nosotros los occidentales llamamos ciertas gentes *indígenas*, borramos implícitamente el color cultural de nuestras percepciones de ellos. Son para nosotros algo así como árboles que caminarán, o como animales selváticos que infestarán el país en el que nos ha tocado toparnos con ellos. De hecho los vemos como parte de la flora y de la fauna local, y no como hombres con pasiones parejas a las nuestras; y viéndolos así como cosa infrahumana, nos sentimos con título para tratarlos como si no poseyeran los derechos humanos usuales.»

Podríamos repetir la síntesis que predominó durante tanto tiempo: europeo, igual civilización; indoamericano, sinónimo de barbarie.

Quinta: lucha y victoria de quienes proclamaban la confianza en la inteligencia del pueblo colombiano y sus calidades. Regreso a muchas de sus virtudes cardinales. Apremio de lo nacional, aceptando que éste lo determina todo lo que suceda en un medio con su periferia bien conocida. Desde las normas de crianzas, hasta el tipo

de caricaturas que hagan sonreír y lleven a la protesta; desde las guías de su educación primaria hasta las novelas que se publican; desde las ilustraciones hasta los ensayos que aprisionan la totalidad de un momento histórico. Y la propuesta es que de aquí no debemos permitir ninguna deserción. Porque es la única manera de alcanzar la verdadera integración del país. De allí que se intentará la expresión de todo, como un fin para robustecer la nación. Por ello se ha propuesto que haya concomitancias en los propósitos que se le proponen a la burocracia, pues ella es reclutada de todas las regiones y de todos los grupos sociales y así amalgama valores generales que le dan permanencia a la nación; que se fortalezcan las organizaciones comunitarias (sindicatos, partidos, asociaciones, etc.) pues principian a hablar el mismo idioma de la igualdad; participación política de todos los conglomerados a través del voto y del análisis de las informaciones de todos los medios de comunicación —porque eso les permite definir el tipo de sociedad que se produzca igualdad social, movilidad geográfica y humana, educación uniforme.

Las líneas históricas

Estos volúmenes tienen otra importancia capital y es hallar en ellos las

huellas del pasado en que se ha debatido Colombia. Y es sabido que la historia sirve para acentuar los orígenes y advertir las variantes en que nos hemos desenvuelto. Indicar cómo nuestros dirigentes no han podido o no han querido entender nuestro pueblo, y cómo otros le han dedicado comprensión y adhesión a su desenvolvimiento. Y cómo cada vez que se frena el poder de aquél, se detiene el mejoramiento del país. La historia es, por lo tanto, acentuar los perfiles constantes, que se van prolongando, haciendo de cada suceso un motivo de meditación. Esta debe concluir en una advertencia, positiva o negativa. Pero que esclarezca el derrotero.

El hecho es que los contornos de lo colectivo, a veces parece como si desaparecieran. No es cierto: cuando menos se espera, ellos vuelven a surgir, levantándose como de capas sociales subterráneas. Esto es lo que puede apreciar un lector atento en estos estudios entrañables sobre Colombia.

Los rasgos geográficos

Los temas geográficos sirven para dar identificación en el territorio. Este conlleva todos los fundamentos de la orografía, de la hidrografía, de la tierra, de la división política. Reúne muchos factores que prevalecen en la

predestinación patriótica. En los límites del país, tenemos que coincidir en los símbolos y creencias que le dan perfil a la nacionalidad. Este libro anhela descubrirlos. Y señala qué clase de hombre ha producido nuestro endemoniado territorio.

Colombia es un país con varias regiones, claramente diferenciadas. Ello no es obstáculo para que haya concordancia en los propósitos generales. Aquellas tienen conciencia de sus costumbres y de sus ideales. Destacar aquéllas y exaltar éstos, le da un poder dinámico a la provincia. Pero aún más: así se sostiene un pensamiento descentralizador. Debe alentar, si desde el gobierno o los puestos de dirigentes no se avivan rivalidades innecesarias, a una integración. La unidad nacional, en lugar de debilitarse, se consolida. Es perseguir los filamentos que imperceptiblemente van amarrando las concordancias entre parroquia y parroquia. Por encima de esas unificaciones que se desprenden de los factores que conforman la región, hay otros signos más altos, que arman las adhesiones colectivas de la patria. Es la geografía general, la primera que nos denuncia que tenemos unas constantes de las cuales no podemos escapar. Ella, está unida con los sucesos históricos, que son, llegando a su substancia, un repertorio de símbolos. Estos dan se-

mejanzas en el enfoque de los anales del pasado. Y todo amarrado con el idioma, que da el criterio acerca de lo nacional. Confío en que el escrutinio regional, da más solidez y estabilidad a lo auténtico.

Es estimulante hallar pueblos con su propio acento en las costumbres, en los gustos populares, en la cocina típica, en la manera de enfocar las posibilidades culturales. Esto bien unido a las esencias que hemos destacado y que favorece una visión general del país más objetiva dentro de sus bifurcaciones.

En estos tomos, se hallarán algunos cantos al paisaje. Este es parte de lo que llaman los especialistas «la geografía cultural». Los cantos líricos que aquí topamos, no hacen otra cosa que indicarnos que se está cumpliendo otra aproximación a lo geográfico. Entre 1920 y 1930 se trató de elaborar una metodología para que se hiciera del paisaje algo esencial. Se partía del principio de que éste tiene una serie de «expresiones culturales individuales». De acuerdo con las teorías de Wagner, Mikesell y Sauer, «la historia de la cultura es, pues, un instrumento importante en cualquier estudio explicativo del paisaje». Su estudio o su canto va llegando así a ser parte de las ciencias sociales. La arqueología, por ejemplo, tiene la importancia de hacer la reconstrucción

del que debió primar en determinada etapa. En la medida que se extiende la tesis de la socialización de la naturaleza, en la cual el derecho al paisaje es principio esencial, éste adquiere más importancia. Sólo dentro del progreso de la ecología se entiende esa defensa de algo que en varios capítulos tiene su estremecido susurro de entresueño.

Los caminos económicos

Al planear este libro, se le dio capital importancia a la economía. Esta, ha sido y es básica en el decurso de los pueblos. En Grecia sólo tuvo relación con lo doméstico. Cuando se le aplicó otro criterio, se le consideraba como parte de la ética. Hoy se entreteje con lo esencial de un pueblo, como la agricultura, la industria, el comercio, la minería, el petróleo, el gas natural, el comercio exterior, la banca, la moneda, el desarrollo en general.

Izquierda: *Bogotá contaba en 1910 con 120.000 habitantes. Hoy la pueblan tres millones y medio de personas, se ha vuelto cosmopolita y la calidad de la vida se ha deteriorado.*
Abajo: *Popayán se hallaba durante la colonia en la órbita quiteña y de ahí el mayor grado de refinamiento artístico y técnico de su arquitectura.*

Ella, por lo tanto, es elemento cultural primordial de los pueblos; decide considerables hechos políticos; va indicando las tesis de adhesión con los propósitos de la comunidad o se puede administrar con el desdén que se vaya acumulando contra el porvenir mismo de ella.

Orientar todos esos factores, es parte de una cultura. Porque el ser, respecto de la crematística, tiene la posición que se le haya infundido para manipular sus recursos. Existen poderes externos, los internacionales, que pesan extraordinariamente en el complejo de las políticas económicas. Como señalan, en muchas ocasiones, qué es lo que se pretende: un mundo rico o un país subyugado. O un egoísmo individualista ante los bienes y las cosas, que permite un dominio indirecto de la colectividad, utilizando la economía. O intentamos una suma de factores para su utilización racional, que debe propiciar, necesariamente, grados crecientes de unanimidad, con unos resultados favorables al servicio de la comunidad. O permitimos que se abuse del dinero y de la concentración del ingreso, todo tendiente hacia el monopolio. Creo que el país se inclina ideológicamente más por la primera. Su filiación es clara, aun cuando los resultados, en muchas ocasiones, sean negativos. Aquí encontramos uno de los capítulos más claros, en el cual se puntualizarán observaciones esenciales acerca de nuestra evolución.

Las expresiones culturales

La pintura, la arquitectura, la música, la danza, todas las demás manifestaciones de la inteligencia y de la sensibilidad del colombiano, tienen apreciaciones, ubicaciones, juicios. Seguramente se hará evidente el defecto de falta de más completa filiación con nuestras más originales creaciones. Les damos más importancia a lo que proclaman las élites que, a lo que descubre las vocaciones populares. Los grupos «snobistas» favorecen, cierto desprecio por las formas humildes, los autores anónimos, los artesanos sin relumbrón, los maestros

Derecha: *Atardecer en el río Madalena, el gran río de los colombianos, amenazado hoy por un creciente y alarmante deterioro ecológico.*

de oficios que propician las delicias con sus habilidades. Por eso no se enaltecen, dentro del afán de justa y equilibrada valoración, los cuadros sencillos de pintores modestos, pero que son parte de la raíz de nuestra tradición. O que queden en la penumbra construcciones que se juzgan pobretonas frente al aparato espectacular de las exigencias de la arquitectura contemporánea. Esto conduce, desdichadamente, a que presentemos sin antecedentes muchas obras de la cultura. El origen —el indiscutible— está allá en muchas de esas calidades desdeñadas y sepultadas, en el silencio. Que se han despreciado por falta de creer en nuestro propio hombre, en su capacidad de inventiva. Es bueno y reconfortante que en este libro se encuentren ensayos que comienzan la rectificación de ese empecinamiento torpe. De esa manera se combaten los resabios mentales que propiciaron los conquistadores y que continúan estimulando las diferentes expresiones del imperialismo. Si esto prospera y permanece, se alcanza el objetivo: se rompe la tradición; se doblegan los símbolos comarcanos. Se impone cualquier marea audaz en el arte, en la arquitectura, en la música, en la danza. Esta publicación rescata parte de lo esencialmente nuestro.

Hay que enaltecer al artesano; darle su categoría, pues de él arranca, con poderoso estímulo, lo que es proverbialmente nuestro. Es bueno analizar cómo trabajaron, con qué elementos, cómo suplieron sus penurias de escuelas, de recursos, de maestrías aprendidas en otros medios. Y cómo vertieron, sin dudas, el encargo que nos descubre cómo es el ambiente real del país, sin desvirtuarlo. Debemos rescatar lo profundamente nuestro. No es posible que sigamos aceptando sacrificar nuestro acervo cultural y, a la vez, desconocerlo.

La literatura, en sus varios géneros, del costumbrismo, del cuento, de la novela, de las leyendas, del teatro y de la poesía, de la oratoria y del ensayo, va estableciendo el testimonio de cada época. Mucho de lo que hemos dicho en cuanto a los factores integrantes de la nacionalidad, tienen una respuesta en los afanes que la inteligencia adopta para cada período. En la palabra que describe, podemos hallar muchas filiaciones de lo indiscutiblemente colombiano. La creación intelectual nos ha dado oportunidad

de determinar criterios generales acerca de la cultura. El idioma se ha escogido casi siempre con pulcritud y con severa maestría se ha llevado a las obras. Con ellas podremos reconstruir lo más esencial de nuestro transcurso humano: los trajes, las cuciones, los sentimientos religiosos, la confianza en Colombia, los devaneos de la política, las insurgencias de la sensibilidad, las evoluciones de las diferentes regiones.

Se pasa revista a la educación, a los medios de comunicación, y a su papel en la integración. La investigación científica nos dice cuánta dedicación, paciencia y sagacidad se requieren para los pequeños avances que se alcanzan, después de agotadoras jornadas de comprobaciones.

La iglesia ha sido factor de aglutinamiento, mientras muchas actitudes del clero tendían a la dispersión de lo que unía la fe. Ella, ha tenido el poder de participar en las diferentes áreas del país, pues está bien consolidada en las comarcas. Cuando ha perdido su ascendiente, es porque se ha vinculado, generalmente con la política a causas transitorias, que no han relucido por su afán de justicia comunitaria. Por eso mismo tiene tan esencial obligación: ésta se confunde con la aspiración de rescatar lo que le da esperanza a una masa que se debate en la provincia colombiana.

Muchos estudios anotan las actuales modalidades del espíritu colombiano. Estamos en una encrucijada con multitud de transformaciones que son universales: la actitud de la mujer que crea una teoría de las relaciones interpersonales; la mutación en los factores rurales, que antes predominaban, por un avance urbanístico; el turismo que reclama que se releguen ciertas calidades y principios seculares; el ardiente aspecto de la agitación social, que va dando rumbos desconocidos al carácter de los ciudadanos. Este libro está ordenado por mentes lúcidas. Lo pensaron para que lo leyéramos con actitud ideal en torno de lo colombiano. Sin desdeñar las limitaciones que presentamos. Eso sí, que cada quien haga su propia meditación, repitiendo la frase del poeta «Mi tierra la tenía en los huesos».

ESTAMPA DE BOLÍVAR

Enriqu
Urib
Whit

En la noche del 24 al 25 de julio d
1783, nace en la ciudad de Santiago d
León de Caracas, un niño que ha d
encender los cielos de las patrias nue
tras, que luego han de llamarse Vene
zuela, Colombia, Ecuador, Per
y Bolivia, con el brillo de su genio,
fulgor de sus ojos y el relámpag
enrojecido de su espada.

No son vacuos símbolos retóricos.
Ciento cincuenta años no han hech
palidecer ni una letra de los escrito
gestados en ese cerebro de gigant
que en sus días animaron a los hom
bres pensantes y en los nuestros aú
sirven de enseñanza perenne.

La carta profética de Jamaica, el man
fiesto de Cartagena, el discurso d
Angostura, los cientos de produccio
nes que aún brillan como condecora
ciones en el pecho de nuestra Améri
ca. Páez, el centauro de «Las Quesera
del Medio», quiso indicar a su inte
locutor, con sólo una frase, la razó
del dominio que Bolívar ejercía sobr
los hombres. «¿Habéis visto su
ojos?» Camilo Torres, cuya cabez
tronchó de un tajo el verdugo penin
sular le dice cuando llega derrotad
por Boves: «Sois un militar desgra
ciado, pero queda vuestra espada pa
libertar la patria». Y en la batalla d
Araure, cansado el brazo derecho
esgrime esa espada con el brazo i

El Libertador murió en Santa Marta el 1
de diciembre de 1830, a donde se hab
trasladado, minadas sus fuerzas por
tuberculosis, porque deseaba ver el ma
Su voluntad había doblegado todos l
obstáculos opuestos por los hombres y
naturaleza, desde las costas del Caribe
Orinoco, desde los páramos y abrupt
cordilleras a la canícula del trópico.
Pocos días antes de morir, en un amane
cer, había redactado su última proclam
«¡Colombianos!, mis últimos votos so
por la felicidad de la patria...»
Derecha abajo: en este cuadro de la épo
vemos a Bolívar muerto cubierto con
bandera colombiana. Algunos de sus m
fieles amigos le rodean.

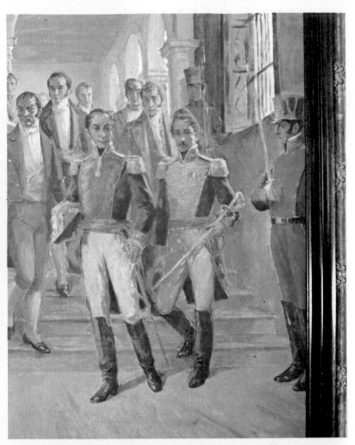

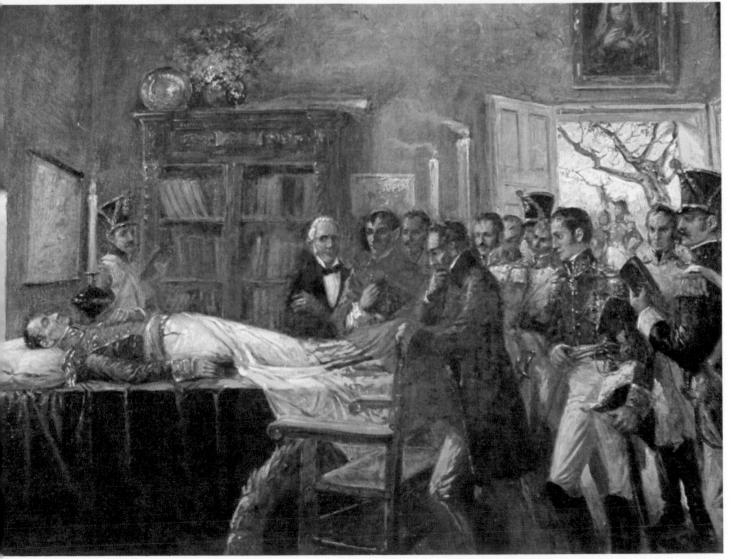

19

Entre la vasta iconografía sobre Simó[n] Bolívar destacan las estatuas en bron[ce] o en mármol, a pie o a caballo, como la d[e] Santa Marta (izquierda).

Numerosos lienzos reproducen las gesta[s] heroicas de la independencia, pero lo m[ás] interesante son los retratos, donde contras[ta] ta el Bolívar triunfal con el Bolíva[r] marcado por la tristeza, el cansancio y [el] desengaño.

20

quierdo y siembra la muerte entre el turbión de los jinetes españoles.

En los albores de su juventud, en agosto de 1804, asciende con su maestro la cumbre del Aventino, el monte Sacro, y pronuncia el juramento que ha de regir durante el resto de su vida el pulso de sus venas. Juramento que es un eco de la madre espartana: «Habréis de volver con el escudo o sobre él». Y embraza desde entonces el escudo de la liberación de nuestras patrias que no han de arrancarle los repetidos golpes de la adversidad que parece ser el sino de sus primeros años. Se alza aún más grande que ellas. Su voluntad doblega los obstáculos que le oponen los hombres y la

naturaleza. Las llanuras ardientes, los ríos enfurecidos como el Escamandro de la Ilíada, los picos nevados de los Andes, la traición que anida en tantos pechos. Cabalga incansablemente los fragosos caminos de las costas del Caribe al Orinoco, al páramo de Pisba y a los cantiles de Cariaco. De la canícula peruana, a las abruptas laderas de la Cordillera Blanca. Rompe las vértebras del enemigo en batallas sin cuento, hasta cerrar por fin los ojos ante el único enemigo que no pudo vencer. Y ahí lo vemos en el bronce de Tennerani en la plaza mayor de Bogotá; en el mármol pensativo del Panteón de los Héroes en Caracas; sobre su caballo de combate en la plaza de Lima. Y así, como corriera más cálida la sangre de aquellos que lo vieron en su vida pasar, y cuando aquí evocamos la figura del héroe entre los héroes, se acelera el latido de nuestros corazones.

Arriba izquierda: *curioso retrato del Libertador con la aureola de su apasionada, tumultuosa y romántica época de su juventud.*
Arriba centro: *quinta de Bolívar donde vivió en compañía de Manuela Sáenz.*
Arriba derecha: *retrato de Manuela Sáenz, la bella criolla quiteña que durante años fuese amiga y confidente de Bolívar.*
Abajo: *óleo conmemorativo de la batalla de Boyacá, con la cual se selló la independencia de la Nueva Granada. Esta batalla precedió las gestas heroicas de Carabobo, Pichincha, Junín y Ayacucho.*

A VUELO DE PAJARO

**Eduardo
Caballero
Calderón**

Desde mucho antes del descubrimiento diferían entre sí por su lengua, sus costumbres y su carácter, las tribus que poblaban el vasto territorio nororiental andino, aunque todas pertenecieran, en mayor o menor grado, a lo que globalmente podríamos llamar la cultura chibcha. La región a que aludimos, desde la sabana de Bogotá por el sur hasta las selvas y las vegas del Arauca y el Táchira por el noreste, y desde los Llanos Orientales hasta el río Magdalena por el poniente colombiano, dependían políticamente de los caciques de Bacatá, hoy Bogotá y Hunza, hoy Tunja. Tenían estrechas relaciones comerciales basadas en el trueque. La sal era el común denominador de los frutos intercambiables en tan inmenso territorio. Explotada en las minas de las mesetas altas de la cordillera, junto con otros productos de la región, se cambiaba por los de caza y pesca que provenían de las tierras calientes que colindan con los Llanos Orientales por un lado y por el opuesto con la selva y la vega del río Magdalena.

Tres conquistadores, Jiménez de Quesada que venía del litoral Caribe sobre el Atlántico, Sebastián de Belalcázar que venía del Perú sobre el Pacífico y Nicolás de Federmann que llegó de Venezuela por el norte, confluyeron casi a un tiempo en la sabana de Bogotá a la que el primero de ellos llamó valle de los Alcázares por recordarle, cuando lo columbró desde lo alto de las montañas que la circundan, su nativa vega de Granada en Andalucía. No buscaban los españoles la sal que atraía a las tribus que dejamos en los umbrales de la historia precolombina. Iban en pos del oro, mejor dicho Eldorado, que según la leyenda que corría de boca en boca entre los nativos yacía en el fondo de una laguna andina, en la cual, en cierta noche del año lunar, el zipa sabanero se bañaba cubierto de oro de la cabeza a los pies. En el museo del Oro del Banco de la República se exhibe, entre las piezas más valiosas y curiosas de tan extraordinaria colección, una reducción en oro de la balsa que empleaba el zipa para aquellos menesteres rituales, labrada por los orfebres indígenas.

A los conquistadores de la última generación del descubrimiento sucedieron los colonos de la primera generación que organizó política y administrativamente lo que primero fue presidencia y luego virreinato de la Nueva Granada. Las relaciones entre las ciudades recién fundadas de Santa Fe, Tunja, Pamplona, Socorro, Ocaña, etc., por razones también económicas y de articulación administrativa y geográfica, llegaron a constituir algo así como un país aparte. País que se separaba cada vez más del que tenía su asiento en la inmensa vega del bajo Magdalena y la costa atlántica; que se parecía muy poco al que se estaba formando en las montañas de Antioquia, en la cordillera central; y que casi nada tenía que ver con el Tolima cuyas autoridades tardaron mucho tiempo, hasta la llegada del presidente don Juan de Borja, en dominar la aguerrida tribu de los indios pijaos. Finalmente, desde la iniciación de la colonia, ese país andino de que hablamos tenía escasos contactos políticos y comerciales con otro gran país colombiano cuyo epicentro era la ciudad de Popayán, comprendido entre lo que hoy es el Valle del Cauca entre las ramas central y occidental de la cordillera de los Andes, y los confines de la región de los pastos en lo que hoy es el departamento de Nariño, bautizado así en nombre de uno de los precursores de la independencia y la república. Más vinculado en realidad estaba este sector con Quito, comenzando en la época del incario, que con la propia Santa Fe de Bogotá, capital del Nuevo Reino de Granada. No sobra advertir que en el primer cuarto de este siglo un presidente colombiano, que primero que esto fue un gramático y un gran escritor, llamaba «mi país» al departamento de Antio-

Camino de Fómega:
un paisaje típico de la hermosa sabana cundinamarquesa.

25

quia donde había nacido. En realidad, y por obra de las pésimas comunicaciones terrestres en los siglos anteriores, hasta bien entrado el presente, Colombia era una federación de países, un archipiélago terrestre, por lo cual todavía se la define como un país de ciudades.

Al de que hablamos, poblado de minorías blancas y con predominancia indígena y mestiza en los sectores medios y populares de la sociedad, no llegaron los negros que en cambio se extendieron, con el auge de la esclavitud y el mercado negrero, por las costas del Caribe y las del Pacífico a que nos referimos antes.

Historia de la formación de un país

Los cuatro departamentos que decimos (Cundinamarca, Boyacá y los dos Santanderes) aceleraron sus contactos de toda índole, primero durante la independencia y en seguida durante el siglo de las constituciones y las guerras civiles, que fue el siglo

XIX. De Cartagena de Indias donde inició su campaña libertadora con el apoyo entusiasta de sus habitantes, el Libertador Simón Bolívar se introdujo Magdalena arriba y por el norte de Santander en los Llanos de Arauca. De Venezuela pasó después al Pantano de Vargas y Boyacá, batallas decisivas en la independencia americana, habiendo entrado por los Llanos de Casanare y remontado la cordillera en el páramo de Pisba para caer luego en las mesetas boyacenses. En ellas encontró un valioso apoyo en hombres, pertrechos y caballos para engrosar su ejército diezmado por las penalidades del fatigoso camino a través de los llanos y la cordillera. De Boyacá por el camino real se internó en lo que hoy es Cundinamarca, de cuya capital, Santa Fe, había huido el virrey al conocer la derrota de los realistas en el Puente.

No tenemos tiempo de detenernos un instante en determinadas etapas de este largo y accidentado proceso, que una vez culminada la campaña liber-

tadora e inaugurada la república de l Gran Colombia, se festinó para siempre. Lo echaron a perder la rivalidades políticas de los generales que lucharon hombro a hombro en lo campos de batalla de la independencia. Se empantanó, así, para siempre el sueño de Bolívar que exaltó su imaginación creadora primero en Roma, en el monte Aventino, a donde lo llevó su quijotesco compañero el maestro don Simón Rodríguez luego en Jamaica y más tarde e Angostura. La fracasada Convención de Ocaña no llegó a realizar lo que fu apenas un sueño en el Congreso Anfictiónico de Panamá que una ve pasada la heroica etapa de la independencia perseguía la unidad polític del continente hispanoamericano. E sueño de Bolívar era forjar un gigantesco país desde las vegas del Rí Grande en México hasta la Tierra d Fuego en los confines de Chile.

Pero ésa es otra historia, o mejo la historia general de las nacione hispanoamericanas, que no tiene ca bida en esta visión a vuelo de pájar de una abigarrada porción del territo rio colombiano.

Testimonios geográficos e históricos

Aquí cabe hacer una observación qu es válida no sólo para territorios bie delimitados dentro del panorama ge neral de la nación colombiana, sin para toda ella. A pesar de las diferen cias de origen racial, de la importan cia del negro y el mulato en las regio nes costeras y la presencia del mestiz y el indio en las regiones andina cualquier viajero percibe que el clim es factor determinante en el carácte de los habitantes del país. Los de u pueblo frío del interior de Cundina marca apenas se distinguen de otro oriundos de los pueblos fríos de Sa tander y Boyacá. Y al mismo tiemp se parecen más los santandereanos las vegas del Río de Oro a los bo yacenses nativos de las del Chicamo cha, que los tunjanos a los cucuteño Los unos viven en el altiplano y l otros en el trópico bajo. A los pár mos y las mesetas se articulan, dent

La hilandera boyacense es una figu familiar y representativa de la tradicion industria textil. A la derecha: vista p norámica de Pamplona, centro intelectu del departamento Norte de Santander.

del mismo mapa y el mismo paisaje, los valles de las tierras calientes. Dentro de la geografía tan bronca y complicada, a horcajadas la región de que hablamos sobre el lomo de la cordillera oriental, con un pie en las vegas del Magdalena y el otro en los Llanos Orientales cuyos ríos ruedan hacia el Orinoco, allí encontramos todos los climas y podemos disfrutar de todos los paisajes. Selvas todavía vírgenes en las vertientes oriental y occidental de la cordillera; la Sierra Nevada de Chita o Güicán, la más alta y dilatada de cuantas puedan verse en Colombia; la laguna de Tota en la cresta de las montañas boyacenses; el impresionante cañón del Chicamocha que parte en dos el norte de Boyacá y el sur de Santander; la maravilla geológica de las salinas de Zipaquirá en Cundinamarca, con la catedral de sal cavada en sus entrañas; las selvas del Carare y el Opón en la vega del Magdalena; y esa cadena de mesetas y valles altos que alguna vez fueron lagunas, y se extienden desde la Sabana de Bogotá en Cundinamarca hasta Paipa, Duitama y Sogamoso en Boyacá. Alzadas y ampolladas esas tierras en los páramos de Guantiva y el Almorzadero, descienden finalmente al ardiente valle de Cúcuta, sobre el río Táchira que por aquella parte delimita a Colombia y Venezuela.

En cuanto circuito geográfico nada tan variado, pues, como esa región de Colombia cruzada por senderos indígenas que apenas rasguñan la pedregosa piel de los Andes, caminos españoles de herradura y buenas carreteras en tiempos más recientes. Por aquellos senderos, en la época precolombina, trotaban los indios que descendían de los páramos y las mesetas en busca del río Magdalena, cargando sal. Por esos caminos de herradura, empedrados a trechos, salvando ríos mediante bamboleantes tarabitas, transitaron los colonos españoles que venían de la costa a fundar pueblos y haciendas en los Andes. Los libertadores y los revolucionarios del siglo XIX, por allí pasaron cien veces.

Por eso, al lado de la multiforme geografía, perduran en esa región testimonios de toda la historia nacional, desde la época precolombina con el templo del Sol reconstruido por los arqueólogos e historiadores en el valle de Sogamoso, hasta viejas ciudades coloniales: El Socorro con el trasfondo de los Comuneros que pagaron con sus vidas el grito de rebelión que conmovió a la colonia en el siglo XVIII; San Gil con su hermoso parque del Gallineral; Girón, todavía dormido en su sueño colonial; Tunja, con sus iglesias y sus casonas blasonadas; Villa de Leyva en sus lomas rojas y desnudas salpicadas de olivares grises por el lado de Sáchica, y monumentos de arquitectura tan robusta e impresionante como el monasterio de Monguí, sede central que fue de las misiones que allí hacían alto antes de internarse en la cordillera y descender a evangelizar en los Llanos de Casanare y San Martín.

No sólo monumentos arquitectónicos y bellas plazas y templos colonia-

les se encuentran desparramados por aquel extenso territorio, sino también testimonios tan valiosos para la historia general del país como los campos de batalla del Pantano de Vargas y el Puente de Boyacá, la Villa del Rosario en Cúcuta, donde se celebró el Congreso que constituyó la Gran Colombia; y Ocaña donde ella se rompió en pedazos. Finalmente Bogotá, que de ciudad provinciana y santafereña hace apenas treinta años, hasta el 9 de abril de 1948, se convirtió en una gigantesca metrópoli poblada por más de cuatro millones de habitantes en estos momentos actuales.

Lago humano que refleja el país

Para terminar echemos pie a tierra en la capital de la república. Desde cuando era un modesto rancherío que albergaba ocasionalmente al zipa, hasta el día de hoy cuando es sede del gobierno nacional y del Congreso de la república, Bacatá o Santa Fe o Bogotá ha sido el mayor foco de atracción a lo largo de su historia. La sabana fue un imán comercial y religioso para las tribus indígenas que llegaban en busca de sal o en peregrinación a los santuarios donde se veneraba el sol en el valle de Sogamoso o la diosa Chía en la población de ese

nombre en las vegas del Funza. Durante el descubrimiento y la conquista, lo fue para quienes vinieron a Nuevo Mundo deslumbrados por la leyenda de Eldorado. Lo fue durante la colonia, en cuanto cabecera metropolitana del Nuevo Reino de Granada, en la cual y a nombre de los reyes de España gobernaban y administraban justicia los virreyes y los oidores de la Real Audiencia. Y allí sentaron sus reales las casas madres de las comunidades religiosas que tenían a su cargo la evangelización de territorios todavía mal incorporados a cuerpo de la administración colonial. Pero Santa Fe fue de veras el ombligo del Nuevo Reino de Granada gracias a esa obra decisiva para la descolonización política y la educación para la libertad, que fue la Real Expedición Botánica. La promovió y dirigió en Santa Fe y en Mariquita, a orillas de Magdalena, el sabio José Celestino Mutis quien contó desde el primer momento con la entusiasta cooperación del virrey-arzobispo y de sus discípulos neogranadinos. Muchos de ellos fueron poco después sacrificados por la reacción peninsular encarnada en el sangriento pacificador Morillo. La expedición levantó el inventario e hizo la descripción científica de las riquezas del Nuevo Reino. Por la tesonera labor educativa de Mutis y sus colaboradores en el colegio del Rosario, se despejaron las tinieblas medievales que envolvían la instrucción pública a manos de los frailes. Estimuladas en los claustros del colegio, reorganizado por el sabio Mutis, las inteligencias juveniles descubrieron el camino de la libertad a través de las ciencias naturales. La torre del observatorio astronómico desde cuya terraza el sabio Caldas escrutó las estrellas, levantado en el centro de Bogotá entre el palacio de Nariño y el Capitolio Nacional, es un hito en la historia no sólo de Colombia sino de toda América. Con José Celestino Mutis a la cabeza, la expedición botánica señala la frontera his-

Página izquierda: *la iglesia de San Francisco en pleno corazón de Bogotá,
magnífico ejemplo de la sobriedad y sencillez de la arquitectura colonial.*
Abajo: *otro aspecto típico de la sabana,
los cerros de baja altura y grandes pastizales
enmarcando la represa de Neusa.*

tórica entre las Indias Occidentales bajo el dominio español y los estados independientes de América del Sur. El primer objetivo de los libertadores fue, pues, la conquista de Santa Fe de Bogotá para arrancar de la corona española las colonias hispanoamericanas. Para las revoluciones del siglo XIX que asolaron todo el territorio de Colombia, el señuelo era la conquista de Bogotá. Las que estallaban en convulsiones periódicas en el Cauca, en Santander, en Cundinamarca, en Antioquia y Boyacá, apuntaban a Bogotá para derrocar el gobierno establecido e instaurar un orden nuevo, conservador o liberal. Esas guerras intestinas que despoblaron los campos produjeron, como era apenas natural, la emigración de millares de familias, principalmente santandereanas y boyacenses, a la capital de la república cuyo clima frío y seco no era el menor de sus encantos.

Bogotá se convirtió así, de población provinciana que fuera hasta hace poco tiempo, en el centro nervioso de toda la república. El país, como lo verá quien lo visite, se precipitó por mil caminos a la capital de la república. Si en la leyenda chibcha la sabana fue una laguna que enjutó la vara de oro de Bochica cuando abrió en las montañas del poniente la brecha del salto de Tequendama, hoy es un lago humano, de espaldas al mar, encaramado en la cordillera de los Andes, en el cual se refleja y se mira todo el país.

LLANO LLANERO

Eduardo Carranza

Llano llanero

Aquí está el llano, escrito de ríos. El llano azul de ríos. Tierra casi toda aire. Horizonte novillo cimarrón y fruta y tiple y caballito veloz y copla triste y novia morena y silbo del turpial...

Aquí está el llano extendido hasta el cielo. El llano sin principio ni fin como mi alma. El llano que se prolonga de palmera en palmera como el mar de ola en ola.

Aquí está el llano empapado de sol como la mar de sal.

Aquí está la llanura. Y en la palma de su mano está la línea de la suerte de mi Patria. Esa línea es azul y se llama río Meta.

Aquí está el llano, firmamento de tierra, patio de Colombia, lleno de naranjos.

El llano, el llano llanero. Yo lo canto de pie, a grito herido y hasta enronquecer. En pie sobre mi arpa yo lo canto.

Canto su cielo limpio, bruñido y azul como una sala de dinamos. Sus ríos de afiebradas márgenes. Sus blancos pueblos bajo el océano de la luz. Su paisaje seco y orgulloso, con tiernos recodos en verde y agua. El llano que me suena a somatén. Me huele a fogata y caballo nocturno y alcohol. Tie-rra desesperada, Patria difícil y áspera. Tierra sexual, azogada, loca y alcoholada que me tira el corazón y las entrañas. Me exaspera la sangre y la fantasía. Aquí el cielo es más alto pues los hombres caminan más erguidos y a caballo. Aquí el día se levanta más temprano.

Yo te saludo, infinita Patria, abierto libro, lecho para el amor. Te saludo en lo que fue, como un jardín sepultado. Te saludo en los abuelos muertos, poderosos e invisibles bajo la tierra, como la sangre bajo la piel del hombre. Y pongo mi oído sobre la tierra para oír el galope de los dichosos días que vendrán.

Yo te saludo, pálido llanero, mi camarada y consanguíneo, cuyas manos heroicas matan la fiera y lavan la camisa gris en la mamona.

Salud, a ti, llanero, que con tu silbo guías el crecimiento de las palmas. A ti, con tus dientes perfectos y tu risa guerrera. A ti, jinete que saltas sobre el caballo como la onda sobre el lomo del río. A ti, cazador, que miras el tigre a los ojos. A ti, que vas en la piragua, a ti que saltas con tu potro por encima del tiempo. A ti, que en medio de la noche galopas en la mitad del llano, ancho como un siglo, y para quien una estrella es la casa más cercana. Y a ti, que velando sobre tu ganado mides la noche latido a latido. Y a ti, «veguero», que ríes en tu machete. Y a ti, muchacha con curvas de río llanero, y con piel de perfume, a ti, estatua del verano, a ti, de arena enternecida, cuyas alas sólo mis ojos saben ver. Y a ti, callado héroe, a la sombra de tu palmera, yo te canto.

La exhuberancia de la selva amazónica encarna plenamente el misterio de la creación.
Página derecha: el paisaje y la vida cotidiana de los llanos transcurren en ese «firmamento de tierra donde las estrellas son las casas más cercanas». Su habitante, el llanero, es diestro jinete, cazador audaz y ducho ganadero.

Y a ti, que tocas la guitarra sobre la ola de la hamaca.

Y a ti, jinete cuya frente se alza como el sol.

Yo te saludo Patria, en lo amargo de la raíz y en lo dulce del fruto. Te saludo en la orquídea y en el tigre. En tu aire que ríe por la mañana, como una muchacha que escondiera, que medio escondiera su cara entre los cabellos mojados recién salidos del baño. Te saludo en el mediodía inmóvil de pronto como los ojos de una serpiente. Te saludo en la tarde que es como una dulce mano violeta sobre nuestra frente. Y en la noche que pone a danzar los sueños en ronda cogidos de la mano, cuando un jinete invisible por el cielo, levanta una dorada polvareda.

Yo te saludo, Patria, a ti, que eres el paraíso terrenal de incógnito, en cuya lisa superficie se desbordan los grandes ríos como los corazones demasiado hermosos. Tierra sencilla como el fuego, como el aire, como el agua. Tierra que hablas con lengua de aroma que yo entiendo. En ti relinchan los potros del viento y los días se alzan con cresta de gallo y avanza la mañana húmeda y roja, como una invasión de besos.

En ti las islas que un río abraza como abraza a un corazón el tiempo. En ti la atmósfera vestida de llamas anda delirando el día de la quema. En ti los pájaros con su peso de música. En ti la lluvia que abre el País de las Maravillas.

En ti la mañana rápida y alegre como una buena noticia de repente.

En ti la risa de aguas y espuma. En ti los ojos azules de los lagos. En ti la soga, relámpago flexible. En ti el silencio en su casa de musgo. Y sobre ti un río de galopes y un relincho levantado hasta el cielo.

Oh mi Patria, casa sin puertas, casa toda puertas, llano de par en par como el futuro.

Yo también te robaría, en unas fiestas, «sobre un garañón y con matraca y entre los tiros de la policía».

la selva

aquí está la selva de fiebre y de
cío como nuestra carne, edén en
edio del infierno.

a selva catedralicia cantada por José
ustasio Rivera en memorable, paté-
ca invocación transida de belleza
pica, de trágica, temblorosa, solem-
e emoción casi religiosa:

¡Ah selva, esposa del silencio, ma-
re de la soledad y de la neblina! ¿Qué
ado maligno me dejó prisionero en
i cárcel verde? Los pabellones de tus
amajes, como inmensa bóveda,
empre están sobre mi cabeza, entre
i aspiración y el cielo claro, que sólo
treveo cuando tus copas estremeci-
as mueven su oleaje, a la hora de tus
epúsculos angustiosos. ¿Dónde es-
rá la estrella querida que de tarde
asea las lomas? Aquellos celajes de
ro y múrice con que se viste el ángel
e los ponientes, ¿por qué no tiem-
lan en tu dombo?

ú eres la catedral de la pesadumbre,
onde dioses desconocidos hablan
media voz, en el idioma de los
urmullos, prometiendo longevidad
los árboles imponentes, contempo-
áneos del paraíso, que eran ya deca-
os cuando las primeras tribus apare-
eron y esperan impasibles el hundi-
iento de los siglos venturos. Tus
egetales forman sobre la tierra la
oderosa familia que no se traiciona
unca. El abrazo que no pueden darse
s ramazones lo llevan las enredade-
s y los bejucos, y eres solidaria hasta
n el dolor de la hoja que cae. Tus
ultísonas voces forman un solo eco
l llorar por los troncos que se desplo-
an, y en cada brecha los nuevos
érmenes apresuran sus gestaciones.
ú tienes la adustez de la fuerza cós-
ica y encarnas un misterio de la
reación.

n el esquema de los geógrafos la
rinoquia —cuyo rasgo determinan-
son las abiertas planicies cortadas
or lentos ríos anchurosos, el viento

Página izquierda arriba: *vaquero por naturaleza,*
otra de las artes del llanero es la doma del caballo.
Página izquierda abajo: *un ejemplo de la riqueza vegetal del trópico*
son las hojas de la Victoria Regia,
que llegan a medir hasta dos metros de perímetro.
Abajo: *en el silencio de la noche llanera,*
el vaquero vela sobre su caballo «midiendo la noche latido a latido».

olitario, las vastas montañas enhies-
as de palmeras, olorosas a cedro
a vainilla y el silbo de los caños
agabundos—, se extiende entre el
acizo oriental de la cordillera de los
ndes y el río Guaviare. En la Ama-
onia el rasgo obsesionante es la sel-
a, ese misterioso, cruel y fascinador
mundo viceral casi tan grande como
uropa». Lívido mundo crepuscular,
reino del espanto». Sobrevolado pa-
ece un crespo mar verde-oscuro, in-
óvil de repente. Allí acecha el peli-
ro en los ojos fosforescentes del
gre, en los pérfidos ojos de la ciéna-
a, en el piraña voraz, en las rojas
rañas velludas de roce deletéreo, en
s grandes flores de mirada mortal,
n el ejército millonario de las que-
antes «tambochas» capaces de de-
orar una ciudad entera, en las ser-
ientes de nombre terrible y veneno
ulminante: la cascabel, la coral, la
acaurel, la verrugosa, la pudridora,
taya, la cuatro-narices... Allí ace-
han, fieros y taimados los caimanes,

algunos tan desmesurados que su
longitud llega a los siete y ocho metros. Y el terrible gimnoto, tembla-
dor o pez eléctrico de color verde
oliva, una braza de largo y figura de
anguila, que descarga sobre el impru-
dente o el incauto una poderosa y es-
tremecedora corriente eléctrica a menudo mortal. Y la raya, redonda
y plana, al modo de un plato grande,
que suele herir la planta del pie con
sus púas en forma de sierra. Y el boa
constrictor, repulsivo serpentón llamado güio, del tamaño de una viga,
que exhala un vaho ponzoñoso e hip-
notizante y asfixiante y que estrangu-
la a su víctima envolviéndola y estre-
chándola en mortales roscas. Yacen
tendidos al sol, larga y letárgica di-
gestión de un novillo o un venado
hasta que sólo les quedan las astas
o cornamentas en la jeta.
Oí de niño, el caso de una señora del
hermoso pueblo llanero de San Martín, que sorprendida por un güio
mientras se bañaba en el caño, en

punto ya de esa muerte horrible, tuvo
la escalofriante lucidez de recordar un
gran alfiler que llevaba en el pelo
y con él punzó los ojos del bicho que,
ciego, aflojó los mortales anillos. La
dama, que era joven y guapa, salió del
trance con el cabello blanco.

La selva del nocturno terror mile-
nario, donde habitan la crueldad
y la locura, la fiebre, la codicia y la
muerte. El tercer día de la creación.

Eduardo Caranya

LA HISTORIA

Germán
Arciniega

De cómo va creciendo la historia hacia atrás

La división clásica de las historias en las naciones hispanoamericanas era así: descubrimiento, conquista, colonia, república. Sin que estos cuatro trancos lo expliquen todo, ni puedan deslindarse con nitidez, sirven para una primera orientación. Quienes han tomado ese esquema consideran que para nosotros la historia sólo comienza el día en que los blancos aparecen en la escena. Tendríamos historia a partir de la presencia del europeo en territorio americano. En tiempos recientes ha venido a verse que el fondo aborigen abre perspectivas cada vez más intrigantes sobre nuestra propia actitud frente a los demás hombres del mundo. El chibcha o el caribe de que se hablaba en las viejas historias de Colombia, no tenía importancia sino en la medida en que pudo ser obstáculo al avance de los conquistadores, y nuestra aparición en la escena universal se coloreaba con estos duelos entre el hombre armado, con fierro, pólvora, caballo, perros bravos, que irrumpía en las tierras habitadas por indígenas desnudos, armados de lanzas de palo, flechas y piedras. Es claro que de un encuentro semejante habría de resultar algo tan imprevisto para europeos como para americanos, y la encomienda, el mestizaje, la colonización, el cristianismo, el trigo, los caballos, los nuevos perros, el vestido y mil otras cosas cambiarían radicalmente el pasado de los aborígenes vencidos y de los españoles peregrinos, en términos tan inesperados que serían como otra historia. Lo cual no quiere decir ni que los españoles hacia atrás no tuvieran nada, ni que los americanos fueran cavernarios. En Colombia existieron naciones que hemos convenido en considerar prehistóricas haciendo del hombre precolombino un ser borroso, inasible. Sin embargo, arqueólogos y antropólogos vienen abriendo brechas que cada vez permiten avanzar más en el conocimiento de lo que podría llamarse el «colombiano precolombino». En los viejos textos de historia aparecen grupos indígenas clasificados superficialmente como chibchas, panches, tolimas, muzos, agataes, buchipas, tecuas... Hoy ha podido llegarse a individualizar estilos, culturas, naciones que dejaron cada una en oro, en cerámica, en piedras el testimonio de su arte propio. La historia crece hacia atrás en forma impresionante, y basta ver en sólo el trabajo del oro cómo van surgiendo con rasgos propios estilos muiscas, sinúes, popayanes, calimas, quimbayas... que colocan todo lo que luego vendrá sobre un fondo áureo. Tal como aparecen las madonas bizantinas.

Papel de Colombia en los descubrimientos

Fue La Española, es decir: la isla de Santo Domingo, el primer cuartel general de donde saldrían inicialmente los exploradores para Tierra Firme. Pero ya en Tierra Firme, así como México habría de ser luego el foco central de las exploraciones que se dirigirían hacia Centro América o hacia California, a la Nueva Granada le correspondería el gran papel de distribuidor hacia el mundo sudamericano. Más exactamente, en Santa Marta, Cartagena, el Darién, Panamá se sitúan quienes habrían de llevar la curiosidad y el poderío español hasta Chile. Colombia es la esquina del gran triángulo sudamericano, o como la llamó con mucho acierto Kathleen Romoli, la puerta principal de Sur América. Al descubrimiento hecho por Colón, seguirían muchos descubrimientos destinados a abarcar todas las Américas. Y ahí el territorio colombiano viene a jugar un papel muy singular.

Quien contempla desde lo que vino a ser Colombia —la Tierra de Colón— la trágica figura del almirante genovés, le ve navegando desde el golfo de Paria en Venezuela hasta Honduras, en el tercero y el cuarto de sus viajes, enloquecido con la idea de que había llegado al propio paraíso terrenal en Venezuela, hallando en Veraguas el oro que no se había encontrado en Santo Domingo, y, náufrago en aguas de Panamá, llegando a Jamaica con las naves hechas una miseria por la broma, sin manera de regresar a tierra de cristianos, litigando idealmente con el rey sobre su propia grandeza... De Colombia sólo le quedó la imagen de Panamá, vista entre los delirios de la fiebre, bajo el azote de una tempestad Caribe.

Compañeros de Colón o en los viajes o en España —Ojeda, Bastidas, Vespucci, Juan de la Cosa— vinieron a explorar o tocar en las costas que él miró sólo de lejos. Otros les sucedieron de inmediato. Y así surgieron las primeras ciudades del litoral colombiano, de donde habrían de partir hacia el otro mar o hacia el interior algunos de los más grandes exploradores de España en América. En 1502 el rey envía a Alonso de Ojeda y a Diego de Nicuesa a poblar en Tierra Firme. Ojeda había divisado, cuando el segundo viaje de Colón, el cabo de la Vela en la Guajira. Le acompañaban Amerigo Vespucci y Juan de la Cosa. Iría con el encargo de fundar la Nueva Andalucía, entre el cabo de la Vela y el golfo de Urabá. Nicuesa fundaría Castilla de Oro, del cabo de la Vela hacia el oeste. Todo esto lo borraría el infierno verde. Pero en los breves meses que duraron estas cosas, allí anidaron hombres de audacia sin límites. Allí estuvieron Balboa el descubridor del océano Pacífico, y Pizarro el conquistador del Perú. El día que Balboa da el primer golpe de estado en el Darién, destituyendo a Enciso, representante del gobernador, a nombre del común, se hace caudillo de los alzados, y realiza el

Máscara pijao. La cerámica y la orfebrería constituyen el legado más descollante de nuestras culturas precolombinas.

primer movimiento de independencia. Se impone con el apoyo del pueblo contra la autoridad del rey. Ante esta realidad se inclinó el rey, si bien a la larga acabó castigándola el gobernador de Panamá, Pedrarias Dávila. Cuando rodó la cabeza de Balboa, el gobernador creyó decapitar la audacia comunera que acababa de regalar al rey las aguas del más grande océano del mundo...

Panamá, parte de la vieja Colombia, ocupa un lugar singularísimo en esta historia. Descubierto el mar del Sur, todas las conquistas que de allí partieron habrían de hacerse en naves fabricadas por españoles que jamás habían trabajado en un astillero. Y fueron naves que navegaron llevando a miles de soldados, con sus caballos y sus armas y sus perros, para hacer la conquista del Perú a Chile, y la de América Central hasta México y California por la costa occidental. De cómo se hicieron cascos y mástiles, velas y cuerdas, timones y cubiertas, y de dónde salió la brea o la resina para calafatear, y hierro para los clavos... es cosa que maravilla. Jamás la imaginación de aquellos carpinteros improvisados, espontáneos constructores de naves, tuvo por delante un problema más complicado y lo resolvió con parecida lucidez.

Las conquistas

El Nuevo Reino de Granada habría de resultar como consecuencia de una de las conquistas mayores de los españoles. La hazaña de llegar al tope de los Andes, trepando por los flancos de la última de las tres cordilleras en que se abre la gran cadena de montañas, duplica la epopeya mexicana de Cortés. Quesada no llega a la meta final por tierras pobladas de naciones más o menos desarrolladas, sino cruzando infiernos verdes, selvas desiertas, con una fauna que va desde los tigres hasta las niguas. Trepando abismos en que los caballos se guindaban en redes fabricadas con bejucos. La proeza comenzó en Santa Marta, campamento en que la aglomeración de soldados ociosos, y a la espectativa de grandes aventuras, sólo había servido para exasperar a los indígenas. Surgió entonces, en parte como estratagema de los indios para salir de los conquistadores, la ilusión de un reino fabuloso, que acabó imponiendo la leyenda de Eldorado. Un letrado, licenciado en leyes, Gonzalo Jiménez de Quesada, tomó a su cargo la conquista del interior. Cuando ya estaba rota la fuerza de los expedicionarios, y lo que iban a conquistar sería absurdo ponerlo a nombre del gobernador de Santa Marta, Quesada reúne a los de su común en la misma forma en que lo hizo en la otra punta del litoral, en el Darién, Vasco Núñez de Balboa. El común aclama como su capitán único a Quesada, y así llega al altiplano del país de los chibchas. Llevaba menos de doscientos hombres quien de Santa Marta había salido con ochocientos. Eldorado, si se hunde en las aguas de Guatavita, la laguna de los zaques, como ilusión trunca, renacerá una y otra vez en toda la América del Sur. Ese espejismo podría tener en la misma Europa raíces de indeclinable codicia. Por eso persistió.

Con idéntica cantidad de soldados llegan al mismo lugar, que viene a ser el de la nueva ciudad de América Santa Fe de Bogotá, el alemán Federmann, del grupo de los Welser de Venezuela, y el extremeño Belalcázar, del grupo de los expedicionarios del Perú. Los tres conquistadores habían salido de tres remotos lugares —Santa Marta, Coro, Quito—, sin saber ninguno de los otros, los tres llevados de la misma ilusión de Eldorado. En vez de irse a las manos —o a las espadas— como era lo normal, la palabra florida del licenciado triunfó para volver todos a España, a que el rey decidiera la repartición de la conquista...

Las fechas de otras fundaciones de ciudades, muestra cómo fue ensanchándose el nuevo reino. Cada vez

Cristóbal Colón, el almirante genovés que descubrió América, le dio nombre a Colombia, «la puerta principal de Sur América» cuyo territorio había de jugar un importante papel en los sucesivos descubrimientos. A la derecha: la partida de las tres carabelas y Colón ante los Reyes Católicos.

que los conquistadores, salidos del litoral Caribe o del reino de Quito llegaban a algún lugar ameno, que los obligara a detener el paso, paraban a pensar en encomiendas y explotaciones de minas o de tierras. Popayán, 1536; Cali, 1536; Pasto, 1539; Tunja, 1539; Antioquia, 1541... La complejidad de valles y sabanas, la necesidad de poner fin a jornadas de exploración, fue señalando la necesidad de fundar ciudades, como se había hecho en Santa Fe de Bogotá en 1538. Así se echó la semilla de lo que habría de hacer de Colombia país de muchas ciudades, grandes y pequeñas, bajo el control, un tanto ilusorio, de una capital que no podía ser central única de la vida política.

La colonia

Como lo de «Eldorado» fue más ilusorio que las riquezas positivas de Cuzco, o los tesoros de Monctezuma, a tiempo que en México y Lima se montaron virreinatos, donde el virrey era un pequeño rey en silla de oro, la Nueva Granada quedó manejada por una Real Audiencia. Apenas, y no de manera permanente, fue hecha virreinato en 1718, independiente del Perú. Suspendido en 1724 el virreinato fue restaurado en 1740, es decir, a doscientos años de la creación del virreinato del Perú (el de México, más antiguo, se erigió en 1535). El virreinato del Río de la Plata (Buenos Aires) es posterior (1776).

Siendo Nueva Granada colonia de riquezas menores, nunca tuvo el esplendor de México o Perú, ni los dramas de sangre fueron en ella tan violentos. Las universidades en Santa Fe, la Javeriana (1636), y la Tomista del Rosario (1639), se fundan con un retardo considerable en relación con las de México y Lima (1553), y la imprenta se establece con parecida demora. Buena parte de la literatura colonial quedó inédita, y algunos libros de los primeros tiempos han venido a descubrirse en este siglo, casi todos en los archivos de España. En 1567 escribe Gonzalo Jiménez de Quesada uno de los más extraños libros que salgan de América. Es un ataque a Paulo Jovio por el libro que el humanista italiano hizo sobre las guerras de Carlos V. (Quesada ya había escrito los Anales de Carlos V, que se perdieron). Es una abultada obra, el «Antijovio», que viene a descubrirse 350 años después en un archivo de España. Quesada había estado en las guerras de Italia, y tuvo la singular idea de hacer prolija defensa de su emperador, en jugoso castellano del quinientos. Que Quesada y dos curas de Tunja, don Juan de Castellanos y Andrés de Santo Tomás, se reúnan en Santa Fe a leer el manuscrito de un profuso alegato escrito por el conquistador cuando todavía Cervantes no tenía en la mente a su Ingenioso Hidalgo, da la medida de cómo en una capital tan metida entre los montes de América podían

Izquierda: *tumba de Gonzalo Jiménez de Quesada,
el fundador de Santa Fe de Bogotá en 1538.*
Abajo: *tumba de Rodrigo de Bastidas,
descubridor de la desembocadura del río Madalena y fundador de Santa Marta.*

41

prosperar estas quijotadas... Más curioso es el caso de la primera novela que se escribe en América. Su autor es el santafereño Pedro de Solís y Valenzuela, y su título «El Desierto prodigioso». La fecha, 1647. Pasará siglo y medio antes de que el género novelístico surja en la América española. Como en el caso del Antijovio, «El desierto prodigioso» queda perdido por casi tres siglos y medio en los archivos de España, y viene a comenzarse su publicación en 1977. En esa novela, en medio de las aventuras de los personajes, salta a la vista el conocimiento que se tenía en la Santa Fe del 600 de Quevedo, fray Luis, Calderón, Jorge Manrique, Lope... y muchos poetas ya olvidados, que entonces se recitaban de memoria en los encuentros literarios de una capital helada y diminuta. Pero al lado de la república literaria hay otras cosas. La clausura del puerto de Buenos Aires había convertido en puerto seco al que vendría a ser, con la independencia, el más importante en el Atlántico del sur. Por el camino de Panamá pasaba todo el comercio sudamericano español. El Caribe fue en todos estos siglos lugar de disputas entre España y el resto de Europa, excluida por España del comercio. Fuera de los caminos mercantiles que se cerraban, estaba la cuestión religiosa. Los protestantes sentían como una provocación la presencia única en América de una España papista que les impedía toda propaganda en favor de sus propias sectas. España levantó fortalezas en toda el área del nuevo Mediterráneo, del Mediterráneo del Nuevo Mundo, convertido en campo de lucha con piratas, corsarios, filibusteros, y cuanto humanamente cabe en estas raleas de lobos marinos. Murallas, castillos, parapetos, garitas, subterráneos, fosos y canales hicieron de Cartagena un candado de piedra que mil veces trataron de romper ingleses, franceses, holandeses, en su empeño de forzar la entrada al extranjero. Ya desde tiempos de Francisco I, este rey de Francia había pedido que le mostraran la cláusula en el testamento de Adán constituyendo en heredero del Nuevo Mundo al rey de España. No fueron pocas las veces en que, ya en Santa Marta, ya en Cartagena, los piratas saquearon, llevándose hasta las campanas. Y no fue poco el heroísmo desplegado por los españoles para defenderse. El último gran

desafío lo hizo la flota británica capitaneada por el almirante Edward Vernon. Lo venció la resistencia del español don Blas de Lezo —cojo, manco y tuerto—. Los hechos ocurrieron en 1740. Vernon salió en fuga y Cartagena pasó a ser la Ciudad Heroica.

Sólo una mercancía inglesa se ofrecía abiertamente en el mercado de Cartagena: negros del Africa. La aparición del Nuevo Mundo vino a ser una bendición para los ingleses que controlaron lo mejor de las riquezas del Africa: el negro. Los españoles, para beneficio de las minas y en las plantaciones de tierra caliente, pagaban en buen oro lo que los ingleses habían comprado por nada en Cabo Verde a los africanos. Lo inhumano de este tráfico sólo vino a revelarlo un santo cuyo apostolado se desarrolló íntegramente en Cartagena. San Pedro Claver, el esclavo de los esclavos, lamiendo las llagas de los negros que venían apestados en los barcos de los negreros, abrió los ojos a quienes hasta ese momento no habían caído en la cuenta de que un negro «también» es un ser humano. Con el tiempo, ya dentro de la república, Colombia fue una de las patrias americanas que enseñaron al mundo sobre la liberación de los esclavos.

En el interior, la colonia neogranadina fue una de las que mezclaron más profundamente sangres de españoles e indios. Cuando vino la república, la inmensa mayoría de la población era mestiza. Desaparecieron las lenguas indígenas, que sólo se han preservado en selvas como las amazónicas. También en las regiones donde se concentró la esclavitud, la mezcla de blancos y negros fue generalizada. No tanto como en Brasil, pero mucho más que en Estados Unidos. En este sentido, la colonia prestó a la democracia una ayuda que, sin embargo, en lo político, fue menor. Humanamente, hubo una aproximación a la igualdad, hija más del clima que de la ley, y si la discriminación aparecía en muchos capítulos de ordenanzas y estatutos, esas fronteras se borraban en la vida cotidiana.

El pueblo español trajo a América ideales que en la Península fueron castigados por el imperio. Al lado de leyes de raíz gótica, en los reinos de España se había impuesto un contrapeso popular que permitía a las comunidades campesinas disfrutar de

fueros y privilegios que los reyes acataban. La tradición más antigua, en el reino de Aragón como en el de Castilla, y lo mismo en la tierra de los vascos, había hecho del comunero un hombre con derechos que eran escudo de su dignidad. A poco del descubrimiento, cuando Carlos V de Habsburgo introduce esta casa como la real de España, se presenta el conflicto entre los comuneros de Castilla y la voluntad del rey nuevo, encaminada en ese momento a ganar la corona del Sacro Imperio Romano. Los comuneros le salen al paso para que jure sus fueros, y el mozo impaciente les echa encima la caballería. Padilla y su mujer, sacrificados, acallan la voz del común amedrentado. Pero la semilla pasa al otro lado del Atlántico, y en cierto lugar de nuestro territorio colombiano, Balboa, como queda dicho, hace ver que la rebeldía puede renacer en América. A mucho más de dos siglos de distancia, en El Socorro y en casi todo el Nuevo Reino, las comunidades recogen en sus estandartes la palabra «comunero», que no se ha perdido. Con ella dan el primer grito formal de independencia.

Fueron universidades, colegios, seminarios, centros de estudios recogidos dentro de la tradición escolástica. La ciencia era poca, y la poca estaba escondida. Pero en el siglo XVIII, con la entrada de los Borbones a España y con la expulsión de los jesuitas, se impone un nuevo plan de estudios. La enseñanza por Mutis del sistema de Copérnico provoca un movimiento que pone en duda toda la enseñanza basada en Aristóteles, en el tomismo, y de ahí surgen los precursores de la independencia. El mismo Mutis propone la creación de una Misión Botánica en 1763, a menos de 30 años de haber publicado Linneo en Suecia su sistema para la clasificación de las plantas, que revolucionó en Occidente las tradiciones botánicas. En la Nueva Granada se forma una escuela botánica que trabaja contemporáneamente con los países que han respondido más pronto al estímulo científico del sabio de Upsala. El día en que Humboldt llega a Bogotá, al comenzar el siglo XIX, ve los trabajos de la Misión dirigida por Mutis y encuentra que lo que se está haciendo en Nueva Granada no lo igualan los países europeos. La riqueza de una flora que va descubriéndose con la ayuda de indios analfabetos, sabios en

*Blas de Lezo, el heroico defensor de Cartagena de Indias,
tiene su monumento al pie de las famosas murallas
erigidas contra piratas y corsarios.*

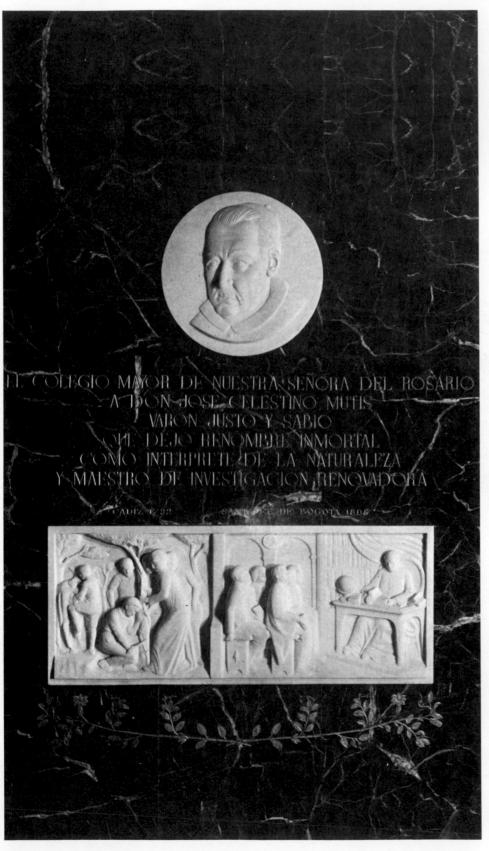

EL COLEGIO MAYOR DE NUESTRA SEÑORA DEL ROSARIO
A DON JOSE CELESTINO MUTIS
VARON JUSTO Y SABIO
QUE DEJO RENOMBRE INMORTAL
COMO INTERPRETE DE LA NATURALEZA
Y MAESTRO DE INVESTIGACION RENOVADORA

CADIZ 1732   SANTAFE DE BOGOTA 1808

el uso y conocimiento de las plantas y la pasión que en su estudio poner los estudiantes, la perfección a que llegan los dibujantes de plantas, servirán de tema a Humboldt en páginas que están entre las mejores de su obra sobre la América equinoccial.

Contemporáneamente, los miembros de la misión que presidió La Condamine y que han informado a la Academia de Francia sobre sus experiencias en Quito y Cuenca, facilitaron a dos de sus miembros, los españoles Jorge Juan y Antonio Ulloa, el estudio de la realidad política de América, que pintan en sus «Memorias Secretas», de gran resonancia en las colonias. Paradójicamente, la revolución universitaria de Mutis, un español, la revolución de los comuneros inspirada en un movimiento del pueblo español, y la crítica a la administración española hecha por dos españoles, serían las tres motivaciones más decisivas para dar el grito de independencia. Sorprende esta conclusión por cuanto hace patente que el mayor avance hacia la guerra contra España proviene no de la Francia revolucionaria, ni siquiera de los textos de la independencia de Estados Unidos, sino de las propias fuentes españolas. De idealistas españoles cuyas enseñanzas tenían mayor resonancia en América que en la Península.

La independencia

La independencia fue primero una actitud crítica que lo mismo nació de los claustros académicos que del común socorrano. La formularon valientemente estudiantes y campesinos, y penetró hasta en las minas de Antioquia. Los protomártires de la independencia fueron ahorcados, descuartizados, o enviados a los presidios de España, treinta años y más antes de que se dieran los llamados gritos de independencia en los cabildos. José Antonio Galán dio la libertad a los esclavos cuarenta años ante de que Bolívar planteara la cuestión en el Congreso de Cúcuta. La ola libertadora crece con el recuerdo de la represión brutal de los comuneros de El Socorro. La ingenuidad de los primeros revolucionarios se ve cuando piensan salvar al responsable de los nuevos impuestos abriéndole el camino de la fuga, o creen en las capitulaciones juradas en Zipaquirá, en misa solemne oficiada por el arzobispo. Este, pronto sería designado virrey. Su pacificación fue burla e irrisión. La sangrienta represalia nunca se olvidó. Veinte años después, en Túquerres, los indios acabaron dentro de la iglesia, a piedras y lanzazos, con los clavijos responsables de los nuevos impuestos cuya lista acababa de leer el cura párroco desde el púlpito. En Santa Fe misma, los estudiantes llenaron de pasquines las paredes de la ciudad haciendo las mismas protestas que los campesinos habían iniciado en El Socorro. Cuando viene la invasión napoleónica en España, y los opositores proponen Cortes en Cádiz, invitan a América para que se haga presente. Nueva Granada, como las demás colonias, se apresta a estrenar representación, enviando a las figuras más destacadas con representaciones que recogen la substancia de quejas de treinta años. Los papeles más elocuentes fueron escritos por un abogado de Cali y otro de Popayán: don Ignacio de Herrera y don Camilo Torres. El último ha pasado a la historia como un «Memorial de agravios». Más aún: Nueva Granada estuvo representada en Cádiz por un guayaquileño, José Mejía, el más celebrado orador en las Cortes, elocuentísimo en la defensa de la libertad de prensa, a quien se recuerda todavía en España. Una de las calles más centrales de Madrid lleva su nombre.

Por Europa se movían algunos desterrados neogranadinos famosos. Uno, don Antonio Nariño, traductor del francés, en Bogotá, de los Derechos del Hombre, llamado con justicia

precursor de la independencia. Habría de ser, regresando a su tierra, una de las figuras más destacadas en los comienzos de la república. Otro, Francisco Antonio Zea, antiguo miembro de la misión Botánica, comprometido en la conspiración de los pasquines, vio su autoridad restaurada en la Península como director del Jardín Botánico. De regreso a América preside en Angostura el Congreso, proclama la creación de la Gran Colombia y parte para Inglaterra como el primer gran diplomático de la nueva república. Otro, Pedro Fermín de Vargas, informa a Miranda sobre lo de los comuneros del

Socorro, y en las Antillas, en Estados Unidos, en Inglaterra se hace vocero de la causa republicana.

La idea original de la emancipación se difunde así en Nueva Granada y en el exterior. El grito del 20 de julio no viene a ser sino la culminación de algo que desde el siglo anterior venía agitando lo mismo a maestros y estudiantes que a campesinos, indios y negros. Así se explica que el día del grito, se pronuncien contra los chapetones los campesinos indios y mestizos que habían venido de los pueblos vecinos al mercado de Santa Fe, o que salga al balcón un orador preparado en la universidad, o que Carbonel

haga propaganda entre los artesanos, o que Caldas se encierre en la sala del Observatorio a escribir el diario de los sucesos, o que el pueblo libere de su cárcel al canónigo Rosillo, el socorrano.

La guerra de independencia

La violencia vino a ser el desenlace forzoso de una revolución que ya había soltado la lengua. Alzadas contra las autoridades reales, primero con la tímida fórmula de viva el rey y muera el mal gobierno, acabaron las provincias, y luego la capital, declarando la independencia absoluta, y le-

vantando unos ejércitos débiles por la improvisación y la inexperiencia. El 11 de noviembre de 1811 Cartagena es la primera ciudad en donde se declara la independencia absoluta. Pero el gobierno era tan inexperto y vacilante, se mostraba a tal punto atortolado, que a ese primer período se le da el nombre de Patria Boba. En Cartagena, en 1812, la presencia de un soldado desconocido vendría a decidir la acción violenta y heroica que en siete años acabaría por desterrar definitivamente a los españoles del gobierno neogranadino. El desconocido se llamaba Simón Bolívar. La hoja de vida que presentaba no podía ser

peor: en sus manos se había perdido la fortaleza de Puerto Cabello en Venezuela y en La Guaira había entregado a Miranda a los españoles. Escapado de Caracas llegaba a explicar en la Nueva Granada las causas de la derrota venezolana y a pedir que de Nueva Granada partiera un ejército libertador. Los documentos que escribió en Cartagena son tremendos y con ellos se inicia esa literatura suya deslumbrante que gana tantas victorias o más que su propia espada. Lo que dice sobre las fallas del gobierno venezolano es la bofetada que despierta a los soñadores de la Patria Boba. Su palabra conmueve a los de Cartagena,

y llega a Camilo Torres, presidente de un congreso que se ha reunido en Tunja. Torres descubre de repente que en ese recién llegado estaba el futuro de la América republicana. Que él sería capaz de sacar ejércitos de la nada para devolverle el ser a Venezuela. Veloz inicia Bolívar la campaña del Magdalena, donde, como dirá luego, nace su gloria, y con negros de Cartagena y trescientos momposinos parte hacia las tierras de los comuneros granadinos, pasa a Venezuela y acaba la jornada en Caracas donde se le aclama Libertador. De su invención es la unión de la Nueva Granada y Venezuela, instrumento que le ser-

tropas, y los generales sacados de las dos colonias integradas. Santander salió de los Llanos para Boyacá con Anzoátegui, Sucre tuvo a su lado lo mismo en Pichincha que en Ayacucho a Córdoba. Dentro de Venezuela, como Ricaurte decide la acción en San Mateo, y Girardot en Bárbula, la batalla naval de Maracaibo la da Padilla, en la acción más audaz de la guerra en Venezuela, después de las épicas batallas de Páez en los Llanos.

De la conferencia que celebraron en Guayaquil Bolívar y San Martín (1822) salió el acuerdo de que de ahí en adelante la definitiva liberación del

Perú y de cuanto territorio estuviera aún en manos de los españoles quedaría bajo el mando único de Bolívar. Las tropas que estaban a la disposición del Libertador eran todas colombianas, es decir: compuestas de neogranadinos y venezolanos. Así, el final de la guerra para toda América fue obra de esos ejércitos al mando del caraqueño genial. Ya en Ayacucho pelearon gentes venidas del Río de la Plata y de Chile, fuera de los peruanos reclutados en la misma tierra. La base era colombiana.

No hay duda de que el último acto de la guerra simbólicamente implicaba la unión de América. El símbolo se

deterioró dentro de la paz hija de tantas victorias. Lo cual no disminuye la importancia de lo mucho que se había adelantado en construir las repúblicas que deberían implantarse. Tenía que andarse a paso acelerado para desembocar en soluciones de democracia representativa, como ya lo habían logrado en el norte las colonias liberadas de Inglaterra. La respuesta a esta expectativa se frustró en buena parte debido a las pasiones que se hicieron presentes en la formación de los partidos.

La república naciente

La república nace dentro de la guerra. A los experimentos iniciales, turbados por prematuras luchas de partido entre federalistas y centralistas, y por la pacificación española que fusila a figuras como Camilo Torres o Caldas, va a suceder la creación de la Gran Colombia en Angostura. Es el punto culminante en la política del Libertador, cuyos resultados se traducirán en todo lo que sigue de la guerra hasta el triunfo en Ayacucho. Simbólicamente la unión entre los dos países quedó representada en Angostura con la dirección de Bolívar el venezolano, y la presidencia del Congreso en manos del granadino Francisco Antonio Zea. La Constitución de Cúcuta de

virá primero para libertar a las dos colonias, y luego para llevar hasta la frontera argentina unas tropas invencibles que hicieron temblar la tierra como dijo el poeta.

Es imposible resumir lo que fueron los siete años de luchas en los territorios de Nueva Granada y Venezuela. Hacia la mitad de ese lapso, España creyó haber doblegado a los rebeldes con los ejércitos y cadalsos del «Pacificador» Pablo Morillo. Las victorias de Boyacá y Carabobo marcaron el definitivo triunfo de los republicanos, y con ese prestigio Bolívar sale de su Gran Colombia a llevar la lucha hasta el alto Perú. Completa así la obra de San Martín en el Río de la Plata y en Chile, para dejar definitivamente hecha la independencia americana. Pero lo más extraordinario está en la evolución política que iba acompañando el paso de la guerra.

Sobre la participación de Nueva Granada, como se decía en 1812, o de Colombia, como pasó a decirse después de Angostura, en las campañas militares de la independencia, fue decisiva. Primero, Bolívar se apoyó esencialmente en tropas granadinas para liberar a Venezuela en la Campaña admirable, y de ahí en adelante todo se hizo con las dos naciones. Dentro de los cuadros que Bolívar montó siempre, fueron comunes las

1821 da el toque final a los trabajos de Angostura, ya con Nueva Granada y Venezuela liberadas.

En Cúcuta se encontró una solución para el gobierno de la república que debería imprimir orientación definitiva a la Gran Colombia primero, y luego a Colombia. Elegidos presidente Bolívar y vicepresidente Santander, se repartieron ahí mismo los papeles, consagrándose Bolívar a la guerra y Santander a la organización de la república. El acuerdo entre los dos personajes venía desde la campaña que culminó en Boyacá. Santander había mantenido en los Llanos de Venezuela la unidad de las tropas granadinas, las más adecuadas para llevar la lucha al altiplano. Había compartido con Bolívar todos los trabajos que condujeron a la victoria en Boyacá.

La suerte de Colombia estuvo en esa distribución que permitió administrar la guerra y la rama civil, disponiendo de los dos hombres mejores que para lo uno y lo otro tuvo América. Santander realizó una obra sin igual en América española organizando la hacienda pública; creando escuelas, universidades, academias, museos; echando las bases de la relaciones exteriores; emprendiendo obras públicas y educando al Congreso.

Terminada la guerra de Independencia en Ayacucho (1824) surgieron las ambiciones nacionales. El Congreso de Panamá, destinado a buscar una fórmula de confederación se hizo sin la presencia de los países del Plata ni Chile. El sueño, ya disminuido, de una liga continental, fracasó cuando el nuevo Congreso que debería reunirse en México no tuvo lugar. Bolívar, que había hecho aprobar para Bolivia su Constitución Boliviana —presidencia vitalicia, con derecho a nombrar sucesor el presidente, con-

Entre la numerosa iconografía del Libertador, sobresale este retrato.

greso con senadores vitalicios, etc.— pensó que esa fórmula debería adoptarla, en primer término, la Gran Colombia. De ahí su diferencia con Santander, que apoyaba la Constitución de Cúcuta, vigente. Páez en Venezuela se levantó contra la autoridad de Santander. Bolívar tuvo que dejar el Perú para buscar un arreglo, que quedó frustrado al reconocer la autoridad autónoma de Páez. Luego habrían de buscar su solución propia cada uno de los países bolivarianos. Bolívar, que había gobernado Perú y dejado soldados colombianos en esa república, buscó su gobernante peruano, como Bolivia el suyo salido Sucre, y más tarde lo haría Ecuador en 1835. Bolívar, de regreso a Bogotá, destituye a Santander de la vicepresidencia, y busca en Ocaña dar una nueva Constitución, sin resultado. Viéndose en minoría sus amigos, dejan sin quorum la constituyente, y sus partidarios le aclaman dictador. Al salir para su último viaje (iba a morir en Santa Marta el 17 de diciembre de 1830) el gobierno que ha dejado en manos de Joaquín Mosquera y Domingo Caicedo, es derrocado por el venezolano Urdaneta, que ejerce una efímera dictadura. En 1832 Santander, desterrado en Europa, es elegido, y de regreso restaura la república que ha visto desprenderse a Venezuela y Ecuador. De ahí en adelante se abren los más diversos caminos, dentro de los cuales, la tendencia federalista y progresista viene a formar el partido liberal, y el conservador acaba por adoptar un rígido centralismo y buscar una fuente tradicional a la sombra del espíritu de la madre patria.

La lucha entre Bolívar y Santander no se planteó en términos de ambición de mando. Fueron dos ideas de constitución las que se enfrentaron. Lo mismo va a repetirse muchas veces a lo largo del XIX y el XX. Los generales que en la independencia habían dado algunos de los héroes más destacados, desaparecieron de la escena, algunos en forma trágica. Córdoba, el compañero de Sucre, asesinado. Padilla, el que en la batalla naval de Maracaibo concluyó la independencia de Venezuela, asesinado judicialmente en Bogotá. Ricaurte al poner fuego al parque en San Mateo para asegurar una batalla que, si se pierde, hubiera dejado a Bolívar en manos de Boves. Girardot sacrificado en Bárbula. De los militares de la independencia que alcanzan a imponerse en el gobierno civil —Santander, Mosquera— lo hicieron más por sus ideas de gobierno y sus talentos civiles, que por asaltos al poder. Mosquera, que tenía madera para dictador, fue detenido en Río Negro (1863) con una constitución del más extremado federalismo, en donde se calculó el poder de los Nueve Estados como freno a sus ambiciones.

A partir de 1831 las luchas políticas ocurren en torno a ideas constitucionales. Hasta 1858 el régimen ha sido central —se dieron casos tan significativos como la liberación de los esclavos por José Hilario López en 1849— pero los gobernadores dependen del presidente que los nombra. Ya en este año se han definido ocho estados, que forman una confederación, como aparece en la constitución de ese año. La idea toma cada vez cuerpo más definido, en 1863, cuando en Río Negro se adopta la «Constitución de los Estados Unidos de Colombia». Para esa fecha a los estados de la Confederación Granadina, que eran ocho —Antioquia, Bolívar, Boyacá, Cauca, Cundinamarca, Magdalena, Panamá, Santander— se agrega uno nuevo: Tolima. Son los nueve estados que en cierto modo definen las características del país en sus diversas secciones, y que prosperan bajo el influjo de las administraciones nacionales que quedan en manos de liberales del Olimpo Radical. A pesar de la atomización del poder —la federación ha dotado a cada «Estado Soberano» de su propio ejército y las fronteras entre los nueve parecerían para una vida internacional— esa época fue l de un notorio avance en la educació los transportes, las industrias... con l limitación que progresivamente fu creciendo de las guerras civiles. Ra fael Núñez, que estimula esta anar quía y la aprovecha, da un giro de 18 grados saliéndose del partido en qu venía militando. Declara muerta l constitución del 63, y entrega a do Miguel Antonio Caro la redacción d la constitución de 1886, crudament centralista. Había dicho: «O regene ración o catástrofe», y con ese lem nació un régimen reaccionario qu con mano dura mantuvo un ciert orden hasta que de nuevo aparecieron las guerras civiles, y los liberales qu estaban excluidos de la administra ción terminaron desatando a fines d siglo una guerra que se llamó de lo mil días, seguramente la más san grienta de la historia colombiana Termina la guerra por convenio d los dos partidos, ante la amenaza d una intervención de Estados Unidos A poco, (3 de noviembre de 1903) lo Estados Unidos fomentan y sancio nan la separación de Panamá, que s constituye en república indepen diente.

La elección de Rafael Reyes en 190 nació de un primer intento de pacifi cación y renovación de sistemas. A final, cuando se intentó prolonga esta administración más allá de lo límites constitucionales, un acuerd nacional produjo su caída (1909) y vi no un entendimiento: nació el repu blicanismo en que liberales y conser vadores se unieron en una fórmul patriótica que permitió la equitativ representación de los dos partidos e el gobierno y en los cuerpos represen tativos (durante la Regeneración s llegó al extremo de que el liberalism

Izquierda: *Antonia Santos, que tan valiosos servicios prestó a la guerrilla patriótica, fue ejecutada en El Socorro en 1819.*

Abajo: *el puente de Boyacá conmemora la batalla que el 7 de agosto de 1819 selló la independencia.*

Derecha: *monumento al venezolano Rondón y sus llaneros. Famoso por su valentía, intervino en las batallas del pantano de Vargas y Boyacá, entre otras.*

sólo tuvo un asiento en el parlamento). Para el nuevo siglo ofrecía Colombia mayor equilibrio político. Dentro de este nuevo orden, al final de cuatro períodos presidenciales conservadores (1914 a 1930), en 1930 sube al poder Enrique Olaya Herrera, del partido liberal, después de más de medio siglo de estar fuera del poder. Siguen otras presidencias liberales, y en 1946, dividido el liberalismo, gana la elección el conservador Mariano Ospina Pérez. Se desata una ola de violencia que culmina en el asesinato del líder liberal Jorge Eliécer Gaitán, y viene un período dictatorial que culmina en el derrocamiento del presidente Laureano Gómez por el general Rojas Pinilla, con la satisfacción de los liberales, víctimas hasta ese momento de la dictadura conservadora. A poco Rojas Pinilla monta su dictadura, y en 1957 es derrocado por liberales y conservadores unidos. El acuerdo entre los dos partidos fue el fruto de conversaciones sostenidas en España entre Alberto Lleras Camargo, quien tomó la iniciativa, y Laureano Gómez. Este entendimiento condujo a una extraña ficción política en que se consideraban con los mismos derechos a los dos partidos para hacer gobiernos alternativos en que cada cuatro años cambiaba de manos el poder. En los cuerpos representativos habría igual número de

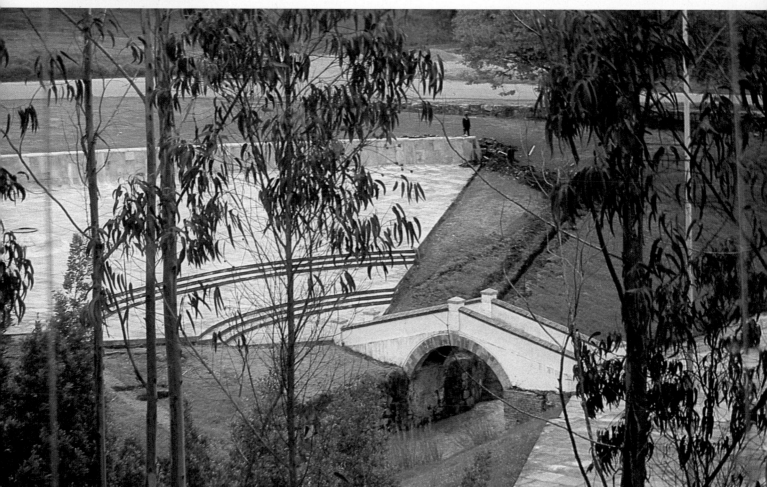

El 10 de mayo de 1957 el pueblo celebra en las calles el derrocamiento del gener
Gustavo Rojas Pinilla. Los dos grandes partidos, liberal y conservador, acordaro
alternancia en la presidencia, la administración y colegiados. A Alberto Ller
Camargo, liberal, le sucedió el conservador Guillermo León Valenci
Abajo: visita del presidente J. F. Kennedy a Colombi
poco antes de ser asesinad
Derecha abajo: la visita de Pablo VI a Colombi
fue la primera realizada por un pontífice a Latinoaméric

representantes de cada partido, y lo mismo en el gabinete ejecutivo y en las gobernaciones. Este sistema singular fue garantía de pacificación, y sirvió para restablecer el orden constitucional y permitir un entendimiento durante los diez y seis años de vigencia del pacto. Al volver al sistema normal de la constitución, se mantuvo el criterio de gobiernos na-

cionales, y no de un solo partido. Hoy mismo liberales y conservadores están representados bajo la administración liberal de Julio César Turbay. Aunque tanto la extrema derechista como la izquierdista se han movido dentro de planes terroristas, y se han establecido vinculaciones internacionales de las fuerzas extremistas para producir un vuelco institucional, la

regulación de la política sigue estand
en manos de los dos partidos tradicio
nales, cuyos programas han evolu
cionado en consonancia con las nue
vas circunstancias del país.

Germán arciniegas

54

LA ANTROPOLOGIA

Eugenio
Barney
Cabrera

Un pueblo sin historia escrita

El hombre anónimo de Colombia no ha sobrepasado todavía las etapas que suelen denominarse como de «historia no escrita». En efecto, con mínimas salvedades, ni el hombre actual ni el que enfrentó a partir del siglo XVI los traumáticos fenómenos de la deculturación, han contado con historiadores que registren el acontecer vital ni la trayectoria cultural de manera diferente a reconstrucciones tentativas en base a fuentes generalmente inspiradas por testigos extraños.

La historia oficial, de aquella manera escrita, recuerda biografías convencionales y deformantes. Asimismo, con no ocultos afanes demagógicos, esa historia deja figurar la confusa y heterogénea marea humana donde se supone que actúa el hombre común integrante de la nacionalidad. Pero las verdaderas etapas socio-económicos del hombre sin historia escrita sólo principian a estudiarse y a investigarse con rigor científico en las últimas décadas.

Como consecuencia de la desarticulada metodología oficial, acontece, por modos paradógicos, que cuando se ha intentado reconstruir el pretérito prehispánico, o en la medida en que hay propuestas de análisis sobre fenómenos socio-económicos o en torno a las varias raíces étnicas, por fuerza se imponen visiones retrospectivas —equívoca y erróneamente analógicas— desde ahora, esto es desde el presente del sistema a que pertenece el historiador hasta llegar al paleoindio de reciente descubrimiento.

Con tan arbitrarios sistemas es natural que la verdad humana y el objetivo fenómeno histórico permanezcan algo menos que ocultos. De todas maneras aquel proceso inverso, como sistema para contar la historia, comprende el siguiente orden: a). La conquista y colonización hispánica, (historia de adelantados, hazañas de toscos aventureros, proceso de exterminio y deculturación del indígena, comercio de esclavos). b). Proceso de guerras entre criollos e hispanos y surgimiento de caudillos y de agrupaciones políticas bajo el pendón de aquéllos (exaltación de héroes y próceres, historias románticas e idealismo económico). c). La etapa contemporánea, como continuación lógica de la inmeditamente anterior, llamada republicana, y con la secuela de herencias políticas y de feudos electorales; d). Regreso al mundo prehispánico, como pretexto para estudiar al indígena a través de cronistas, de leyendas y mitos que transmitieron aquellos primeros intérpretes del exótico mundo americano, y e). Estudio científico reciente del paleoindio.

El penúltimo capítulo, esto es, el relacionado con el universo indígena, ha sido de igual manera matizado de interpretaciones románticas y de disfrazados análisis que no logran ocultar la frustración por el pauperismo y la heterogeneidad de las comunidades nativas. Lo primero porque tras de la leyenda y de acuerdo con el testimonio de los cronistas, se quiso encontrar al «buen salvaje» americano, logrando sólo la exaltación de jerarcas y mandarines. Lo segundo, esto es, el aspecto frustrante y decepcionador, radica en el fenómeno de los análisis analógicos o, al menos, en el intento inconfesado de comparar las culturas precolombinas del suelo colombiano con el esplendor imperial de México, de Yucatán y el Incairo. Obviamente, de tan absurdo método, surgió empobrecido y turbio el paisaje nativo y mal interpretado el indígena colombiano. Por lo cual fue necesario encontrar argumentos de mayor fuerza y de rutilante aceptación. Los hallazgos de yacimientos arqueológicos en San Agustín (Huila), en Tierradentro (Cauca), en Tairona (Magdalena) y el esplendor de la orfebrería quimbaya, sinú y tolima, llegaron oportunamente cubriendo vacíos y dando pretextos de falsos nacionalismos culturales.

Balsa de oro, una de las más significativas muestras de la orfebrería muisca en la cual se escenifica la leyenda del cacique dorado de la laguna de Guatavita.

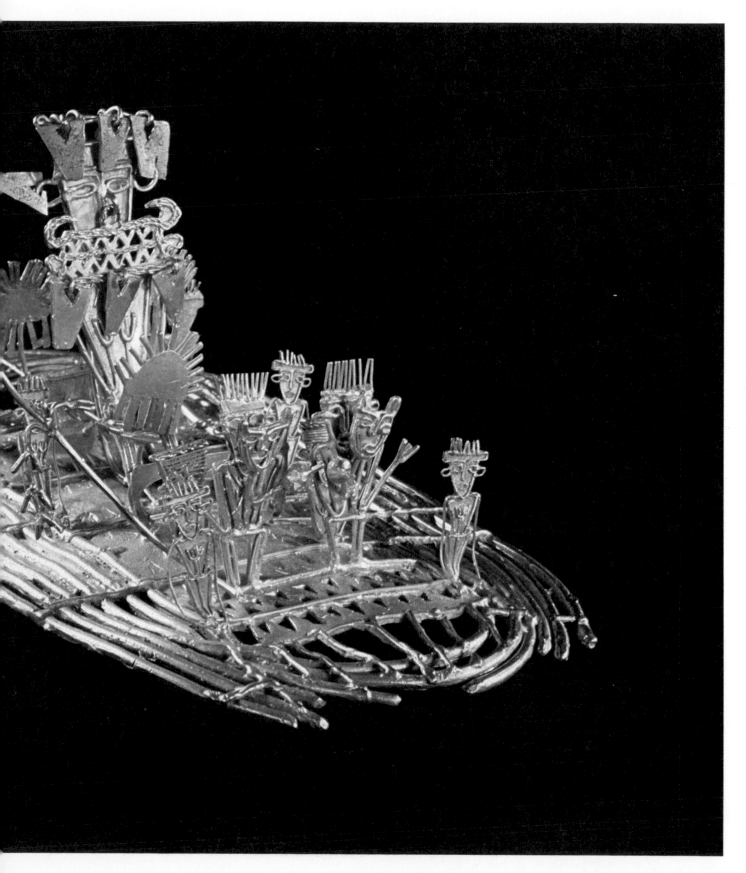

Ultimamente, al comprobar la existencia del remotísimo pasado, los arqueólogos han aportado nuevos argumentos, en verdad científicos, a la historia del hombre nativo. Este que es el postrer capítulo de la historia oficial será el primero del acontecer vital del hombre sin historia escrita que habitó desde remotos tiempos la tierra que hoy es Colombia y que aún sobrevive marginado en ella.

Primera etapa: el paleoindio

Las primeras huellas. Hasta el año de 1967 la amplia altiplanicie cundiboyacense gozó de prestigio histórico y antropológico porque ella fue sede de la cultura que unánimemente ha sido considerada como la más avanzada entre todas las que tuvieron por escenario el territorio de Colombia. Pero desde aquella fecha y en particular después de 1972 cuando los investigadores Gonzalo Correal Urrego y Th. van der Hammen dieron a conocer los informes preliminares sobre el paleoindio, el núcleo centro-oriental andino ocupó lugar principal en los cuadros de dataciones relacionadas con los primeros habitantes de América.

Desde aquellos hallazgos se supo que la prehistoria de Colombia debió

Este antiguo grabado muestra a una india chibcha hilando junto a una plantación de maíz.

Derecha arriba: *en Pandi, al igual que en otros puntos de Cundinamarca, se encuentran grupos de rocas con grabados prehistóricos.*

Derecha abajo: *laguna de Guatavita, que según la leyenda guardaba las ofrendas de oro de sus caciques.*

principiar en épocas tan remotas que ya para los años 8000 habitaba el hombre en la cima de los Andes, en el centro del país. Es decir, que de acuerdo con el largo recorrido desde las orillas del océano al norte, debió transcurrir un lapso no menor de mil años, lo que sitúa a este primitivo habitante en fechas tan tempranas como las que la arqueología tenía registradas en otros lugares del continente más cercanos a las rutas de normal inmigración.

Gracias a radicales cambios meteorológicos en todo el hemisferio, cambios que coincidieron con la llamada glaciación de Wisconsin al norte del continente, y que acaso a ella se debieron en buena parte, las corrientes inmigratorias encontraron rumbo y climas cada vez más favorables. La fauna y la flora cambiaron, las masas de hielo retrocedieron hacia el norte y el hombre pudo avanzar bordeando los mares, abrigándose en las formaciones rocosas y tomando posesión de las más altas cimas andinas. A ese tiempo, o algo cercano a tal periodo se remonta la etapa del paleoindio, la cual puede situarse por debajo de los 30 000 años. El siguiente estadio, particularmente referido a estructuras geológicas, queda definido alrededor de los 10 000 años. Entre estas dos fechas, entonces, aparece el primitivo habitante de Colombia, cazador, recolector de frutos, con dieta de moluscos o de roedores y pequeñas bestias aclimatadas al pie del monte andino y en sus altas mesetas.

Las primeras estaciones del paleoindio excavadas por Correal Urrego y van der Hammen en la planicie y en las vertientes cundiboyacenses, dieron como resultado el hallazgo de una abundante colección de restos óseos de origen animal, huellas de carbón vegetal, lascas y, desde luego, algunos bloques óseos humanos. Los lugares primeramente investigados denominados El Abra, en las cercanías de Zipaquirá, y la hacienda «Tequendama», en jurisdicción del mu

Arriba: *reconstrucción de dos viviendas chibchas de techumbre cónica cubierta de hojas de palma.*

Abajo a la izquierda: *urna funeraria indígena en la que puede apreciarse una nariguera de oro.*

Abajo a la derecha: *matrices de piedra repujada utilizadas por los orfebres para trabajar materiales como la cera o el metal directamente.*

nicipio de Soacha, demostraron que para los años 12 500 (fecha del C14 en El Abra) debió existir un periodo «relativamente seco, mientras que los intervalos inmediatamente arriba y abajo (de la estratificación arqueológica) muestran condiciones de más humedad; en cuanto a los 25 cm superiores es importante anotar que contienen polen de maíz». De dónde se interfiere que ya para los años 8000 existía la industria lítica rudimentaria (lascas triangulares, «raspadores cóncavos, laterales, circulares, etc.») y que «se cultivaba y se aprovechaba el maíz en la alimentación y, en fin, que el asentamiento del hombre pre-

chibcha en la sabana de Bogotá tiene raíces en periodos no cerámicos». (Correal, van der Hammen).
En fechas más recientes (1977-1978) los mismos científicos citados han excavado lugares paleoíndicos en Nemocón, con aproximadamente 8000 años A.P., en Gachalá con 9100 ± 160 A.P. y en Sulva con 10 100 ± siendo ésta la estación más antigua entre todas las citadas, salvo El Abra que continúa con la datación mayor. (Datos comunicados personalmente al autor por el investigador Correal Urrego). Pero para los efectos de un sucinto informe sobre el primitivo hombre andino centro-oriental, pue-

en tomarse los datos pertenecientes
[a]l yacimiento de Soacha (hacienda
[«]Tequendama»), los cuales, siendo
[s]imilares a los otros sitios paleoíndi-
[o]s, resumen todo el fenómeno de
[a]sentamiento humano y de medio
[a]mbiente propios de aquellas épocas.
[E]l entierro más antiguo de aquel ho-
[r]izonte tiene una datación aproxima-
[d]a de 9000 años A.P. A dicho entierro
[a]parecen asociados múltiples frag-
[m]entos óseos de mamíferos y artefac-
[t]os de hueso. En términos generales
[p]uede afirmarse que para aquel en-
[t]onces, fauna y flora y aun el clima
[c]orresponden a los que se registran en
[p]eríodos históricos.

Antropología física

Lo mismo que sucede con restos humanos proto-históricos hallados en
Tierra del Fuego, Brasil, Argentina,
Ecuador, Chile, Guayana y Para-
guay, el hombre de «Tequendama»
es dolicocéfalo, es decir, de cabeza
alargada. «La relación centesimal entre los diámetros transverso y antero-
posterior en los cráneos estudiados
configura el tipo dolicocránico», como afirman Correal y van der Hammen. Los mismos autores explican
que esta característica «puede relacionarse con el régimen de alimentación
de recolectores cazadores, teniendo

Arriba: *todas las ilustraciones que se han
incluido en esta página corresponden
a muestras de hermosos jeroglíficos chibchas, de bellos coloridos, con motivos que
se repiten y cuyo significado se ignora
todavía hoy.*
*Muestras de estos jeroglíficos se han en-
contrado en las localidades de Tunja,
Tequendama, Zipaquirá, Bosa, Facatativá, etc.*

en cuenta además, características de las superficies de inserción muscular de la fosa temporal; en la mayor parte de los elementos estudiados las superficies de inserción del macetero y anchura de la rama ascendente del maxilar inferior denotan fuerte desarrollo de los músculos masticadores».

La estructura dolicocefálica del hombre de la hacienda «Tequendama», además de relacionarse con el régimen alimenticio y, por lo tanto, de indicar costumbres y hábitos económico-sociales propios de las pequeñas agrupaciones hórdicas, señala un hecho de gran importancia en relación con la población prechibcha y, particularmente, con la chibcha contemporánea de los conquistadores hispánicos. En efecto, este habitante de épocas históricas ofrece una tipología craneana redonda y configuración ósea propia del hombre sedentario, del agricultor y del masticador de granos y cereales. Así lo afirman los dos investigadores del paleoindio,

cuyo informe se ha seguido en este recuento: «Al comparar las series de «Tequendama», dicen Correal y van der Hammen, con otras provenientes del territorio muisca y guane encontramos apreciables diferencias en su morfología general, pero especialmente en la configuración de los diámetros antero-posterior máximo y transverso craneal.» La mayoría de las series estudiadas en diferentes localidades cundiboyacenses muestran que en «la formación del pueblo chibcha intervinieron individuos braquicéfalos en cantidad preponderante (80 a 85 %) e individuos dolicocéfalos en mucho menor escala (20 % a 15 %)».

En síntesis y a manera de conclusión de la primera etapa, puede aceptarse lo siguiente: a) que el hombre del paleoindio, habitante andino centro oriental, hubo de recorrer intrincados rumbos durante dilatadas centurias, antes de fijar los asentamientos en aquellas cimas cordilleranas; b) que alrededor de los 12 500 años ya ese

hombre se recogía en los abrigos rocosos cundiboyacenses; el clima estabilizado a partir de la última glaciación, le ofrecía variados alimentos silvestres (caza, recolección de frutos); c) que con el régimen alimenticio a base de carnes, formóse la morfología dolicocefálica, propia de los trashumantes masticadores y roedores de carne. Además, este primitivo morador andino ya hacía uso del fuego como lo demuestran los carbones vegetales asociados a los abrigos y entierros; d) que el hombre faber adiestró sus manos, primer instrumento a servicio de su economía, para recoger frutos, cazar y para trabajar luego en la industria del hueso y de la piedra afilada por percusión para raer, herir y cortar, y e) que siendo el habitante más antiguo hasta ahora conocido en el horizonte nuclear andino del país su tipología mestiza no permite emparentarlo con específicas etnias euro-asiáticas.

Este último hecho tipológico señala por cierto, una de las constantes del hombre colombiano ya no sólo del centro-oriente andino, sino también de todo el territorio y de todas las épocas: el mestizaje y la inestabilidad y permanente tránsito morfológico y cultural. «Esta heterogeneidad de rasgos, anotan los investigadores Correal y van der Hammen, se explica si se parte del presupuesto de una posible mezcla o fusión de tipos morfológicamente diferentes, desde muy temprana época; pero para una correcta interpretación, hay que tener en cuenta que esta heterogeneidad además de estar influida por el simple factor mestizaje, deriva de respuestas adaptativas al medio ambiente.»

Horticultores y ceramistas. No existen pruebas que permitan afirmar la continuidad étnica desde aquel remoto morador paleoindio y el muisca, habitante cundiboyacense cuya evolución socio-económica fue interrumpida por la conquista hispánica. Tampoco es factible comprobar aquella descendencia en relación con otras tribus y comunidades indígenas asentadas en los territorios que hoy integran los departamentos centro-orientales de Colombia. Ni los guanes, ni los citaraes, ni los muzos, ni las beli-cosas gentes que merodeaban al pie del monte por el occidente y por el oriente, por el norte y por el sur, hostigando a los campesinos muiscas, conservaron rasgos tipológicos de estrecho o inmediato parentesco con el primer habitante conocido de esos mismos territorios. Mezclas también todos ellos de múltiples encuentros étnicos, su mestizaje y el estadio socio-económico que les fue propio, se caracterizan por la confusa heterogeneidad en todo el proceso de los respectivos asentamientos reconstruidos por la arqueología.

Del paleoindio al muisca ocurren largas y confusas peripecias adaptativas.

Con soluciones de continuidad muy amplias se puede, no obstante, verificar un periodo arcaico, segundo estadio bien determinado después del paleoindio. Y, desde luego, dentro de dicho horizonte, la amplia zona prechibcha, de horticultores y primeros ceramistas, transeúntes aún por varios territorios, cuasi-hórdicos y todavía recolectores, pero ya con tendencias sedentarias que a la postre los enclavan definitivamente al pie de los páramos y en la fértil extensión de las altiplanicies andinas. Esta etapa preformativa o de los primeros horticultores ocurre en los límites de los 4000 años y transcurre, en algunas ocasio-

Ejemplo de figuras zoomorfas y antropomorfas alternando con motivos geométricos. Se utilizan principalmente en la decoración de joyas.

a jerarquías escalonadas en regímene de difusos poderes políticos y econó micos, poseía una constitución físic fuerte, de anchas espaldas, extremi dades cortas, propicia, como lo anot el sociólogo Diego Montaña Cuéllar a «las labores de curiosidad y a la vid sedentaria». «La anchura de los hom bros, continúa el mismo autor, y l robusta musculatura de las piernas, l permitía echarse a las espaldas gran des cargas para transportarlas a pas menudo en sus excursiones comer ciales.»

Agricultor, artesano y comerciant fue el muisca de manera sobresalien te. Agrupada la población en peque

nes, hasta los 1500. Huellas de tal estadio pre-muisca se hallan asociadas a estratificaciones de El Abra, «Tequendama», Nemocón, Gachalá y Sulva, en las zonas datadas en aquellos lapsos.

El formativo temprano o incipiente transcurre entre los 1000 y los 200 años a. de JC. En relación con los muiscas y los guanes, por ejemplo, en ese entonces aparecen las más definidas y características manifestaciones existentes aún en el siglo XVI. La cerámica figurativa y decorada, los cultivos de maíz, la agricultura programada en zonas y de acuerdo con posibilidades climáticas y de riego, los núcleos habitacionales, la industria metalúrgica, los cultos funerarios, la estratificación socio-económica principian a definirse y a evolucionar hacia formas institucionales permanentes. El horizonte muisca, limitado por las vertientes de la cordillera Oriental, se extiende lingüísticamente o a él retrovierte desde dilatados rumbos continentales que constituyen la familia chibcha. Es, al parecer, ese centro muisca algo así como entronque de etnias y cruce capital de raíces lingüísticas, acaso el más visible centro continental de la lengua chibcha que por eso también le ha dado su nombre al pueblo cundiboyacense.

Tercera etapa: el horizonte formativo

Los muiscas: comerciantes, agricultores y artesanos. El hombre muisca, habitante de climas fríos, sobrio labrador de labranzas colectivas, incansable caminante y mercader de sal y de productos artesanales, metalúrgico de magistrales técnicas y continuador de tradiciones religiosas que lo sujetaban

ños núcleos aldeanos o dispers y «sembrada por todo el valle», com la describe fray Pedro Simón, er ciertamente nutrida y de gran densi dad demográfica. De acuerdo con lo cálculos de producción agrícola d A.L. Kroeber, dicha densidad se h estimado en un millón de habitantes en base a dos o tres hectáreas d cultivo por persona. No obstante

Estas creaciones están emparentadas frecuentemente con la realidad circundante, pero en ocasiones no se relacionan con la naturaleza sino con mitos y símbolos religiosos.

Todas las piezas que ilustran esta doble página se encuentran en el museo del oro de Bogotá.

on mayor prudencia, el historiador ime Jaramillo Uribe estima que al empo de la conquista los cundibo- acenses sólo llegan a 300 000 habi- antes, mientras el investigador Juan riede, basado en nuevos documen- s y datos por él publicados, dice que icha población podría ser de algo nás de 500 000 moradores en cada na de las provincias de Tunja y Ba-

catá. Sea de ello lo que fuere, lo cierto es que a la llegada de los europeos en el siglo XVI los muiscas poseen la tierra de las altiplanicies andinas, explotan las salinas, con cuyo producto comercian intercambiando mercaderías con apartadas comunidades, trabajan la metalurgia hábil y asiduamente, gozan de largos periodos de tiempo libre que ocupan en concursos agonales y en diversiones y fiestas masivas y luchan también contra uzaques enemigos en disputa de bienes comunales como las salinas o contra invasores que los cercan por todos los costados y suben por las vertientes de la cordillera desde los hondos valles cálidos.

El «tybyn» o vecindario campesino, parece ser la principal institución económica de los muiscas. Agrupados los labradores en densos núcleos «sembrados por el valle», cultivan la tierra comunal y almacenan sobrantes que dedican al comercio y al sostenimiento de grupos e individuos ociosos de la comunidad (uzaques, guerreros, sacerdotes, etc.). Parece asimismo que los orfebres, pertene-

cientes al gremio de técnicos metalúr[gicos] y artífices, pudieron aprove[charse] de aquel sobreproducto cole[c]tivo, del que es posible que se benef[i]ciaran, en cierta medida, los mercade[re]res que asistían a las ferias locale[s] o transitaban por los caminos lleva[n]do y trayendo la urdimbre económic[a] de su actividad. Las mujeres segura[mente] tuvieron bajo su cuidado [la] confección de múcuras y la prepara[ra]ción de bebidas y alimentos, mientr[as] los tejidos y las mantas en particula[r] fue especialidad de los guanes, text[i]leros, ceramistas y comerciantes tam[bién], epigonales parientes muisca[s] que habitaban territorios de árid[a] composición geológica en las hond[o]nadas y breves planicies que confo[r]man las cuencas del Suárez y el Chica[mocha].

En resumen el panorama socio-eco[nó]nómico muisca «a la llegada de l[os] españoles», se observa así: a) divisió[n] política y multiplicidad de grupo[s] tribales (institución jerarquizada [de] uzaques); b) estado de agresión y d[e]fensa en el interior y en relación co[n] vecinos de heterogénea tipolog[ía] (panches, colimas, muzos, acatar[es] y arequíes, al occidente; laches, [al] norte; tunebos, morcotes, tecuas, [al] este, y al sur, sutagaos y buchipas); [c] población densa, en parte nucleada e[n] aldeas y en parte distribuida en l[a]

En la comarca boyacense, eminentemente agrícola, la vida cotidiana discurre a un ritmo lento y recogido, como en épocas pasadas.

ranzas y campos (el tybyn o vecin-
ario agrícola); d) jerarquización de
os mandos y división en gremios
specializados, grupos cuasi-ociosos
marcadas especializaciones técnicas
laborales (metalúrgicos, mineros,
omerciantes, labradores); e) activo
omercio intertribal y lugares fijos de
erias periódicas; f) integración reli-
iosa con advocaciones de distinto
rigen local, heterogeneidad de cul-
os y tributos votivos; g) débiles fuer-
as de resistencia al dominio del exte-
or.

Cuarta etapa: deculturación y mestizaje

asividad y tedio vital. Gracias al testi-
nonio de los cronistas y a la investi-
ación arqueológica es dable recons-
uir las estructuras socio-económi-
as y los aspectos culturales de los
onglomerados prehispánicos. La
ultura material con su abundante
ervo complementa la documenta-
ón en torno al pensamiento y sobre
tipología y las características gene-
les del hombre precolombino. Pero
vacío histórico se convierte en sima
go menos que insondable, con en-
ebles fuentes documentales, en lo
ocante al hombre post-hispánico, in-
nediato heredero anónimo del ante-
or morador del núcleo andino cen-
o-oriental.

Esta masa sin historia escrita, pero
pasivamente presente en el trasfondo
de la historia nacional, sufre rápidos
procesos de pauperización y pérdida
de identidad a partir de la conquista
europea. Primeramente se observa la
radical «despersonalización» del indígena que antes estuvo vinculado al
tybyn muisca y del anterior artesano
y artífice metalúrgico o del comerciante de los tradicionales gremios
prehispánicos. «Los chibchas —afirma Orlando Fals Borda— se refugia-
ron (en la pasividad, el tedio y el
fanatismo) como escapada a su condición de pueblo subyugado, subli-
mando su *taedium vitae* en los ritos
sagrados y en las visiones de otro
mundo que les presentaron los curas
doctrineros.»
Durante los dramáticos días de los
primeros contactos entre europeos
y nativos, éstos intentaron el suicidio
colectivo y practicaron el aborto
a manera de fugas y de rebeldías
inútiles; pero después, cuando los
uzaques se pusieron al servicio de los
amos encomenderos y adoptaron como título distintivo de poder, en

*Frente a la alcaldía o en la plaza aparecen
los típicos campesinos de la región cundiboyacense con el atuendo de pañolón
y sombrero.*

remplazo de aquel nombre nativo, el haitiniano de «caciques», con el que más avasallaron a los nuevos siervos, cesó toda resistencia, se olvidó el viejo idioma chibcha (según Groot en 1598 había desaparecido) y las robustas espaldas de que hablara Montaña Cuéllar quedaron definitivamente sustituidas por flacas constituciones de pulmones enfermos y organismos sin defensas.

El proceso de deculturación y alienación hasta marginar al viejo pueblo muisca, destruyéndolo por fin en breve lapso, tuvo marcas concretas que ya los cronistas anotaron en su tiempo. Entre ellas la rápida mengua de-

mográfica como consecuencia del de sarraigo masivo o de contagios y en demias de nuevas patologías, e inclu sive, por acciones de guerra con téc nicas impares. Otros hechos de apa rente inanidad pero que obraron efi caz e inmediatamente en la «desper sonalización» del nativo y en su tota quiebra cultural se concretan en e recorte del cabello que fue tomad y aplicado como castigo humillant lo mismo que el uso impuesto d modas occidentales, de ropajes que e vez de vestir disfrazaban y ridiculiza ban. Inclusive el nuevo uso de lo «mapuches-huilliches», traídos a l sabana de Bogotá por los yanacona

Página izquierda: la artesanía es muy rica y variada en ésta como en otras regiones.
Se trabaja en especial el barro y la cestería.
Los populares pesebres de Ráquira y las ollas de barro se han convertido
en una pequeña industria representativa de la región,
de la cual viven muchas familias.
Abajo: tanto en la campiña como en los páramos santandereanos,
las gentes son laboriosas y asequibles
y conservan su hidalguía campechana.

...ncas que servían en la hueste de Belalcázar, en remplazo de las mantas muiscas, fue disfraz despersonalizador, resquebrajamiento del piso nativo y falso medio conducente a la adopción de personalidades y formas culturales de foráneo origen que implicaban definitivos sistemas de vasallaje.

Cuando Fals Borda analiza similares hechos alienantes, concluye el examen del fenómeno deculturizador así: «Se produjo en esta forma un complejo bifronte: 1) por una parte el fanatismo pasivo y la indolencia entre las gentes (que sustituyeron al antiguo y más dinámico futurismo), del

que testifican casi todos los observadores de la época colonial, y 2) la sumisión y la subordinación a las castas superiores, que tornan a los campesinos en gleba o en desencadenados de la tierra. De allí provienen actitudes de resignación y de fatigabilidad tan saturantes como la de "Dios lo dio; Dios lo quitó" o la reacción del "¿para qué?" y la superficialidad en asuntos religiosos.» Fenómenos que, ciertamente, como se verá en otros procesos históricos del hombre colombiano, se hallan generalizados en todos los lugares y en las agrupaciones sociales de gentes marginadas del país.

Formas y efectos del mestizaje. El «Nuevo Reino» o simplemente «el Reino» es el país centro-oriental andino que con este nombre se diferencia desde el siglo XVI del norte-costeño, del noroeste montañoso, del indefinido sur que se asocia con el Perú y Potosí, de las asimismo imprecisas fronteras boscosas y esteparias del oriente y de la genérica «tierra caliente» occidental o de la cuenca magdaleniense. En ese país nuclear andino cuando promediaba el siglo XVI hay que mencionar como fenómeno social y étnico el fenómeno del mestizaje predominante ya entre sus habitantes, los «reinosos». El indio deculturado, en sus

últimas consecuencias es, evidentemente, el primer hombre mestizo, si no biológico, sí cultural del Nuevo Reino.

Pero con mayor amplitud puede decirse que el mestizo, en los estadios menores de la composición socio-económica, es producto biológico y cultural de las dos principales etnias enfrentadas y paradógicamente unidas también en el «Reino». Con la advertencia, como lo hace el historiador Jorge Orlando Melo de que entre los mestizos «biológicos» se pueden dar los casos de quienes fueron «recogidos y criados» al amparo del progenitor español y de quienes crecen en el ambiente materno volviendo a ser verdaderos nativos. En el primer supuesto, por excepción, el mestizo adquiere fueros y derechos emanados del mundo paterno, pero generalmente se mantiene en la esfera del servilismo doméstico, acentuando, por lo bajo, los rasgos del mestizaje socio-cultural.

De aquellas bases surgió, lenta pero prolíferamente, el actual conglomerado campesino, obrero y marginado del país colombiano. En otras regiones diferentes al núcleo andino centro-oriental, intervino con propias y muy específicas consecuencias, el negro africano. En el «interior», esto es, en la región andina centro-oriental, cuantitativamente aquel contacto fue menor, pero de ninguna manera dejó de ocurrir al menos en cuanto «contagio cultural», si se utiliza la expresión con que Arthur Ramos explica fenómenos similares por él estudiados en el Brasil, y otros lugares de América. Ciertamente los criados y las amas negras, muy abundantes en el medio santafereño y en toda la extensión del «Reino» como lo demuestran los censos y empadronamientos de la época colonial hasta el siglo XVIII, y aun los calculados durante la república, dejaron no pocas huellas de mestizaje cultural, de contagios en usos y costumbres entre la

población que tradicionalmente se ha autodenominado como «blanca» en Bogotá, Tunja, Bucaramanga, San Gil, etc. No obstante, como el más intenso y activo mestizaje de estas zonas se debe a los aportes blanco e indígena, el derivado de las etnias africanas sólo se menciona aquí en la referida forma de «contagio» cultural.

El aporte europeo en las formas del mestizaje. No solamente es aquel mestizaje contradictorio y de vario origen, biológico en ocasiones y por contagio en otras, de raigambre nativa muy predominante, el que constituye la principal base demográfica del hombre sin historia escrita de Colombia. Mestizo también, es el hombre que llegó en el cuenco de las carabelas, venció las corrientes de los ríos, sobrevivió a las flechas del enemigo nativo, ascendió las cordilleras y tomó posesión de tierras, riquezas materiales y mujeres indígenas. En el ocio de la guerra o por requerimien-

tos de la misma acción bélica, el invasor anónimo inauguró en las regiones conquistadas los oficios de herrero, ebanista, cantero, alarife y toda suerte de artesanías y actividades manuales, bases sólidas de las futuras clases medias, cimento también de proletarios y campesinos como lo fueron los otros mestizos, biológicos y deculturados, que de indios, blancos y negros nacían y poblaban el haz de la tierra colombiana.

De acuerdo con datos que Jorge Orlando Melo ha tomado de varias fuentes, el 80 % de los españoles llegados al Darién (varios de los cuales después se desplazaron al «Reino»), fueron artesanos y campesinos. «Al examinar la documentación publicada —dice el nombrado historiador— se tiene la sensación de que la gran mayoría de los conquistadores pertenecían (sic) a los grupos más bajos de la sociedad española: criados, jornaleros, vagabundos o miembros de familias artesanales pobres. Fuera del

caso mencionado (del Darién) es difícil encontrar referencias a campesinos, aunque no puede excluirse del todo la posibilidad de que hubieran formado parte significativa de los grupos de conquistadores.» «El caso de hidalgos —agrega el mismo historiador— es menor; por lo menos 25 de los conquistadores chibchas son aceptados como tales o al menos alegan ese status.»

Por último, en este recuento de aportes étnicos y sociales a la heterogénea base del pueblo colombiano actual, valga recordar que, como lo dice el mismo Jorge Orlando Melo, «sobre 51 expedicionarios cuya edad se conoce, apenas dos tenían más de 40 años al llegar a tierras chibchas, el promedio del conjunto era apenas de 26 años». Con lo cual se refuerzan y complementan, si fuere necesario, las razones del rápido mestizaje biológico, de la bravía posesión de tierras y de gentes en aquellos primeros años de la conquista. Es natural y com-

prensible que esta hueste de jóvenes aventureros, rijosos y agresivos, no admitiesen frenos en la obtención del botín de vencedores. Ejemplo de la presión ejercida por los jóvenes expedicionarios que explica también la rápida proliferación del mestizaje biológico, es el de aquella vez en que obligan a Jiménez de Quesada a que, sin esperar que se cumpla la obligada cristianización mediante el bautismo masivo, se repartan 300 mujeres y muchachos entre capitanes y soldados, quienes procuraron enseñarles, como dice el cronista, la lengua española, «la cual tomaron en breve», junto con la sumisión y el definitivo vasallaje.

Un complejo de mestizaje atípico. Ente distinto, mestizo también, pero de bases económicas disímiles, enraizado en hondonadas y riscos, el poblador de los Santanderes constituye caso aparte. Para mejor comprenderlo y resumir su carácter, por fuerza se debe acudir a las sabias y siempre vigentes observaciones de Nieto Arteta, quien de la sociedad andino-oriental, dice: «En el virreinato de la Nueva Granada se pueden ubicar dos economías y dos sociedades diversas, cuyas oposiciones explican muchos de los sucesos que ocurrieron durante los primeros lustros de vida independiente. En el oriente colombiano, es

decir, en las mesetas y en las vertientes de la cordillera andina que atraviesa el actual territorio de los departamentos de Santander, y en virtud del aniquilamiento de los indígenas —guanes, citareros, etc.— se constituye una economía que no es estrictamente colonial. En las aldeas no hay encomiendas, ni esclavitud. Existe la pequeña propiedad. Hay, pues, una exacta y verdadera colonización. En las ciudades de nombres castellanísimos —Pamplona, Ocaña, Girón— se desarrolla una rigurosa economía manufacturera. Pequeña propiedad aldeana y economía de talleres en las ciudades, son los hechos económicos del oriente colombiano.» Fácil es aceptar con tales presupuestos, las razones que impulsaron los movimientos de rebeldía, como el de los comuneros en 1781, surgidos en aquellas tierras y propiciados por aquellas gentes austeras y verticales. En cambio, al centro y sur del reino, y como lo dice el mismo Nieto Arteta, estaba el mundo colonial y latifundista, con «las restricciones propias de las economías absolutamente coloniales».

Naturalmente, al amparo de aquel régimen económico, sujeto a las rentas de la tierra, se configuró bien pronto el contradictorio distanciamiento de clases. Tal situación, ade-

más, estabilizada durante el proceso histórico, es característica que perdura. «Caracteriza estructuralmente esta comunidad, dice la antropóloga Virginia Gutiérrez de Pineda, tomada en su conjunto, un rígido sistema de ordenamiento de las clases sociales.. Esta configuración de desigualdades que se proyectaban institucionalmente ante la ley y ante la costumbre, era más sensible ante la economía. La tierra, fuente única de producción (falta en esta zona el oro en forma estable) constituirá también el único indicador de ubicación jerárquica social.»

Sucede sí, para decirlo a manera de conclusión, que el hombre sin historia escrita del complejo santandereano, neutralizó los sentimientos deculturantes y creó reservas de rebeldía e independencia todavía en proceso de formación y definición consciente.

Resumen y conclusiones

El hombre sin historia escrita y sin nombre. Como se ha visto, el hombre colombiano en general y, en particular, el andino centro-oriental, carece de historia escrita, pues no ha sido incluido en las historias oficiales y sólo en años recientes se ha principiado a escudriñar científicamente su mundo. Pero, además (sin que nunca haya concretado una ideología sobre los intereses colectivos ni planteado su integración histórica al conglomerado nacional) es un hombre sin representación nominal.

Las clases dominantes, sin el peso y la densidad de aquellos otros estamentos, actuaron en el acontecer histórico con iguales vicios y similares inconsistencias. De donde resulta aceptable el dicho de Mario Arrubla cuando afirma que «el país colombiano, comprendido como la unidad de un territorio y de un grupo humano, no ha logrado nunca adquirir el carácter de una verdadera sociedad si por ello se entiende una comunidad de experiencias y de ideales».

Empirismo e inhibiciones culturales. Desposeído de toda estructura cultural y técnica, sin recursos ni basamentos económicos, el hombre sin historia escrita de ayer y de hoy, deja que transcurra el tiempo a sus espaldas impunemente. Sujeto a principios empíricos, desplaza toda responsabilidad hacia entes o seres abstractos;

mide y calcula la vida —si tal conducta supone cálculo— con tentativas mensuras, a cuartas, a pasos, a «cabuya pisada», que era la manera de realizar agrimensuras antiguamente en tierras quebradas. Ni la línea recta, ni las precisiones cronométricas, ni el paso rítmico del calendario, le causan cuidado o le exigen atención. Las reglas de medir se sujetan al principio de que «media vara no es descuadre»; los cálculos y los presupuestos agrarios o laborales se abandonan al gobierno y arbitrio de las fases lunares o se pronostican en relación con la hagiología o el santoral.

Negado a los adelantos técnicos e incomprensivo ante las leyes de la física, el hombre colombiano —todo el conglomerado, incluidas por lo tanto, las distintas clases que lo conforman— ejerce perezosa acción histórica, con lo cual suele colocarse a la zaga de la cultura y en bajos estadios de la civilización.

Finalmente habría que advertir, a manera de aclaración necesaria, que todo

lo anterior conduciría a fácil y gratuito «sociologismo», si se olvidan las causas socio-económicas.

En efecto, del sistema económico son consecuencias, por ejemplo, no sólo la conducta humana y las ideologías que interpretan los intereses dominantes, sino también situaciones tan dramáticas como el creciente índice de muertes por inanición; los deterioros hormónicos, biológicos y cerebrales del colombiano que supervive al hambre y a la subalimentación, a las endemias y a la carencia de recursos médicos y hospitalarios y, por fin, la profunda y amplia brecha de contradicciones económicas y vitales que distancia y separa a los hombres de Colombia.

Izquierda: *indios de Casanare, según apuntes de viaje de Manuel María Paz.* Abajo: *en un amplio terreno talado en plena selva se alza una maloca perteneciente a la tribu motilona, célebre por su ferocidad y resistencia a la «civilización».*

Sociedades en vías de extinción

No todos los grupos indígenas han desaparecido de la faz nacional. Marginados y reducidos demográfica y culturalmente, sobreviven, mejor aún, mal viven, algunos de ellos, refugiados en la selva húmeda, a orillas de los ríos o aferrados a la tierra erosionada y agria de las serranías, en diferentes y empobrecidos estadios culturales. Ignorantes del pasado, de cuya memoria carece, sin futuro, el presente que sufren los acecha y presiona de mil maneras con pretextos civilizadores. Acostumbrados, desde tiempos inmemoriales, a que los territorios por ellos habitados y los seres que en ellos viven (aves, venados, plantígrados, pumas, monos, tapires, serpientes, etc.), lo mismo que el agua de los ríos y los peces, el aire y la lluvia, los árboles y los pastos, eran pertenencias comunes, no comprenden que ahora sean marcados por cercas, vigilados con armas de fuego,

poseídos por gentes que se transportan en aviones y automotores cuando periódicamente vuelven de la ciudad a recoger las cosechas y a contar los ganados. De vez en cuando estos mismos civilizadores y los mercaderes que tras ellos llegan en demanda de artesanías, o los nuevos «doctrineros» de todos los credos, o quienes hasta sus malocas se acercan con paternales caricias a «estudiarlos», los «invitan» a ferias y festividades que en las ciudades se realizan, donde los exhiben como a seres exóticos y rudos, en hechizados ambientes de imitación nativa. Las enfermedades los minan, el hambre, cada vez más aguda, los agota, y la tierra que todavía poseen, aunque de manera precaria, se angosta y estrecha.

Contra estos males ya no valen las tradicionales técnicas del grupo; ni el arco ni la flecha sirven contra el rifle y la metralla; ni la choza escondida y los caminos que siguen rumbos selváticos, pueden ocultarse de los

aviones; ni las canoas y los remos osan competir con los motores fuera de borda; ni la pintura facial y corporal sirve contra las nuevas plagas; ni los shamanes y brujos curan enfermedades antes desconocidas. Ahora los dijes y orejas, las coronas de plumas y las máscaras rituales, las flechas de

Izquierda: *los petroglifos del Caquetá forman parte del legado rupestre amazónico. Sus diseños abarcan desde las representaciones de serpientes, lagartos y micos hasta formas abstractas cuya simbología se desconoce.*
Abajo: *ejemplo de vivienda indígena de la Amazonia, de estructura de varas de madera unidas en la parte superior. Sobre ellas se coloca una trama horizontal y circular de varas menores y sobre las mismas se arma la cubierta formada de varias capas de hojas de palma.*

Nota: La parte del texto del Dr. Barney Cabrera que comienza en esta página se publica con la autorización de Salvat Editores Colombiana.

mo se ha dicho, son cada vez más pobres, falsas y comercializadas. Los oficios que se hacían para la tribu, para usos domésticos, con fines rituales, de acuerdo con normas y costumbres inmemoriales, ahora se realizan para surtir el mercado de «cosas raras», de elementos exóticos. El exotismo es exigencia de la industria turística y moda y uso de cómodos y sofisticados nacionalismos; por ello el tradicional oficio de los indios se vende como recuerdo exótico o es objeto de adorno y decoración en botillerías, hospedajes y residencias de acomodadas y «cultas» gentes. Este comercio y aquel cambio de valo-

amor los últimos indios de Colombia. En total se ha calculado que la actual población india de Colombia, comprendidos los grupos aislados, las tribus que conservan antiguas posesiones y también los individuos asimilados y perdidos entre «blancos» y mestizos, asciende a unos 300 000 habitantes. Este número indica que Colombia ocupa en la América del Sur, junto con Ecuador, Perú y Bolivia, lugar prominente entre las naciones con población india; lo que hace que sea cada vez más urgente la defensa de estas tribus en entidad étnica, de la dignidad humana de sus individuos y de su patrimonio cultural.

chonta y los arcos tensos, la cestería para portar la carne del monte o para secar la yuca amarga, los bastones jerárquicos y embrujados, las diminutas y pintadas canoas de los niños y los monigotes que representaban a los antepasados, las cortezas pintadas, todas las cosas, absolutamente todos los objetos que conformaban el acervo de la cultura material, perdieron su sentido inicial, cambiaron de valores, se volvieron inútiles e, inclusive, falaces o inauténticos. Mercaderías son para cambiar por pocas monedas que a su vez sólo sirven para adquirir licores y aguardientes fabricados en las ciudades o malas ropas de colorines estampados en fábricas nacionales. La simbiosis, pues, aun de los grupos más refugiados en la selva, es absoluta, enajenante, de dramáticas consecuencias y deprimente especie. En consecuencia, las reducidas sociedades indígenas que aún sobreviven, y todavía sobreviven gracias a la inmensa extensión del país y a sus características geográficas, sólo tienen un precario porvenir de progresiva extinción.

Por lo pronto mientras desaparecen, pagan gravosos tributos a los «civilizadores» que los asedian y cercan por todas partes; una de las especies con que cumplen el deber tributario es él de las llamadas «artesanías», que, co-

res de los oficios indígenas continuarán mientras subsistan las pocas tribus que aún los producen; pero bien pronto los artículos «exóticos» dejarán de serlo o se convertirán en especies industriales que, con el carácter de artesanías dirigidas, diseñadas al gusto de los turistas, imiten malamente lo que, en tiempos que ya van siendo pretéritos, trabajaron con

La dispersión, el abandono, los diversos estados económicos y la ignorancia en que se encuentran las tribus indígenas de Colombia no permiten fijar características generales que las cobije a todas ellas; baste decir, para ilustrar dicha complejidad, que existen cerca de 180 lenguas y dialectos hablados por los actuales grupos indios, lo que de hecho impide su pro-

*Aunque la artesanía ha perdido en gran parte
su sentido original,
subsisten aún algunos casos de autenticidad
en el proceso y destino de los objetos.*

pia comunicación y deseables unidades; que los datos de población aborigen varían de acuerdo con la fuente,
desde 150 280 de la jurisdicción ecle-
siástica hasta 344 000 del INCORA,
Instituto de Tierras del Gobierno Nacional, cálculos ambos de 1971; los
prelados de las misiones afirman que
en los territorios misionales viven
128 280, y fuera de dichas sedes los
demógrafos calculan que su número
no excede de 30 000.
En otros aspectos los contrastes son
mayores, como se desprende de las
siguientes observaciones publicadas
por el Departamento Administrativo
Nacional de Estadística (DANE),
y que suscribe el sociólogo Francisco
Arango Montoya; mientras algunos
indígenas, afirma, «han llegado al nivel ordinario del colombiano común,
otros indígenas se encuentran en el
mismo estado primitivo, o aún en
peor condición de la que tenían sus
antepasados a la llegada de los españoles. En la geografía patria encon-

tramos ciertos enclaves y algunas regiones de refugio, donde viven varias
tribus nómadas o seminómadas, aisladas de todo contacto cultural extraño. Y éste es el caso de chiricoas, de
los makúes, de los buijama, de los
tunebo, de los kuibas y de otros grupos diseminados por las más apartadas regiones».
En otros apartes de la misma publicación se anotan los siguientes factores
y hechos sociales y etnográficos:
«Conviene descartar que aún hay en
Colombia indígenas parias, es decir,
indígenas sometidos a otros indígenas, con interdicción matrimonial
con las tribus que se consideran superiores y éste es el caso de la tribu
makú que está sometida en el Vaupés
a los tucanos y a los desanos. En
cuanto al vestido, algunas tribus siguen usando los trajes tradicionales
de sus antepasados, como es de uso
corriente entre los sibundoyes. Otros
usan poca ropa como es el caso de los
cholos emberaes y noanamaes del

Chocó y finalmente algunos pocos de
nuestros indígenas viven todavía totalmente desnudos, como es el caso
de los indios buijanas, que se encuentran nómadas en las región comprendida entre los ríos Guaviare e Inírida
y entre las localidades de Tomanci-
pán y Charra...»
De la alimentación se anota que también varía de acuerdo con la región,
siendo básicamente harinácea; en el
Amazonas se consume la yuca brava,
de la que se derivan el cazabe, la farina
y el mañoco; a estas comidas les
agregan ají y carnes de pescado o de
animales de monte y ciertas frutas
silvestres; en otros lugares es el maíz,
el chontaduro y otras frutas silvestres
o de cultivos incipientes. En cuanto
a la organización social, la publicación citada agrega: «Son muy célebres los jefes y curanderos cholos,
llamados jaifanaes; los karekas de los
tunebos; los tuchauas y los payés de
los indios del Vaupés y del Amazonas. Cada tribu tiene su propio jefe

izquierda centro: *colonos camino a nuevas tierras. Estas colonizaciones han supuesto muchas veces auténticos expolios para los
indígenas.*

por el comercio con el interior, acusan constantes y deplorables distorsiones etnográficas y falsificaciones impuestas por los mercaderes; otras se reducen a la producción en serie de objetos que, con anterioridad a la intromisión extraña, pertenecían exclusivamente a la economía tribal y al uso individual del indio; este es el caso de los instrumentos de utilización casera, como las cesterías y hamacas, o las armas defensivas y de caza, como arcos y flechas, o elementos rituales necesarios para la buena marcha de aquella economía, como ciertas máscaras de corteza vegetal y algunas tallas de madera. Sacados

estos productos y aquellos oficios de la economía tradicional de la tribu y convertidos en «artesanías» que son solicitadas ahincadamente por el comercio turístico, resulta hoy difícil ponderarlas y explicarlas en su genuina entidad o individualizarlas de acuerdo con nociones aclaratorias del toque humano de auténtico origen indio.

Los indios de la Orinoquia y de Amazonas

Los indios del oriente y sur del país, moradores de las selvas tropicales, en las vertientes del Orinoco y del Ama-

civil, su shamán o brujos y sus sopladores especializados para la curación de las enfermedades.»
Del complejo mosaico etnográfico se infiere que asimismo los oficios y las llamadas artesanías de los indios actuales varían de calidad y cambian de importancia; la mayoría de ellas, en cuanto corresponden a tribus situadas en regiones accesibles o dominadas

zonas, nómadas algunos, de incipiente economía todos, moradores de «malocas» o casas colectivas donde se alojan familias unidas por el mismo tronco, producen objetos útiles, instrumentos adecuados a sus sistema de vida, como flechas, arcos, tejidos de palma, telas de corteza vegetal, hamacas o chinchorros de fibra vegetal, máscaras rituales, instrumentos

*Diversas tribus, entre ellas tucanos, huitotos, carijonas y sibundoyes
habitan actualmente la amazonia colombiana en sus malocas
levantadas a veces del suelo para protegerse de alimañas
y de las crecidas de los caños de esa inmensa vía pluvia, el Amazonas,
antiguo «Tunguragua» que significa, en quechua, «rey de las aguas».*

Derecha: *indio de las selvas del Putumayo, secando al sol una
hermosa piel de tigrillo.*

músicos, adornos personales y alguna cerámica utilitaria y ceremonial. El mundo espiritual y, desde luego, el económico son breves y de acelerado pauperismo, como el ropaje, que sólo les cubre «las vergüenzas», como decían los cronistas de la conquista. En las selvas amazónicas hay múltiples grupos de las familias lingüísticas tucano, arawac y caribe, tales como los desana, los tapuyo, los carapaná, los cubeo y los barasana. En los llanos del oriente, en el sistema hidrográfico del Orinoco, sobreviven los guahiba, los cuiva, los saliva, los tinigua.

Algunos antropólogos, como Gerardo Reichel-Dolmatoff ha publicado un libro sobre los desana, en el cual recoge el testimonio de un aborigen de la tribu del mismo nombre; basado en los datos facilitados por este informante, el antropólogo ha trazado, con exhaustivo rigor científico, la mejor reseña etnológica y etnográfica que existe sobre las comunidades amazónicas.

79

LA ARQUITECTURA

**Darío
Ruiz
Gómez**

El espacio es, fundamentalmente, un concepto histórico. Históricamente nuestra llamada época colonial se inscribiría dentro de los esquemas que desde un punto de vista estético definen la contrarreforma: el barroco. Pero si el término se hace confuso al pensar en la diferencia que existe entre el barroco vienés y el italiano, el término ya dentro de los linderos de España se hace más confuso aún por la cantidad de experiencias diferentes que llegan a coexistir en un momento dado. Por eso mismo suena ya a cosa gratuita ese tipo de interpretación estilística que quiere seguir viendo en las muestras de nuestra arquitectura de la colonia una «presencia» del renacimiento, de lo mudéjar, del manierismo, etc.

Con la insistencia de quien considera algo válido siempre y cuando se inserte en esos esquemas estilísticos que maneja buenamente. Porque la dificultad se ahonda en la medida en que tampoco podemos hablar de lo «colonial», lo «barroco» como un estilo orgánico que identifique plenamente una expresión latinoamericana. De Puebla a Quito existe una notable diferencia de conceptos, como lo existe de Bahía a Cartagena, como lo existe de Popayán a Tunja, de modo que lo «barroco» en el sentido que le otorgan Lezama y Carpentier es, más que esos esquemas, una actitud ante la vida, un encontrarse con los términos de una naturaleza cuyo significado despierta dormidas palabras: en un Domínguez Camargo culmina el buceo de don Juan de Castellanos. La necesidad de la otra palabra, de la expresión justa, de un hábitat, coincide además —y esto sí es muy claro en la actitud barroca frente a la estética renacentista— en un aparecer de las costumbres, en una necesidad de la crónica, en una valoración del instante o, como señala Lezama, en fray Servando de Mier, en un encontrarse de repente, además, en que esa palabra, esa geografía, indican ya un destino personal.

Sin embargo el factor económico, la estrategia política imperial, van a modificar a lo largo de los países esos esquemas ya que entre nosotros el imperio no alcanza la beligerancia que encuentra en lugares estratégicos como Santo Domingo, Lima, Quito, México, en los cuales la institución colonial es tan profunda como lo evidencia el rigor con que se plantea a nivel de concepto artístico o urbanístico: el Zócalo en México, la plaza de Armas en Lima, la plaza de San Francisco en Quito, evidencian ese marcado valor ideológico que se imprime a este lenguaje mediante el cual se pretende establecer un medio de sometimiento cultural.

La radical diferencia social y cultural respecto a la comunidad indígena, la secuela de luchas tan características de dichos países, no alcanza entre nosotros

tros ese grado de beligerancia; sin duda por la extinción de la mayor parte de esas comunidades o por el secreto mestizaje que a la postre ha tenido consecuencias diferentes. También, porque la pobreza de la economía permitió en cierto modo un tipo de movilidad social tal como aconteció en Boyacá, los Santanderes y sobre todo en Antioquia.

Por consiguiente todo aquello que señala Benévolo, en su estudio sobre el urbanismo colonial, apenas si tiene valor y vigencia entre nosotros porque como se ha señalado, «cuando en 1593 se produce el Código de Ordenanzas de descubrimiento y nueva población, hace rato que la mayoría de las fundaciones de la Nueva Granada ha ocurrido; y cuando en 1861 sale el tratado de recopilación de las leyes de Indias, la época de la conquista y fundación ha quedado tan atrás que es casi una leyenda en el corazón de la apacible vida colonial». (Gabriel Uribe, «El arquitecto y la nacionalidad»).

El monumento no alcanza pues entre nosotros la beligerancia que alcanza en otros países. Basta ver el barrio de La Candelaria, ejemplo rotundo de esa humildad de una villa que durante siglos permaneció como una simple aldea al lado de ciudades como Tunja o Popayán. Este espacio urbano desconoce pues la rotundidad de esa

iconografía, el sentido de abierta discriminación social y racial que adquiere en otras latitudes, tal como agudamente lo describieron en sus crónicas Rodríguez Freyle y posteriormente Cordovez Moure.

¿Cómo se plantea entonces la institución colonial? La encomienda, el resguardo, la mita hablan de una situación social del elemento indígena sojuzgado; y frente al cual se hacía necesario crear un determinado tipo de relación jurídica. Ese indígena que, como certifican las crónicas de la época, se niega en un comienzo a colaborar en la construcción de las llamadas capillas doctrineras. ¿Pero qué significa la división en iglesias, ermitas, capillas doctrineras, capillas pozas sino la necesidad de un sometimiento y la presencia de una nueva organización económica?

Y al situarse en el campo, o al dar un tratamiento especial al espacio urbano bajo sus consignas ya se estaba involucrando una serie de diferencias específicas: estaba ahí el elemento colonizador, la fachada manierista, la columna toscana, la decoración mudéjar, pero lentamente el elemento nuevo: en capillas doctrineras como Tópaga y en especial Cucaita es más que evidente la necesidad de plantearse un espacio que tenga en cuenta las características de ese otro hombre, los signos que identificarían a ese otro

hombre, el cual se quería asimila a los términos de la cultura metrop litana. La estructura espacial ya hab de esta metamorfosis.

Agreguemos, repito, el ingredient de una economía empobrecida, lej del boato quiteño o mexicano par que los elementos del proceso esté más que dados, «...y por ser la tierr estéril donde el presente está funda do, donde la tierra produce junto de l despaña y es sitio frío, ventoso, desa brido... (y los vecinos) ...no haya asiento, ni edifican» dice una carta d alcalde de Tunja al Cabildo y que dat del 15 de mayo de 1551.

Tomemos Santa Bárbara, la iglesia d Santo Domingo, Nuestra Señora d Topo en Tunja, tomemos San Fran cisco en Bogotá: ¿Existe acaso algun unidad estilística entre los elemento del artesonado y la decoración d capillas y altares? Vemos entonce cómo mientras en el altar los elemen tos impuestos se mantienen: colum nas salomónicas, nichos, decoració manierista, en el artesonado los ele mentos decorativos nuevos estable cen un gran contraste, crean un dese quilibrio con relación al estatismo d los espacios; a diferencia del quiteño del pueblo en los cuales el dinamis mo de esos espacios se logra mediant la unidad del decorado, mediante e equilibrio de esos infinitos detalles Ahí el movimiento adquiere su ver

dadero sentido: ese dinamismo interior, ese juego de la luz creando y dosificando los volúmenes, la relación entre el espacio interior y el espacio exterior que prolonga los motivos.

Esa valoración no logró pues establecerse entre nosotros en donde el código visual del barroco es desconocido en esa intensidad: San Ignacio, nos ilustra el caso: torre cuadrangular y columnas manieristas, frontis rústico en el cual los signos se diluyen ante la extremada sobriedad del tratamiento.

El San Ignacio de Bogotá al cual se asemeja el de Tunja es también ilustrativo de un caso en donde al concepto jesuítico van a involucrarse libremente diversos elementos estilísticos tomados sin prejuicio alguno.

La iglesia de Chivatá, el muro en sillerías, la espadaña, el óculo, es decir, un esquema que podría ser manierista si el material no se hubiera impuesto sobre cualquier otra consideración. Pero, ¿de dónde sale el material?, ¿cuál es el poder del material? La visión del «Ecce Homo», de la catedral de Monguí es la visión del material en toda su plenitud y no pues el recuerdo de un esquema; la anécdota de un estilo: ¿de dónde sale el juego de techos?, ¿la volumetría?, ¿existe alguna ley que los determine o hay ya una libertad en la resolución de esos volúmenes?

Porque, no hay que olvidarlo, la arquitectura es un problema espacial y el urbanismo es un problema espacial, pero ¿qué fija ese espacio? Ese espacio fija una historia concreta, la que leemos en la pátina de los muros, en el polvo olvidado, en el color de una planta, en ese olor que nos identifica, ¿cómo definir la sobriedad de Cucaita? Ahí donde la materia está presente en un extraño equilibrio formal: el espacio interior que habla de una nueva palabra, y la forma que propone a las montañas una especie de impasse: poblar en el sentido en que el silencio de las cosas lo exige, en que ese límite del concepto puede equilibrar el gesto del hombre con el contorno que lo verá morir.

Esta beatitud que en Boyacá proviene del ensueño es la beatitud de una ausencia certificada: vemos las colinas peladas, los riscos que se aduermen, las mesetas pardas y graves y lo que sentimos es el rumor de la arboleda que ya no está, el recuerdo del robledal, la voz del agua que volvió a la tierra. La medida de esta arquitectura nace de esa relación de recuerdos en que una geografía parece presentir lo que vendrá. Es la calidad que en los Santanderes va a otorgar el carácter de una geografía con sus soledades, con sus yermos, con la presencia manifiesta de los materiales: Barichara, el muro sólido, la piedra que ordena,

El Socorro, San Gil, Villa de Cúcuta, una economía, una forma de vida que creció desde sus propios cimientos, no hacia y desde una historia con mayúsculas sino desde esas consideraciones que da un silencio, el peso de la brisa, la necesidad definitiva de seguir una costumbre y tener como referencia la silueta de un árbol.

El espacio urbano de Girón reniega pues del esquema cultural que supuestamente debería nombrarlo en la medida en que patentiza un orden económico, un tipo de sociedad en la cual la dinámica social no llega a ser tan discriminativa: la casa lo demuestra, la unidad del lenguaje urbano y arquitectónico en el cual el espacio de la calle y el espacio de las plazas tiene un marcado sentido cívico. El espacio se vive como continuidad y como referencia inmediata de un uso cotidiano en el cual han desaparecido los símbolos gratuitos, la falsa monumentalidad.

La consecuencia es definitivamente esa otra forma de vida que deriva hacia nuevas búsquedas, hacia la configuración de una identidad, de la

verdadera configuración de una identidad, de una verdadera fisonomía cultural. Ahora bien, ¿qué es entonces lo colonial? La llamada desamortización de bienes de manos muertas, la desaparición de los llamados conventos menores produjo en el siglo pasado una especie de hecatombe al desaparecer centenares de obras representativas de este período histórico. En sólo Tunja —en donde la piqueta del «progreso» está consumando un inaudito atropello cultural— se puede hablar de la capilla de Las Nieves destruida por los salesianos, de la ermita de San Laureano, desaparecida, de la ermita de Santa Lucía de la cual queda parte de los muros, de la iglesia de San Ignacio reformada atrozmente tal como sucedió con el convento del Topo y tal como sucedió con la catedral sometida sucesivamente a una serie gratuita de reformas que terminaron por borrar su fisonomía inicial. ¿Cuántos casos dolorosos no se cuentan en Bogotá en donde se salvó milagrosamente el barrio de La Candelaria? ¿Cuántas deformaciones gratuitas se siguen haciendo por parte de remodeladores caseros?

La moda de quitar el pañete a los frontis y a las columnas borra cualquier posibilidad de interpretación de una arquitectura que desde la casa de don Juan de Vargas a cualquier casa familiar de Girón ha hecho el recorrido que va de los símbolos de una cultura colonial a los términos de vida en que una sociedad en proceso señala su derecho a los sueños, a los recuerdos, a una historia que sea la expresión de su vida. Porque la verdadera herencia es aquella que nos habla, que nos relaciona con la noche y los astros, con el perfume desconocido del aire y no aquella que nos asfixia y nos ciega como un peso muerto.

Las llamadas haciendas es una buena prueba de estos cambios paradójicos en el proceso, repito, en el cual lo fatal son los esquemas, ya que si hablamos

Izquierda: *iglesia de Girón, Santander, de una gracia y sencillez admirables.*
Romántica torre de la Casa de la Cultura de Cúcuta.
Derecha arriba: *calle de Barichara, un pueblo donde la sólida presencia de los*
materiales armoniza con la desnudez del paisaje.
Abajo: *Vista aérea de Girón, una ciudad que conserva su inconfundible carácter.*

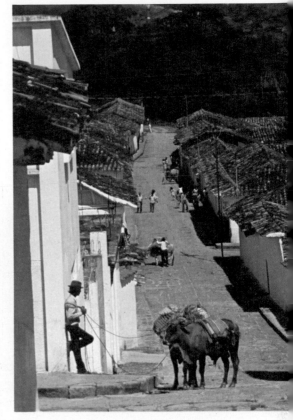

de hacienda colonial en términos estrictos —siglos XVII y XVIII— tenemos que remitirnos a un tipo de construcción bastante sobrio, incómodo y carente, por supuesto, de esa rotundidad simbólica con que hoy las conocemos. La ley del 11 de octubre de 1821, así como otra del 22 de julio de 1850 dieron término a los resguardos indígenas permitiendo que muchos ilustres patricios, la nueva aristocracia, se convirtieran en grandes terratenientes a expensas de ese despojo. Lógicamente la nueva sociedad en la cual empezaba a ser manifiesta la influencia francesa debía buscar una tipología representativa: la hacienda republicana como institución económica va a ser el símbolo de este brusco cambio. El trigo, la papa, sí, y en los Santanderes el añil y el tabaco; pero un nuevo esquema espacial que se impone en una sociedad en la cual existió aún para estas fechas la esclavitud. La influencia romántica descubre el campo, las maravillas de la naturaleza, pero es un campo amable desdramatizado, sin malos olores, sin conflictos económicos tal como lo describen ciertos cronistas. La Conejera, Fusca, Hato Grande, Yerbabuena, Canoas, etc. señalan este paso que va de lo colonial —como presencia de lo español— a lo francesoide; es decir del encalado, del envigado austero, a la gradual aparición de tapetes, sillas, lámparas, rejería, motivos de otra vida civil.

Sobre la retícula española va a imprimirse poco a poco una serie de cambios espaciales que hablan entonces de un nuevo concepto de la vida. De una perspectiva diferente a un nivel ideológico. Pero los alcances de esta nueva institución, la república, no son pues tan claros, en la medida en que paradójicamente con la independencia, la huella de la colonia no desaparece, tal como se pone de presente en el caso de las haciendas.

¿Se imagina alguien lo que supuso en la escala de la vida de provincia, pobre, estéril, la aparición de un monumento como el Capitolio Nacional? Este sería en términos un poco precarios el arranque de la modernidad. Sabemos sin embargo lo que el término implica como cambio radical de mentalidad frente a un mundo que se supone sobrepasado. El «hay que ser absolutamente modernos» de Rimbaud es tomado, pero muy superficialmente, por esta sociedad que quiere «ponerse al día», dejar a un lado la añoranza española para ser ciudadano universal a través de las ideas, el decorado de la capital del mundo: París.

Claro está que a pesar de las primeras bonanzas no existe el desarrollo económico que lo permita, y casi siempre el intento no pasa de ser un adorable despropósito: al frente está la miseria, el analfabetismo, las guerras civiles, pero a todo se lo mete en el corsé de una tipología que habla de la vida del foro, de los patricios, del civilismo. El monumento agresivo

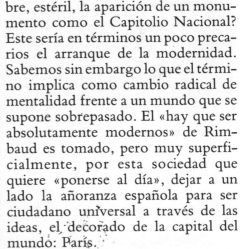

que hace Reed en 1846 —sus notas sobre la construcción son muy ilustrativas— muestra esta paradoja del monumento importado. Basta leer las congojas de don Miguel Samper sobre el despilfarro que supuso la construcción del teatro Colón para darse una idea cabal de algo que en este proceso sería fundamental: la necesidad del escenario.

El palacio Echeverri, la alcaldía, la carrera séptima, el parque Nacional, el parque del Centenario, las villas y palacios, mostrarán con el paso de los años el afianzamiento de esta otra ciudad: la que se edifica sobre la nostalgia parisina. La que se construye

después de los viajes y las experiencias que se tienen en la Europa de la Bella Epoca. El urbanismo de 1900, de San Cristóbal a Usaquén, clasifica las plazas en artísticas, comerciales, mercado, y cambio de tráfico. Solamente que el urbanismo de Haussman no puede ser tomado sino periféricamente y a esta escala de un incipiente proceso de urbanización.

Pero en su mayoría los castillos, palacetes, villas, que conforman esa Bogotá, son de tan escaso valor artístico que realmente nada puede añorarse con su desaparición. Al contrario, a esta nueva fachada de la ilustración, a este nuevo decorado hay que impu-

tarle un nuevo y terrible desmán cultural.

Porque si la desamortización de bienes de manos muertas, la desaparición de los conventos menores trajo como consecuencia la desaparición de un inmenso patrimonio, también este deseo «europeizante» trajo graves consecuencias: piénsese en la casa de la Aduana, en tantos edificios e iglesias «incorporadas» buenamente a este nuevo orden visual. Porque si en esta arquitectura sin arquitectos, como lo fue en la mayoría de los casos la de la colonia, existía el tratamiento del material, el planteamiento particular de espacios y volúmenes, con la

aparición de esta arquitectura de arquitectos se produce también una ruptura con el elemento artesanal. Así como se importa a Reed, a Gastón Lelarge, a Pietro Cantini, así como en plena euforia económica se importan pianos, vinos, sedas, así también se importan materiales de construcción, hojalata para los cielorasos y los zócalos, teja de pizarra, vitrales, fuentes de bronce, etc. La «mejora» en los términos en que la define don Miguel Samper radica en que esos espacios son más confortables y el cemento y el baldosín eliminan las plagas que el ladrillo tradicional, el muro de tapia, incluían.

Sin embargo a diferencia de Medellín —en donde el desarrollo económico tiene otro sentido— en esta parte del país Boyacá, los Santanderes apenas participan tímidamente de este cambio a causa de la rígida estructura colonial que la república vigoriza en vez de destruir, la aparición de una clase media es tardía y la aculturización y excesiva pobreza del sector popular tienen como consecuencia, la inexistencia de una arquitectura característica a ese nivel.

Y es la paulatina fricción social, la manifestación de esos sectores marginados lo que produce también los primeros movimientos de sectoriza-

ción social, lo que va a sacar del ensueño centenarista a una época en la cual a pesar de los cuadros idílicos de ciertos escritores se ha vivido también de modo desgarrado el inicio de conflictos que luego desembocarían en un estallido violento donde el recuerdo de esas fiestas, de esas excursiones campestres, de esas intocadas bibliotecas iba a desaparecer como por encanto.

La fisonomía de la plaza de Bolívar cambió en las sucesivas etapas históricas hasta la última remodelación que le dio su aspecto actual.

¿No es ésta la dificultad que hoy se nos presenta para entender plenamente este tipo de arquitectura, este tipo de espacio urbano? Paradójicamente la verdadera modernidad iba a ser la encargada de borrar la mayor parte de este testimonio de una sociedad en transición. ¿Qué nos plantea hoy un espacio como la plaza de Bolívar? La remodelación al estilo de plaza dura ha realzado es cierto la belleza de algunos edificios. Comparado con otros edificios similares en Estados Unidos y en la misma Europa, el edificio de Reed, hay que decirlo, es de una gran sobriedad, y en la proporción y el equilibrio llega a tener el aire digno que muchos años después reconoceremos en ciertos edificios de Schinkel. Ni siquiera los añadidos posteriores pueden estropear esta visión.

Y el edificio de la alcaldía, en su estilo fin de siglo alcanza igualmente una digna sobriedad, seguramente porque su escala no molesta. Pero no podemos decir lo mismo del resto de edificaciones, no podemos decir lo mismo del espacio gélido impersonal en que nada parece tener vida en esa plaza. Y lo mismo puede agregarse del espacio en el cual se inscribe el observatorio Astronómico, el palacio Echeverri, ya que al eliminarse de ellos la vida urbana, al convertirse en lugares de paso han perdido lo que fundamentalmente podría salvarlos del esquema: la referencia sentimental. ¿No puede decirse lo mismo del pasaje Hernández? Pero aquí reside uno de los problemas básicos del urbanismo contemporáneo, al rescatar estas referencias concretas del pasado, evitando que un uso inadecuado les prive de sus verdaderos significados. Y sobre todo evitando el convertirlas en museo, sometiéndolas a remodelaciones gratuitas cuyo poder de mistificación ya hemos ilustrado en el caso de la llamada arquitectura colonial.

Ya que lo importante continúa siendo esa relación sentimental —hay que darle al término su verdadero significado— mediante la cual desaparece la valoración estilística en abstracto

Panorámica de la zona céntrica de Bogotá con los modernos rascacielos, algunos de ellos perfectamente integrados al contexto urbano como en el caso de las Torres del Parque que bordean la plaza de toros.

—según la cual no dejarían de ser simples bodrios arquitectónicos— para inscribirlos, caso del teatro Faenza, en el itinerario de un proceso social e histórico, en la verdadera historia de la ciudad.

¿Cómo definir una arquitectura de arquitectos? Hemos visto cómo el nombre de ciertos arquitectos extranjeros se asocia desde el siglo pasado hasta la generación del Centenario a obras aisladas, edificios que definían esa ideología civilista, villas en las cuales se marcaba la importancia de una clase dirigente cuya mentalidad había cambiado la nueva relación con Europa. Para estas alturas —1930— comienza desde el campo y la ciudad una verdadera transformación en el orden social, cultural, económico. Podríamos decir, aun cuando la expresión sea tan lánguida, que «empezamos a asomarnos a la sociedad de nuestro tiempo». Lejos está el concepto urbanístico de la colonia, sus trazados, lejos está el monumento y el bucolismo del centenario, la apari-

ción de nuevas leyes sociales no hacen más que advertir el hecho de que nuevos rostros han entrado en el juego. Incluso en el momento en que empiezan ya a volverse los ojos sobre el propio país en busca de una posible identidad cultural la cual se manifestará beligerantemente en los amplios campos de la literatura, la música y el arte.

La nueva ciudad es el reflejo de este cambio, de este proceso. De ahí la presencia no sólo del arquitecto sino del urbanista capaz de definir el sentido de estos nuevos conceptos, capaz de crear una nueva tipología. De Kar Brunner en la década del 20 (Avenida Caracas) a Le Corbusier existe entonces una propuesta racional enclavada dentro de las propuestas con que el urbanismo de la época pretende humanizar la ciudad. Y está ya en número mayor y en primera instancia la presencia de arquitectos foráneos: A. Wills (Biblioteca Nacional), Richard Aek (teatro Colombia), Violi-Rother (edificio Murillo Toro), Santiago de

la Mora (plaza de toros de Santamaría).

Nombres a los cuales hay que asociar diversas actitudes, desde el historicismo más retardatario hasta las nuevas ideas vigentes en Europa: la respuesta nacionalista de la Bauhaus, por ejemplo, aun cuando aún esté presente la huella de Behrens, de Hoffman, de Oud. Lo importante es que en los más significativos: Violi, Rother, se hace presente no sólo la didáctica de una nueva arquitectura sino un propósito más coherente por plantear la arquitectura dentro del fenómeno urbanístico que la engloba, por incorporar nuevos conceptos constructivos. Es decir, iniciar verdaderamente una nueva tipología más acorde con la nueva situación: lo pone en evidencia la ciudad universitaria.

Este racionalismo elimina la retórica a que la arquitectura centenarista había llegado y propugna por la limpidez de las fachadas, la limpieza aparente de las estructuras, un dinamizar el espacio y el sentido de las plantas.

El campo de la oferta y la demanda se amplía, el espacio urbano va adquiriendo el perfil que un nuevo sentido de lotificación le va imprimiendo.

Por lo menos aquí se entra ya en el terreno de las contradicciones reales del país. También para esta fecha ha hecho su aparición la primera facultad de arquitectura y de Europa han llegado los primeros arquitectos colombianos: Carlos Martínez en una serie de escuelas plantea ya en 1939 una estética muy particular. Aparecen también Gneeco, Bonilla y Cortés Silva, Camacho Fajardo. Desde 1933 hizo su aparición una firma que va a cubrir durante más de 20 años lo más importante de esta nueva arquitectura: «Cuéllar Serrano, Gómez.»

Se inicia pues el nuevo relumbrón de otros materiales, de estructuras más dinámicas que dan la sensación de haber entrado en la verdadera modernidad planteada como producto de consumo bajo la impronta de una más rigurosa industrialización y lo que debería ser planteamiento estéti-

co se convierte en fórmula al uso: a Wright se lo entronca con alguna reminiscencia colonial, a Le Corbusier se lo toma en el sentido más pedestre de su funcionalismo. De aquí entonces que buenamente en cada nueva facultad de arquitectura se convierta ese «diseño contemporáneo» (así, en abstracto) en la única tradición eliminando las preguntas que al lado planteaba el país real, sumido para entonces en una de sus épocas más terribles.

El plan de desarrollo urbano de Le Corbusier para Bogotá, el Tumaco de Wiener y Sert, plantearon lo que la revista «Proa» llamó acertadamente: «El fracaso del urbanismo por carta», la terrible convulsión social que vivía el país planteaba no sólo verdaderos planes de desarrollo, en el sentido de hacer frente a la anarquía con que este nuevo desarrollo urbano se planteaba, sino la perentoria necesidad de enfrentar los nuevos planes masivos de vivienda bajo las premisas que planteaba una cultura: necesidad de

significados propios, necesidad de nuevos códigos una vez rotos los que habían servido durante años. Porque lo «urbano» hizo irrupción sin que los términos «planeación» o «desarrollo urbano» fueran tomados en lo que verdaderamente significaban como medida de una realidad. Como esa arquitectura de consumo que después se convirtió en obra de espontáneos en los nuevos barrios, este urbanismo de biblioteca fue incapaz de controlar la creciente anarquía, la rápida despersonalización del espacio urbano. Y como siempre ha sucedido en nuestra historia a cada nuevo impacto de un estilo hay que achacarle la desaparición de un gran patrimonio cultural: la Tunja actual es una muestra más que elocuente de esta barbarie disfrazada de progreso: árboles, espacios que el sentido colectivo había reconocido como propios, van desapareciendo. Existe como una especie de terror al término provinciano, a la vida familiar, y hay un momento incluso en que la misma autoridad municipal es incapaz de hacer frente al caos: entonces como en el Bogotá actual el fenómeno de urbanización, con sus ciudadelas particulares que se multiplican al infinito, con los barrios escandinavos, escoceses, van arrojando sobre el espectador la evidencia de una vida urbana que se atomiza, que pierde referencias concretas y va eliminando poco a poco lo que es fundamental en la vida ciudadana, el enriquecimiento espiritual que da la vida en comunidad.

¿Cuáles han sido las respuestas a este problema? Hasta el momento respuestas individuales que podríamos enmarcar, parodiando la terminología cinematográfica, en lo que llamaríamos «una arquitectura de autor». Porque en un nombre confluye toda una serie de inquietudes culturales y sociales que específicamente pretenden resolverse a través de una respuesta arquitectónica, es decir, de una poética individual. Se juzga, por ejemplo, que el viejo arquitecto ha

sido convertido a estas alturas en un mero profesional, sin que éste sea permeable a la nueva problemática que vive el país. También a las preocupaciones de la arquitectura a nivel mundial. Del prestigio social se ha pasado pues al prestigio cultural y se hace evidente para la arquitectura esa posibilidad normativa de que hablaba Gropius. La arquitectura entra pues en el terreno de la discusión cultural, y las facultades y escuelas detectan las primeras crisis en lo que a la pedagogía y alcances del diseño se refiere.

La respuesta individual tiene esta misma premisa pero como es lógico buscará diferentes filosofías al respecto; en un principio y durante mucho tiempo, se basará en la impecabilidad de los acabados, en una insistencia en la sobriedad estructural, en la utilización con un sentido formal diferente del ladrillo y la madera, etc. Llega a tenerse entonces un nivel de calidad que dará a esta ciudad de los arquitectos una merecida fama mundial.

A este nivel de expresión individual existen nombres en los cuales llega a ser reconocida una trayectoria personal: Fernando Martínez, y sobre todo su obra de los años 60 a 70 en la cual planteó muy claramente la posibilidad de una respuesta: por un lado atado aún a la línea más racional de la arquitectura, y por otro lado, buscando insistentemente una poética basada posteriormente en la utilización del material, en la acentuación de los volúmenes, en cierta reminiscencia de lo románico, pero siempre acentuando en la obra el sello artístico de lo personal. Planteamientos que a la postre se resolverá en un elevado índice de profesionalidad ya que elimina lo que es propio de una poética: el apasionamiento y la insistencia en la búsqueda, el riesgo en la utilización del material, etc. Que creo viene a ser la constante en el caso de arquitectos como Guillermo Bermúdez, como Germán Samper, Largacha, magníficos representantes de una arquitectura profesional —recuérdese Skidmo-

re, Merril y Owens— cuyo alcance cultural es muy restringido al inscribirse plenamente en una arquitectura comercial cuya meta, repito, parece ser la de una impecabilidad formalística y nada más.

En cambio el ámbito espacial de Rogelio Salmona supone las necesarias referencias estilísticas a Alvar Aalto Frank L. Wright, pero también y paulatinamente el desarrollo de una búsqueda rigurosa en la cual se hace presente la pregunta que las facultades de arquitectura habían eliminado esto es, el significado de una tradición, el porqué de una cultura propia dentro de la cual debe existir la respuesta arquitectónica. De ahí que la escogencia de ese organicismo corresponda a la necesidad de plantear beligerantemente el uso de materiales tradicionales dentro de la tipología habitual que va de la casa al rascacielos, o la necesidad de integrar el proyecto dentro del contexto urbano, e plantear el hecho de que el gusto no implica necesariamente un elevado costo o la utilización de materiales sofisticados. Al señalar el hecho de que la relación urbana del edificio o la casa debe hacerse sobre la existencia de una geografía concreta y no inventada. Respuesta personal sí, respuesta dentro de las premisas del sistema si pero imponiendo visual y mentalmente un impasse frente a la despersonalización del entorno, frente a la ausencia creciente de necesarias rupturas tal como aquí se plantea.

Camino que empieza a esbozarse en los planteamientos de Jacques Mosseri, búsqueda personal que corre el riesgo de quedarse en algo que también fue considerado durante años como una extrema virtud: el buen gusto.

Momento también en que la crisis de una pedagogía, el asumir realmente la problemática del país, apuntan hacia nuevos caminos una vez puesta en tela de juicio, confrontada, la relación con una tradición contemporánea Momento también en que comienza

Abajo: *edificio del Banco Ganadero en Bogotá,*
muestra de arquitectura moderna.
En primer plano, una escultura de Edgar Negret.

esbozarse una verdadera crítica de la arquitectura desde posiciones ideológicas nuevas, diferentes a las que tradicionalmente asumieron dos publicaciones de definitiva importancia en nuestra historiografía arquitectónica, «Escala» y «Proa».

También en que de la labor historiográfica fundamental de investigadores como Arbeláez Camacho y Coradine se ha pasado a la beligerante y fundamentada labor de un crítico excepcional como lo es Germán Téllez.

Porque aquí donde termina la historia es necesario pensar que nacen los interrogantes. La arquitectura, el urbanismo se someten hoy al juicio crítico no sólo de los especialistas sino también de quien los utiliza diariamente, la gente. Y es lo que se ha denominado «el derecho a la ciudad» lo que en un plazo inmediato puede hacer incluso obsoletas muchas de estas consideraciones.

91

EL ARTE

Darí[o]
Rui[z]
Góme[z]

¿Qué significado real tienen esos miles de crucifijos, de figuras votivas, de cuadros que hoy se arruman en los almacenes de los anticuarios? Tal como lo pone de presente la historia, entre nosotros los llamados Talleres de Arte no llegaron a alcanzar la importancia que sí tuvieron en ciudades como Quito o Puebla. No hay entonces nombres a la altura de un Legarda o de un Caspicara y en todo caso las mejores obras que aún están en sus lugares originales de Tunja, Tópaga, Bogotá, fueron traídas de los talleres quiteños o andaluces.

¿Por qué, se pregunta uno, desapareció la mano de obra indígena? Tal vez porque en el altiplano, Boyacá, y los Santanderes la cultura de la cerámica y del oro no alcanzó jamás el esplendor de los quimbayas y zenúes. Tal vez también porque en esta parte de nuestro país el rompimiento cultural respecto a lo indígena fue muy violento y la imposición de unas formas extrañas se hizo más perentoria, tal como lo demuestra casi hasta hoy el tipo de estructura económico y social.

De ahí entonces que al hablar del Taller de los Figueroa, del Taller de Vásquez Ceballos debamos tener la preocupación de situarlos objetivamente en lo que son, ya que es en la pintura precisamente en donde, de u[n] modo más beligerante, se impone e[l] esquema plástico metropolitano. As[í] Gaspar de Figueroa, sevillano, no[s] dará en el retrato de fray Cristóbal d[e] Torres la presencia de una cierta ma[e]stría en el color, en el planteamient[o] plástico, virtudes que difícilment[e] volveremos a encontrar en el resto d[e] sus obras o en la obra de su dinastía[.] Porque cierto primitivismo en su[s] planteamientos, cierta ingenuidad e[n] la composición no logran convertirs[e] en argumentos pictóricos propio[s] frente al esquema en el cual se mani[-] fiesta.

Y estas virtudes son pues las qu[e] nadie negaría en Vásquez Ceballos, l[a] capacidad de dar vuelo plástico a[l] restringido mundo conceptual que s[e] le impone. En obras como «San Al[-]berto Magno enseñando a santo To[-]más, a san Ambrosio y al beato Jaco[-]bo», como «Ruth segadora» y «Oto[-]ño» se evidencia la capacidad de rom[-]per el esquema mediante la sutilez[a] del color, mediante una composició[n] en la cual, insólitamente, se logr[a] crear una auténtica atmósfera. Si[n] embargo su obra, guardando este ni[-]vel que la aparta por completo de[l] ingenuismo, de la copia simple d[e] modelos, carece —sus paisajes de fon[-]do lo atestiguan— de una experienci[a] propia alrededor del hecho plástico[.] «El hogar de Nazaret» muestra un[a] estampa cotidiana en que Jesús barr[e,] María cocina, José trabaja. La presen[-]cia de los ángeles, el pájaro en l[a] ventana crean una atmósfera de dulc[e] intimidad, pero ¿está ahí lo cotidiano[?]

92

¿Lo cotidiano en el sentido en que Caravaggio incorpora el suceso diario? ¿En que Velásquez deshizo con la costumbre y la crónica el iluminismo clásico? Habría que preguntarse entonces por la incapacidad de incorporar la propia óptica y por la persistencia de estos esquemas.

Cuestión que ya era evidente en las «Inmaculadas» de Antonio Acero de la Cruz en pleno siglo XVII, mezcla de un renacentismo primitivo y por supuesto de esa iconografía particular que algunos llaman curiosamente «criollismo» y en la cual, como posteriormente en Vásquez Ceballos se hace patente la incapacidad de sub-

vertir los esquemas. Esquemas en los cuales debía residir, por otra parte, la única información sobre lo que acontecía en el arte metropolitano. Porque como sucede en arquitectura, el manierismo se toma muy superficialmente y desde luego se desconoce la revolución que en todos los órdenes supone la aparición de nombres como Borromini, como Caravaggio o Velásquez.

Pero ¿no fue esta ignorancia deliberada la constante de nuestra llamada vida colonial? ¿No fue este deseo de nueva información uno de los aspectos fundamentales en la llamada lucha libertadora?

caballete: ese artesanado de Chivatá, de Cucaita, elementos decorativos del convento del Topo, una ebanistería, hablan de una forma de expresión que artísticamente no veía en la limitación del cuadro de caballete la oportunidad de canalizar ese nuevo sentido de la vida que empezaba a anunciarse y para el cual tampoco aquellos iconos severos de un Juan de Cabrera, de un Antonio Pimentel, de un Pedro de Laboria, podrían indicar algo. Y esa vida fue planteándose en una artesanía cuyo resultado vino a ser a la postre un verdadero orden visual, la base de una verdadera tradición cuya secreta influencia se mantiene hasta

hoy en que apenas comienza a mirarse ese legado popular con un sentido más objetivo, en que la historia deja de ser una abstracción para convertirse en lo que es fundamentalmente: la historia de las costumbres, de los usos, es decir, de todo aquello que desconoce el esquema.

De Joaquín Guttiérrez, de García del Campo, de la escuela de Salvador Rizo, puede hablarse de un tímido inicio de esta apertura, de este deseo inconsciente de un rompimiento con ese ámbito colonial que ya por ejemplo desde la literatura había logrado Rodríguez Freyle con «El carnero» y posteriormente ya en plena repúbli-

Lo que llamaríamos entonces el sistema de objetos coloniales, permanece en la mayoría de los casos casi como un elemento extraño en medio de esos espacios en los cuales sí estaba operándose una metamorfosis. En medio de un artesanado sobre el cual iba apareciendo de modo paulatino un mundo nuevo de significados y se iba operando la apropiación de unos signos, ¿qué podía implicar esto?

Sin duda un problema que va a extenderse a lo largo y ancho de nuestra historia: la necesidad o no de la pintura de caballete. ¿En qué sentido esto abre un interrogante? En el sentido de que una cultura en proceso —y de hecho desde la conquista ya se inició el proceso— va planteando a nivel formal sus necesidades expresivas. Es la pregunta —para no ir más lejos— que cabe hacerse siempre sobre Grecia, Roma o posteriormente sobre el período románico.

Indudablemente no podemos alegar primitivismo en los murales románicos respecto a la pintura del siglo XV. En el arte no existe «avance» en este sentido ya que tendríamos que preguntarnos a la vez desde el período románico por la decadencia de la filosofía en ese siglo. Lo que hace necesario entonces volver a poner en claro que la historia del arte no es exclusivamente la historia del cuadro de

das, en novísimos planteamiento formales.

Que es lo que sucede con Ramó Torres Méndez de cuyo trabajo, po desgracia, sólo quedan algunos óleo y sus estampas de costumbres, ha biéndose perdido cerca de cuatro cientas obras. Juzgado por esas es tampas costumbristas es lógico que e juicio sobre su obra tenga que se muy limitado ya que a pesar de evidente valor documental de dicha estampas, el valor estético de éstas e en realidad muy restringido. Cre que sin embargo un retrato como e de Carmen Rodríguez de Gaitán, d pie para pensar en lo que su obr desaparecida supuso: ahí el colorido el realismo de la visión, están media tizados por un halo de secreto y digne sufrimiento. Ni siquiera el ostentos manto logra borrar ese aire austero esa sobriedad con que mediante l composición se nos señala lo lejano que estamos ya del retratismo de l Colonia.

ca hay momentos como «El último soldado de Nariño, Dimas Daza» (1822) de Eugenio Montoya en el cual el atrevimiento ha dejado atrás la simpleza conceptual de esos maestros anteriores para darnos en un realismo lírico —que recuerda al mejor realismo norteamericano posterior— un testimonio doloroso, terrible acerca de la vida real. Y es este rompimiento lo que sin duda explica el primitivismo de muchas pinturas de José María Espinoza en el cual la necesidad de la crónica histórica parece conducirlo a un terreno de nadie donde los aciertos de color logran salvarlo de lo estrictamente primitivo. Sin embargo hay en las miniaturas de sus primeros cuadros una frescura y un don de observación que a la larga señalan un logro plástico: el rostro individualizado de una nueva sociedad.

Sus apuntes, sus caricaturas hablan de alguien en quien ya las exigencias de expresión ante una situación diferente llevan a concretarse en búsque-

¿No sucede esto con el retrato de Núñez de Epifanio Garay? Digo de un pintor a veces menospreciado por «académico», a veces mal enjuiciado por un tipo de historiografía sin alcance alguno fuera del crematístico. Porque si Epifanio Garay en «La mujer del levita» realiza bajo la influencia de Bouguereau, una obra fundamental de la academia de Latinoamérica, con la mayoría de sus retratos, el de Elvira Tanco de Malo, el de Teresa Díaz Granados de Suárez Lacroix, de María Costa de Suárez, etc., sobrepasa por el tratamiento del color, por la libertad en la composición, por el rigor con que construye zonas de textura, ese esquema académico y desemboca en un planteamiento plástico que si no lo emparentó con los impresionistas sí lo coloca en la línea de pintores como Sargent y Wisthler, pintores precisamente en la mejor línea de un proceso nacional.

Y es indudable que Garay fue susceptible a esas exigencias internas que le

creaba la obra, que deducía del carácter de un tiempo como el que le tocó afrontar: el aire desolado de ese gran retrato de Núñez lo pone maravillosamente de presente. Ya que entonces la pregunta por el sentido de la Academia entre nosotros se hace inevitable, sobre todo porque —como lo evidencia la arquitectura, las costumbres políticas— el eclecticismo que caracteriza a la burguesía europea desde mediados del siglo XIX hasta la guerra de 1914 apenas si lleva a adquirir entre nosotros ese carácter de ideología en que a Cezanne se opone Bouguereau.

Lo que sí es necesario tener en cuenta a partir de Garay, es decir desde Acevedo Bernal y luego Roberto Pizano,

Arriba: «Carmen Rodríguez de Gaitán» de Ramón Torres Méndez.
Izquierda: «Retrato de la Sra. Pizano». La huella española y francesa está presente en la academia latinoamericana.

97

es la influencia directa de ciertos centros académicos franceses y españoles en los cuales, como en la academia de San Fernando, la academia Julien, el reaccionarismo plástico se mantiene vigente hasta hoy. O como lo ha señalado Barney Cabrera en Andrés de Santamaría, la aparición de un tipo de artista cuyo prestigio nace en primera instancia de su pertenencia a las clases dirigentes. Porque si bien Santamaría presenta a primera vista más elementos propios de lo que hemos venido llamando «modernidad», tal como su neo-impresionismo, también es cierto que juzgado desde esa sola premisa su obra no presenta el alto nivel que algunos críticos quieren conferirle. Primero porque la verdadera modernidad nace siempre de una ruptura con un problema concreto y en este sentido frente a la languidez conceptual de la colonia en la parte plástica, el impresionismo no podía ser entre nosotros, como lo fue en Francia, un planteamiento de ruptura.

De ahí sí una tendencia que va a ser característica hasta nuestros días: el esnobismo. Ese «mantenerse» al día en el cual sí estará presente desde el comienzo el desarraigo frente a una problemática creada por ese proceso que vivían las instituciones y toda la sociedad colombiana.

De todos modos la obra de Santamaría que nunca podría equipararse a la de un Figari, por ejemplo, representa un momento muy especial de nuestro arte y el arranque de un fenómeno plástico cuyos alcances llegan hoy, ¿en qué sentido? En el que la obra de Roberto Pizano plantea: el pintor de una estricta formación académica, en el alcance de una academia gastada y cuyos valores supuestos van a ser convertidos en un signo distintivo de vanguardia y modernidad. Academia decimos para referirnos a esa pintura figurativa que en nombres como Meissonnier, Fortuny, Zuloaga, Chicharro ilustrará la ideología de una burguesía europea reacia a comprender los profundos cambios que en todos los órdenes sufría la sociedad, y, cuyo retoricismo encontrará entre nosotros una acogida y una difusión mediante la formación «europea» a que los pintores de la nueva república deberán someterse durante años. Vemos entonces en Pizano una habilidad extraordinaria en la composición y un sentido del color que no

desmerece en absoluto de los mejores representantes de esa escuela europea. En «Familia de Don Luis de Brigard» se atisba claramente que, estando a punto de desembocar en una expresión personal, por la libre composición, por el intimismo de la escena, prefiere sin embargo mantenerse dentro de la rígida norma de esa pintura de escuela, y, a la larga se pierde la espontaneidad y la frescura. Caso también de un cuadro suyo como «Misa de pueblo» en el cual la libertad que a ratos se toma en el trazo, ciertas audacias cromáticas, se pierden a la postre por la rigidez con que plantea la escena: ni el color, ni la atmósfera implican un estudio de una luz real ya que al eludir la verdadera crónica prevalece entonces el valor rígido, helado de ese cromatismo de estudio.

Caso paradójico ya que es Pizano quien por primera vez plantea en nuestro medio la necesidad de un arte que parta no sólo de una particular experiencia vital sino que sea capaz de enfrentar objetivamente lo que supone un pasado cultural como el indígena. ¿Qué sucederá entonces con casos como Margarita Holguín, como Eugenio Zerda, como Coroliano Leudo, como Miguel Díaz Vargas? Un cuadro como «La mantilla bogotana» ya nos ubica en medio de una pintura que únicamente cambió el modelo de mujer castellana por lo que se supone —en un ingenuo intento— debe ser la mujer bogotana. En ellos ese academicismo llega a ser demasiado profundo y nunca logran superar el esquema didáctico que se les impone. Miguel Díaz Vargas logra en muchos cuadros un verdadero virtuosismo pero la frialdad extrema de lo que plantea no llega en ningún momento a emocionar, a buscar ese color local que, seguramente le hubiera dado otras perspectivas a su obra.

Que no es el caso de un pintor excepcional en el cual concurren esos principios académicos, toda esa figuración sin suelo, que es Acevedo Bernal. Porque aun cuando perteneciera a una generación anterior, es el alcance y significado retrospectivo de su obra con respecto a los nombres antes mencionados lo que nos hace ver con mayor claridad el valor de su obra: un retrato como el de Rosa Biester, puede poner de presente cierta lejana influencia de Sorolla, pero sus trazos son tan personales que terminarán

por borrar esa supuesta influencia. Que es lo que acontece con su retrato de Blanca Tenorio, presencia secreta de cierto David, que el artista resuelve en un tono elegíaco íntimo alejado de la frialdad académica. En «La niña en la columna» sabe llegar a la crónica del instante —al contrario del supuesto costumbrismo de Pizano o Leudo— proponiendo una libre composición, un nuevo juego cromático.

Que es en donde —como en cierto Cano— puede rastrearse lo que configura la primera ruptura real de nuestra pintura y escultura: José Domingo Rodríguez, Luis A. Acuña, Rómulo Rozo, en una primera instancia y posteriormente Gonzalo Ariza, Hena Rodríguez, Luis B. Ramos, Ramón Barba, Martínez Delgado, etc. Es decir lo regional no sólo como testimonio, sino como búsqueda de un lenguaje en el cual se encuentra inscrita una identidad cultural negada por siglos de colonialismo. Se niega pues la figuración acartonada de esa academia y se va a profundizar en aquello que tímidamente también nos habían dado ciertos paisajistas como Zamora y Peña. La alusión figurativa busca pues el signo concreto que la caracteriza y la diferencia.

Lógicamente el tema indígena va a ser fundamental como motivo. En Acuña buscando a través de una especie de puntillismo el aire, la atmósfera de un rostro y de una geografía. Búsqueda que si al comienzo denota un extraordinario vigor plástico luego va derivando hasta el fácil camino de la alegoría patriótica como se puede observar en algunos de sus murales. En cambio la obra escultórica de José Domingo Rodríguez si bien incide en esa temática jamás niega una permanente preocupación plástica como lo evidencian sus pequeñas esculturas en mármol y madera en las cuales se refleja un conocimiento cabal de la escultura contemporánea. Por eso, a pesar incluso del tema de encargo, de la alegoría misma, se resuelve siempre a través de la problemática misma de la escultura.

Que es lo que está presente en Ramón Barba y Josefina Albarracín en los cuales a pesar de la insistencia en el tema realista van más allá de éste, por su tratamiento formal, por la manera extrema con que convierten en volumen, los detalles, en un elemento plástico a la manera de los mejores artistas mundiales del último hiper-

realismo. Lo que no sucede con Rozo —cuya obra principal se realizaría
en México— en el cual el «detallismo»
se convierte después en pura anécdota
alrededor de una supuesta iconografía precolombina.

Anécdota en que jamás cae Gonzalo
Ariza, dueño de una figuración en la
cual han desaparecido los tipismos, el
aire dulzarrón de un Gómez Campuzano, para dar paso a una visión extremadamente objetiva del paisaje.
Una visión en la cual el tema se
convierte simplemente en una referencia cromática casi abstracta por el
equilibrio formal y la dinámica inter-
na, por la ausencia de sentimentalis-
mo con que incorpora un mundo
plástico cuyo discurso podría decirse
convierte ya el arte en tema del arte.
Que es el camino que va a seguir
Guillermo Wiedeman; y posteriormente Marco Ospina en los cuales la
visión expresiva o lírica del paisaje se
ha liberado ya de todo tipo de referencia figurativa proponiendo, sin
sobresaltos, una visión diferente de la
realidad, una visión menos simplista
de lo que el arte entraña como búsqueda de razones a ese nivel de conflicto cultural en el cual algunos ya
a estas alturas pretendieron convertir
su incapacidad en «virtud nacional»,
abogando por un arte plagado de esas
referencias tipistas, de ese indigenismo huero.

¿Por qué, dirá uno entonces, como en
el caso de Antioquia, no llega a pro-
ducirse un arte regional? Ante todo
porque no existe un proceso social
que es el que puede avalar una ruptura
cultural. De manera que a pesar de
esos presupuestos sólo en contados
casos como en Luis B. Ramos se logra
ese toque regional característico
y que en España tuvo excelentes representantes como los hermanos Zu-
biaurre, etc. O porque en el caso de
Acuña, de Hena Rodríguez al contrario de Barba, está ausente la pasión
por el relato de lo concreto. No existe
como en Pedro Nel Gómez, en Carlos Correa, en Débora Arango, ese
motivo interior que lleva a descubrir
paulatinamente una determinada realidad sino que el motivo «americano»
nace de un programa intelectual que
se agota rápidamente.
Social y políticamente además el arte
vive en estos años la más profunda
crisis y creo que a esto se debe en
buena parte el que la obra de algunos
artistas como Miguel Sopó, como

Julio Abril, como Carlos Reyes no
alcance el desarrollo que debía tener.
Desaparecidos ciertos mecenas, mi-
rado el artista como un ser obsoleto la
pobreza, la bohemia como fatalidad
destruye muchos talentos. José Domingo Rodríguez, absolutamente in-
comprendido, desconocido hasta hoy
incluso por las más recientes «historias de arte» irá a morir en Venezuela.
Para otros el anatema político se traduce en un olvido cuyo alcance llega
hasta hoy. A esta incomprensión se
agregará el falso choque que a nivel
teórico impondrá desde el año 1957
una supuesta vanguardia preocupada
no exactamente por el proceso real de
nuestra sociedad y de lo que en términos culturales ello implica, sino del
«atraso» que se vive respecto a los
más recientes movimientos artísticos
europeos.
De las cenizas de un país comienza
a surgir una nueva clase urbana ávida
también por ese ponerse al día, por
ese dejar atrás un país sumido en la
ignorancia y la violencia. La vanguardia no es pues una ruptura real con
algo concreto sino un programa que
dicta la última revista de arte llegada
de Europa o Estados Unidos. Se pierde el contenido cultural, la búsqueda
de definiciones para entrar en el terreno de una retórica plagada de los
inevitables tópicos sobre lo «actual».
Desde entonces hasta hoy decenas de
nombres aparecen y desaparecen víctimas de ese juego mortal en el cual
no son pues las razones internas de un
proceso personal lo que cuenta sino el
dramático deseo de no caer en desuso.
Los nombres de Eduardo Ramírez
Villamizar y de Juan Antonio Roda,
señalan dos artistas cuya obra se pre-
supuesta y crece a través de una rigurosa trayectoria personal en la cual los
términos de una estética contemporánea son en cierto modo revisados
a través de una conciente experimentación hasta desembocar en una obra
personal de gran alcance.
En Roda —compañero de generación
de Tapies en España— es la presencia
de un extraordinario oficio lo que
dimensiona su búsqueda de siempre,
lo que lo aleja de esos «vanguardis-
mos» gratuitos. Ya que entiende que
ese oficio —lo contrario del académico— es ya un punto de vista para
enjuiciar la realidad, es un factor esencial de conocimiento necesario en ese
interregno creado por tan profunda
crisis cultural —a nivel de esa idea

abstracta de lo contemporáneo—
y también de su paulatino proceso de
asimilación de un mundo nuevo. Por
eso aun cuando haya tocado en ciertos momentos lo abstracto no lo hizo
jamás con el afán infantil de ponerse
al día en el cual hicieron muchos el
ridículo, sino como un tanteo plástico
que visto ahora conserva todo el rigor
de su construcción cromática como
en el caso de sus «tumbas». Su última
obra en grabado indica a través de ese
medio de expresión, la posibilidad de
llevar a sus últimas consecuencias una
figuración que en el solo dibujo no
había pasado de ser muestra de una
gran habilidad, pero nada más. Las
posibilidades expresivas de la plancha
de cobre, de la tinta, incorporan por
fin una atmósfera plástica vigorosa,
una poética de extraordinario sentido, un mundo conceptual regido por
el logro plástico.
Y es la presencia de un rigor conceptual lo que rige la trayectoria plástica
de Eduardo Ramírez Villamizar, desde su etapa expresionista en la cual era
perceptible la presencia de Ronault
hasta su irrupción lúcida y definitiva
en el ámbito de lo geométrico. Porque a la manera de Mondrian su
período figurativo no buscó tanto el
acentuar el gesto, sino que en esa
pincelada buscó, lo importante que
era el encontrar un código personal
de referencias cromáticas. Como en
los árboles de Mondrian en esas figuras retorcidas lo que prevalecía era el
análisis de unos elementos, de ahí que
su irrupción en lo geométrico no vino
a ser más que la consecuencia lógica
de esa experimentación. Por eso el
sentido tan personal que tienen sus
planteamientos que a nada se refieren,
ni a Nicholson, ni a Afro, ni a Vasare-
ly, ya que desarrollando siempre
unos planteamientos muy concretos
va también desembocando en soluciones personales.
Esto es lo que va a diferenciarlo de un
geometrismo que como en Nicholson no sobrepasa el plasticismo y se
queda bordeando la manera. Caso
también de ciertos cinéticos incapaces
de llevar adelante el programa científico sobre el cual supuestamente se
desarrolla su trabajo. Y esto es también en lo que lo lleva a sobrepasar el
callejón sin salida en que llegan a desembocar ciertos escultores del «mi-
mimal».
Lejano a un constructivismo riguroso
a lo Max Bill, Ramírez Villamizar

Porque Rojas, dueño de un concepto teórico muy lúcido, si es cierto que muchas veces ha sacrificado el raciocinio a la novedad, renunciando a esa voluntad analítica, también es cierto que a estas alturas es dueño de una obra de gran alcance dentro de este particular racionalismo en que como en sus banderas últimas el buceo en el material como posibilidad simbólica es llevado a sus últimas consecuencias. Pero en esta línea de búsqueda donde a estas alturas hablamos ya de diseño, es necesario inscribir la obra investigativa de David Consuegra y sus planteamientos por renovar no sólo la semántica visual de un arte gráfico detenido aún en la repetición de un código decimonónico —que tuvo sin embargo momentos lúcidos en Moros Urbina y posteriormente en la obra gráfica de Martínez Delgado en la revista «Vida»— sino por profundizar en el significado cultural de códigos visuales establecidos a nivel de arquitectura, de arte popular, etc.

Partiendo de las premisas formales que Tinguely planteó al llevar la chatarra como elemento expresivo a logros de indudable efecto, Felisa Bursztyn ha desarrollado una obra polémica cuya última derivación han sido las «camas». Objetos donde el

prefiere los términos de una geometría en la cual comienza a insertarse lentamente referencias a un espacio cultural cuya definición es nacional en la medida en que a diferencia de la especulación científica, de ese funcionalismo europeo, al incidir en ciertos aspectos de la cultura precolombina como los pectorales de oro, busca en el plano, en la construcción, una referencia simbólica que aquel otro geometrismo perdió totalmente. Su «otra» geometría tiene esa secreta resonancia telúrica que otros buscaron vanamente hasta perderse en los más inusitados tópicos sobre lo «americano». Su manifiesta voluntad de análisis lo está llevando siempre a nuevos hallazgos y proposiciones que, hay que decirlo, en muy pocas ocasiones ha encontrado eco, salvo en la obra de Carlos Rojas, lanzado también a través de este normativismo a la búsqueda de una iconografía gráfica libre de gestos y anécdotas.

efecto sorpresa busca el delirio, al dotar a esos objetos de movimiento y acentuar el carácter insólito que puede tener lo cotidiano.

La generación del *pop,* del arte conceptual, de lo cinético, se encuentra pues viviendo esa modernidad sin muchas veces llegar a sopesar lo que esos lenguajes escogidos implicaban. Sin embargo en medio de esa crisis pedagógica que dura hasta hoy pueden destacarse algunas trayectorias: es el caso de Luis Caballero cuya obra llegó a contar muy tempranamente con el primer premio de la Bienal de Coltejer. Lanzado a la definición de una nueva figuración llega a desembocar en un lenguaje muy particular, en el cual la búsqueda de estructuras cromáticas lo aleja en principio del peligro de caer en un alegorismo. Planteamiento que parece haber desechado para sumirse hoy en la ejecución de un escenarismo donde desaparecen las verdaderas razones plásticas y lo que gana es un patetismo carente de verdadero sentido expresivo. Ahora bien, todo a ese nivel en que un verdadero pintor expresa una crisis. Entre otras cosas la crisis que a nivel mundial se vive en un momento en que la figuración que pareció ser un punto de salida se ha ido convirtiendo en una trampa.

Que no es el caso de Sonia Gutiérrez cuya figuración empezó siendo la impecable muestra de una figuración de moda dividida entre la alusión a unas costumbres «contemporáneas» y también a la renovación de una ilustración lírica. Lo importante es que Sonia no dejó nunca de ver esa alusión temática como problema plástico y eso es lo que ha hecho permanecer su obra, desde hace años aparte de las galerías y muestras oficiales, sin duda por la derivación hacia un arte político en el cual esa voluntad y conocimiento plástico tratan de crear la iconografía de personajes hechos en la diaria lucha social.

Y en un nombre como Bernardo Salcedo se encuentran presentes las características de esta generación: la inteligencia, el eclecticismo. Sus «cajas» denotaban esa capacidad de crear atmósferas, de resolver una poética retomando elementos de un arte internacional y convirtiéndolos en una expresión personal. Pero esa búsqueda, ese eclecticismo mejor, lo llevan finalmente a un arte conceptual lleno de humor, de irreverencias cuyo sentido y alcance son aún difíciles de enjuiciar objetivamente en la medida en que él mismo los ha convertido en proceso, en anti-obra. Pero obra en el pleno sentido de la palabra lo constituye el trabajo de Beatriz González, asociada en un principio —por esas perezas críticas tan comunes— al *pop* cuando su búsqueda incidió en el buceo de una temática popular. Una temática que ha sido siempre razón y programa plástico y no pues *revivals* al uso.

¿Qué recoge Beatriz González? Es cierto que su óptica parte de un conocimiento crítico de la estética de nuestros días. Pero esa óptica viene dada como reflexión crítica sobre la pintura, como búsqueda de una iconografía propia, lo que la lleva a reflexionar el sistema de objetos, el orden visual en que se identifica el espacio cotidiano, el espacio urbano. Allí, donde una cultura viva se apropia libremente de

ciertos iconos culturales hasta conferirles un significado diferente al que la gran cultura les asigna como obras de arte. Dando un significado nuevo al *ready made,* los objetos característicos de esta cultura se reinventan en un lenguaje que al huir de lo primitivo, del *revival,* les confiere un significado cultural muy preciso lejos ya de un regionalismo, de un rótulo y sí con el sentido que el «pop» le confirió a lo que llamaríamos un nuevo costumbrismo.

Mundo que desde el disparate, de lo absurdo, sin caer jamás en la caricatura le han servido a Antonio Samudio para crear una obra de sólida significación. Obra regida siempre por un extraordinario oficio plástico gracias al cual el elemento figurativo conser-

va plena sus incisivas referencias a hábitos y costumbres de todo género. Oficio sobre el cual se ha ido asentando la poética de Ana Mercedes Hoyos: mundo que de la visión casi íntima, se ha ido convirtiendo en visión objetiva donde las referencias figurativas se transforman en estructuras cromáticas de una maravillosa limpidez sin perder para nada la necesaria alusión simbólica que el color tenía cuando nombraba el mundo de un modo más directo.

Umberto Giangrandi ha ejercido a pesar de su juventud una extraordinaria labor didáctica alrededor del grabado, de las nuevas técnicas que

SALA DE MUSICA

culturales. De ahí la actitud crítica de expectativa que coincide además con un «lapsus» en que se hace evidente la necesidad apremiante de contenidos más concretos ya que la improvisación, la falta de oficio y de pasión corren el peligro de deformar muchas de esas búsquedas. También porque Bucaramanga, Cúcuta, Tunja aparecen en el panorama plástico con una actividad propia y por lo tanto con una carga de contenidos y experiencias que apenas empiezan a ponerse de presente.

éste incorpora a través de las técnicas tradicionales. En el grabado, en el monotipo, ha incorporado un ámbito donde la referencia cromática sin caer en testimonialismos falsos denuncia un clima de opresión y violencia social renovando de este modo una corriente plástica cuya vivencia y enfrentamiento de los problemas sociales del país, ha desembocado en una expresión de particular relieve en el arte latinoamericano.

Otras técnicas, otros modos de expresión certifican en el momento presente una generación nueva en nombres lanzada apasionadamente a la búsqueda de sus propias definiciones

LA ECOLOGIA

Julio
Carrizosa
Umaña

¿Qué es ecología?

Según Taylor (1936) ecología es la ciencia que trata acerca de todas las relaciones de todos los organismos con todos sus ambientes. El ecólogo A. Macfayden explica mejor esta definición: «La ecología se ocupa de las interrelaciones de los organismos vivos; plantas o animales y sus ambientes; éstos son estudiados con el fin de descubrir los principios que los gobiernan y el ecólogo asume y tiene fe en que estos principios existen. Su campo de observación es nada menos que la totalidad de las condiciones de vida de las plantas y animales bajo observación, su posición sistemática, sus reacciones entre sí y hacia el ambiente y la naturaleza física y química de sus alrededores inertes.»

La palabra ecología se forma con dos raíces griegas: *Oikos*, casa y *Logos*, tratado. La ciencia de la casa, de la vivienda, del nicho. La ciencia que nos enseña a vivir en diferentes ambientes. La ciencia casera que descubre cómo ciertos productos químicos afectan nuestros organismos; por qué las plagas se multiplican ante las malas prácticas agrícolas o por qué disminuye la productividad del suelo.

Estos y otros muchos problemas diarios los estudia la ecología analizando las relaciones entre los seres vivos, animales y plantas y sus ambientes. Estas relaciones pueden siempre expresarse en unidades de energía. El Sol provee de energía a los productores primarios: las plantas verdes; éstas, al ser ingeridas por los animales hervíboros, consumidores primarios, les suministran energía y éstos, a su vez, sirven de fuente energética a los animales carnívoros. El ciclo se complementa por medio de los organismos llamados transformadores, bacterias y hongos que reducen los desechos del sistema a elementos minerales que, a través del suelo, alimentan nuevamente a los productores primarios.

En forma semejante, elementos que son vitales se transmiten a través de complicadas cadenas de alimentación por multitud de organismos. Es el caso del agua, el oxígeno, el carbono y el nitrógeno. Cuando en un sistema ecológico se altera uno de estos ciclos de elementos vitales por ausencia de un nivel orgánico o por degradación de un medio físico todo el sistema puede afectarse y llegar a un estado de crisis.

Un ambiente puede llegar a su estado de crisis por cambios en la temperatura, en la luz, en la humedad, en la composición del aire, en la estructura de las rocas o el suelo o por la desaparición de una planta o animal que servía de eslabón de sus cadenas de alimentación.

La cantidad de energía que se mueve a través de un ecosistema no intervenido por el hombre está determinada por la necesidad de organismos que la conforman, por la composición de su medio físico y por el azar que puede alterarlo. La eficiencia de un ecosistema se mide por la relación entre la

Paisaje boyacense con extensos cultivos de cereales. Página derecha, arriba: *panorámica de las suaves lomas y del valle que circunda la laguna de Pedro Palo.* Abajo: *vista del río Chicamocha.*

energía producida y la energía recibida. Cuando el hombre interviene efectúa cambios en la calidad y en la cantidad de los elementos del ecosistema de acuerdo con su voluntad; sus decisiones están fundamentadas en sus propias necesidades y en las de voluntades ajenas a él y al ecosistema que se modifica. La economía trata de explicar cómo se conforman estas decisiones humanas.

Si colocamos junto a un ecosistema primario (energía-Sol- / productores primarios-plantas verdes- / consumidores hervíboros / consumidores carnívoros / transformadores-bacterias y hongos) un sistema económico que

lo tanto, varía su poderosa eficiencia. Conforme esta infraestructura se amplifica y se especializa en procesos de producción agropecuaria y minera, en la construcción de máquinas-herramientas, en la de productos de consumo final, en la conformación de sistemas de distribución y en la etapa final de consumo, el sistema económico de producción, distribución y consumo presenta ineficiencias, desperdicia energía, frecuentemente en forma de calor, derrocha agua necesaria para la supervivencia de otros organismos, arroja a la atmósfera, al suelo y a las corrientes de agua, minerales escasos como residuo

Estos desechos o basuras pueden clasificarse en dos clases: los biodegradables y los no biodegradables. Lo primeros son los que pueden se transformados por las bacteria y hongos. Los segundos son, especialmente, aquellos materiales sintetizados por el hombre como alguno plásticos cuyas moléculas no se alteran por la actividad de los organismo transformadores. Estos últimos afectan de una manera definitiva la eficiencia de los ecosistemas donde son arrojados.

Como una excepción entre las demá especies el hombre puede aumenta su capacidad de extracción, trasla

represente las actividades del hombre, podemos analizar las posibles interrelaciones.

En primer lugar consideramos las relaciones de extracción. El hombre obtiene de los ecosistemas energía y la utiliza para extraer materias primas: minerales, vegetales y animales y para modificar el espacio físico, trasladando materiales de un lugar a otro. Por medio de estas actividades de extracción y traslación construye la infraestructura de su sistema económico: vivienda, caminos, plantaciones, fábricas, mercados, pero al mismo tiempo, modifica las características del sistema ecológico y por

de los procesos. Estas ineficiencias del sistema económico se convierten en disminución de la eficiencia de los sistemas ecológicos al variar la temperatura, la luz, la humedad y las características del aire, el agua, los suelos y los organismos vegetales y animales. Es lo que comúnmente se llama contaminación y que equivale a un efecto de la irrupción de las actividades del hombre en la naturaleza.

Finalmente al terminar el ciclo del sistema económico los desechos o basuras son introducidos al medio natural para que éste los transforme en energía y materias primas utilizables.

ción, irrupción e introducción en lo ecosistemas, según adquiere más re cursos o instrumentos de desarrollo El hombre primitivo contaba sólo con sus recursos propios (energía sentidos, capacidad de imitar y d imaginar) para recolectar fruto y raíces.

Más tarde contó con armas para caza y pescar. La adquisición del lenguaj y la escritura, la estructuración e tribus y gremios; la posesión de l tierra y la invención de las herramien tas hizo posible el pastoreo, la agri cultura, la minería y el comercio Vino luego la conformación de lo estados, el desarrollo de las matemá

*En la fauna autóctona colombiana abundaba
el venado y el pez capitán* (página izquierda).
*Actualmente, como consecuencia del deterioro ecológico,
ambas especies escasean.
Entre la flora del páramo destaca el frailejón* (abajo).

icas, los descubrimientos científicos y el refinamiento de técnicas de producción que hicieron posible las máquinas-herramientas y con ellas la revolución industrial, la acumulación de capital y la sociedad de consumo. Esta acumulación de recursos en manos de una sola especie puede conducir al acaecimiento de catástrofes ecológicas, o sea a la destrucción de ecosistemas completos, originada por decisiones erradas de un individuo o de un conjunto social. Estas decisiones erradas, como usar dinamita para pescar, destruir un bosque protector, emplear más insecticida del necesario, desperdiciar materias primas, las puede tomar cualquier ser humano, pero sus consecuencias son más graves si quien decide posee los recursos suficientes para afectar canidades apreciables de organismos, ambientes, o inclusive, ecosistemas completos. La decisión del pescador que solamente ha podido comprar un aco de dinamita es, entonces, menos grave que la del industrial que ordena a destrucción de miles de hectáreas de bosque. ¿Por qué se toman estas decisiones que disminuyen la eficiencia de los ecosistemas siendo que nuestra supervivencia depende de ella? ¿Qué clase de raciocinio impulsa a quienes destruyen el patrimonio de sus propios hijos? Algunas veces la ignorancia, otras la necesidad de sobrevivir, muchas el afán del lucro fácil orienta la voluntad de los depredadores. Son todas formas de un raciocinio que no tiene en cuenta que la eficiencia a largo plazo tanto del sistema ecológico como del sistema económico depende de las características del primero de ellos. Este raciocinio recibe el nombre de exológico por contraposición al raciocinio ecológico y es propio de aquellos que no conocen o no les conviene conocer las características de su propio *oikos*, de su propia casa, porque solamente están interesados en destruirla. Ejemplo de raciocinio exológico se encuentra tanto en los sistemas colonia-

les de los siglos XVI, XVII, XVIII, XIX, como en el comportamiento de muchos sistemas industriales del siglo XX.

No todos los movimientos de extracción, traslación, irrupción e introducción del sistema económico son dañinos para los ecosistemas. A pesar de que la revolución industrial hizo posible que la decisión de un solo hombre pudiera afectar extensiones naturales muy grandes y de que la sociedad de consumo para prosperar necesitara la transformación de millones de toneladas de materias primas, no podemos desdeñar la ciencia y la técnica que hicieron posible estos desa-

rrollos históricos, ya que también ellas están permitiendo racionalizar la utilización de los recursos naturales a través de diversos sistemas que pueden agruparse bajo el nombre común de ecodesarrollo. Llamamos ecodesarrollo toda actividad humana que logre mejorar la calidad de la vida y asegure la supervivencia de una comunidad mediante el aumento sostenido de la eficiencia del ecosistema en que vive. Generalmente este aumento sostenido de la eficiencia de los propios ecosistemas se logra mediante técnicas muy sencillas de reorganización o traslado de elementos físicos y biológicos y la calidad de la vida se

mejora al utilizar más racionalmente el producto de estos cambios. En otras ocasiones es necesario aumentar el conocimiento científico, obtener nuevas técnicas de utilización o reciclaje y reinvertir el producto de pasadas ganancias para reconstruir los ecosistemas degradados.

Llamamos calidad de la vida al conjunto de valores no cuantificables que determinan el bienestar humano. Estos valores tienen que ver con categorías sensoriales, éticas y cognoscitivas. Es innegable que el bienestar depende de los niveles de belleza, de justicia y de verdad en que transcurren nuestras vidas. Lo bello del ambiente que nos rodea es pulsado por nuestros sentidos. La vista, el tacto, el gusto y el olfato miden los colores, sonidos, formas, sabores y olores que hacen placentera nuestra existencia. La conciencia crítica mide la equidad en el reparto de los bienes tanto entre las clases sociales como entre las generaciones de hoy y las de mañana.

Nuestra tranquilidad de conciencia depende de la justicia con que se efectúe este reparto. El conocimiento racional mide el acercamiento a la realidad.

De conocer la verdad depende la confianza en la vida.

Confianza ética, tranquilidad cognoscitiva y placer sensorial conforman la felicidad del ser humano.

Ecosistemas precolombinos

Cuando se inició la conquista española, la zona que es hoy Boyacá, Cundinamarca y parte de los Santanderes era el centro de la cultura chibcha; estaba intensamente poblada, probablemente tenía de uno a dos millones de habitantes, sus suelos planos y ondulados sustentaban extensos cultivos y era abundante la caza, la pesca y la recolección de frutos y raíces en las zonas quebradas que rodeaban a las altiplanicies. Los textos de los cronistas de la época son muy parcos

en las descripciones del medio físico pero es posible encontrar algunas breves pero expresivas, en los versos de don Juan de Castellanos quien pinta así la selva húmeda del valle del río Magdalena en 1536:

Espesa breña, cenagoso suelo
y creo que es el peor del Nuevo Mundo
de nunca se ve luz que dé consuelo,
y es el rigor de pluvias sin segundo.

Era esta selva el territorio de caza pesca y recolección tanto de los indios caribe como de los chibcha pero su apariencia era tan diferente a todo lo que habían conocido los españoles que sólo veían en ella un lugar infernal:

Paréceles subir al alto cielo
y al bajar que descienden al profundo.
No vemos de sabanas ocurrencias
que con su caza den algún consuelo
sino bosques que crían pestilencias
sin dar al aire cosa que dé vuelo.

Al llegar a la zona agrícola chibcha, la altiplanicie cundiboyacense, los españoles empiezan a reconocer el paisaje:

Tierra buena, tierra buena
Tierra que pone fin a nuestra pena
Tierra de oro, tierra abastecida
Tierra donde se ve gente vestida
....
Y cuanto más se encumbran las laderas
más a placer se ven las rasas cumbres
llenas de cultivadas sementeras.

La cantidad de población que sustentaba y las descripciones de los españoles nos hablan del refinamiento de la agricultura indígena. Entre los indios guane, que poblaban los alrededores de Oiba, fray Pedro Simón encuentra un paisaje «...fértil de frutos y maíces porque la industria de sus habitantes llegaba a sacar acequias de un río con que se regaban y fertilizaban sus términos y regaban sus vecinos...» En 1547 el licenciado Juan Díaz de Armendáriz escribía al rey «...desde la ciudad de Vélez hasta esta de Tunja, que hay 32 leguas, viniendo por el camino no se ven cuatro que no se muestren claramente haber sido labranzadas o de maíz o de fríjoles o algodonales o hayales...».

Entre los cultivos nuevos que encontraron los españoles estaban los de maíz, papa, fríjol y yuca. Los dos primeros fueron trasplantados a Europa; la papa salvó a millones de europeos del hambre, años después, y el maíz es hoy el factor principal del desarrollo de las industrias de cría intensiva de ganado y aves. El fríjol, rico en proteínas y la prolífica yuca son considerados hoy como posibles soluciones para sostener el aumento de la población en todo el planeta. Su descubrimiento y cultivo se debe a tribus que lograron vivir en los ecosistemas tropicales sin destruirlos. Las proteínas de origen animal las obtenían los chibchas de la caza y de la pesca. Los venados eran tan abundantes que «...andaban en manadas, como si fueran ovejas...» y las aguas «...eran cristalinas y se mantenían durante todo el año». El pez llamado «capitán» poblaba las aguas frías de la cordillera y por muchísimos años constituyó la única fuente de proteínas ícticas para la población de Bogotá. La caza era completamente controlada. «...Ningún indio pudiese matar venado ni comerlo sin permiso del señor.»

Las actividades mineras de los chibchas se reducían a la explotación del oro y a la utilización del cobre, ambas con objetivos puramente religiosos y estéticos. A esto podría agregarse el uso de la arcilla para sus cerámicas y el escaso empleo de la abundantísima piedra caliza que fue usada únicamente en uno o dos grandes templos ya que todas sus habitaciones y lugares de reunión eran construidos con materiales renovables, obtenidos del bosque, razón por la cual los españoles al llegar a la sabana de Bogotá encontraron el esplendor de un paisa-

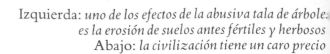

Izquierda: *uno de los efectos de la abusiva tala de árbole*
es la erosión de suelos antes fértiles y herbosos
Abajo: *la civilización tiene un caro precio*

je, cultivado pero no destruido, por un pueblo que sabía algo acerca de la calidad de la vida.

Los departamentos de Boyacá, Cundinamarca, Norte de Santander y Santander cubren un área geográfica de 98 914 Km², comprendida entre los 3°40′ y los 9°20′ de latitud norte y los 71°50′ y los 74°40′ de longitud, orientada transversalmente, siguiendo un rumbo noreste casi paralelo al río Magdalena. Su ámbito geográfico está constituido principalmente por la parte más amplia del ramal oriental de los Andes que derrama al occidente al río Magdalena, al noreste a diversos tributarios del Orinoco y al sureste a la cuenca del río Catatumbo. Dentro de este territorio el Instituto Geográfico Agustín Codazzi ha distinguido cinco regiones naturales completas: el altiplano cundiboyacense, la montaña santandereana, el foso del Suárez y Chicamocha, el macizo de Santurbán y el Catatumbo. Cubren también estos departamentos partes del valle del Magdalena Medio, de la vertiente magdalenense de la cordillera Oriental, de la vertiente oriental andina y de la región de los motilones.

El altiplano cundiboyacense está compuesto de tres grandes planicies: la sabana de Bogotá y los valles de Ubaté y de Sogamoso, separadas por pequeñas cadenas transversales y surcadas por ríos lentos y abundantes en meandros como las partes altas de los ríos Bogotá, Suárez y Chicamocha. Las altiplanicies cortan en dos el paisaje andino a partir del soberbio páramo de Sumapaz; al occidente los ríos Bogotá, Negro y Minero bajan siguiendo valles longitudinales que forman cuencas relativamente an-

chas; al oriente las cumbres se va haciendo más abruptas y amplia creando extensos páramos, formar do accidentes bellísimos como la la guna de Tota o los farallones de Me dina y culminando en la maravillos sierra Nevada del Cocuy, mientra los ríos bajan siguiendo líneas trans versales al eje principal de la cordille ra y formando valles como los de lo

íos Negro, Lengupa, Upia y Cravo
ur, que constituyen las fuentes de los
randes ríos llaneros. Hacia el norte
os ríos Chicamocha y Suárez aumen-
an su velocidad al salir de sus altipla-
icies, recogen las abundantísimas
guas de los páramos de Pisba
Guántiva y de la cordillera de los
loriqueos, por donde subieron los
onquistadores españoles y van for-
nando, al mismo tiempo, las cum-
res de la montaña santandereana
su propia fosa, maravilla natural
ue asombra y estremece, hasta con-
ertirse ambos en el río Sogamoso,
mplísima corriente tropical que dis-
urre por el valle del río Magdalena,
compañando a otros gigantes como
l Opón y el Carare en la planicie más
mplia del Magdalena Medio. Al
orte del Chicamocha se elevan nue-
amente las montañas santanderea-
as hasta conformar el macizo de
anturbán, rodeado de grandes pára-
nos que riegan al oriente, nuevamen-
e, el valle del Magdalena, en la esqui-

na suroeste, los primeros afluentes
colombianos del río Arauca y al noroeste las cuencas de los ríos Zulia
y Catatumbo hasta las planicies ardientes de Tibú.
El levantamiento definitivo de la cordillera Oriental en la última parte del
Terciario creó un ámbito cuya característica principal es la diversidad de
rocas, climas, formas, vegetación,
fauna y, en síntesis, diversidad de
paisaje.
Aunque la gran mayoría de las rocas
de nuestra cordillera corresponden
a sedimentos del Secundario o Meso-
zoico (especialmente del período cre-
tácico en el macizo cundiboyacense)
se encuentran allí también abundantes muestras de varios otros períodos.
Las más antiguas corresponden a rocas arcaicas de más de 600 millones de
años, que fueron levantadas hasta la
superficie por movimientos tectónicos y que se encuentran en forma de
rocas metamórficas como las neises
del macizo de Santander. Siguen los

afloramientos del Precámbrico como
las cuarcitas del macizo de Quetame
y los esquistos micáceos con incrusta-
ciones de granito del macizo de
Guantiva. El Primario o Paleozoico
está representado por sedimentos del
mar devoniano en forma de pizarras
arcillosas y areniscas grises que se
hallan en la formación del río Cachirí
y también por los afloramientos del
Carboniano en forma de argilitas rojas y verdes en la formación Gachalá
y Lucitas Negras al norte de Bucaramanga. Durante el Secundario o Me-
sozoico el mar invadió en varias
oportunidades el área que hoy ocupan los departamentos de que hablamos. Sedimentos de ese periodo son
las areniscas, las lutitas arcillosas y si-
licosas y las calizas que cubren en
gran parte las montañas de Boyacá
y Cundinamarca. Fue en el Terciario
cuando se efectuaron los grandes movimientos tectónicos que dieron lugar a la conformación actual de la
cordillera Oriental y sedimentos de

ese período, areniscas y conglomerados, se encuentran en la parte inferior de ambas laderas; especialmente al norte de Barrancabermeja y en los alrededores de Cúcuta. Rocas ígneas intrusivas de edad incierta, constituidas principalmente por granitos de tendencia alcalina, se encuentran en la vertiente que desciende desde Agrebo hasta el Catatumbo. Completan el mosaico los sedimentos cuaternarios que cubren la sabana de Bogotá y el valle del río Magdalena y los rastros de las glaciaciones del mismo período en los alrededores de Bogotá y en el Nevado del Cocuy a 3000 m.

El gran macizo de la cordillera Oriental al surgir en plena zona tropical, cortando los vientos alisios creó una gran cantidad de microclimas cuya temperatura, precipitación y nebulosidad dependen de la altitud sobre el nivel del mar y de la forma en que su topografía corta y moldea las corrientes eólicas. Encontramos en este departamento, según la clasificación de Koeppen, climas superhúmedos de lluvias durante todo el año en las laderas orientales inferiores y en partes del valle del río Magdalena; climas húmedos con períodos menos lluviosos al occidente de Bogotá; climas de estepa muy calientes con vegetación xerofítica y lluvias zenitales alrededor de Cúcuta; climas húmedos de montaña tropical, con temperaturas entre 12°C y los 18°C y lluvias zenitales, entre los 1800 y 2800 m de altitud sobre el nivel del mar; climas de tierra fría y páramo bajo, de 2500 a 3100 m de altitud; climas de alta montaña tropical, páramos con temperaturas inferiores a los 10°C en alturas superiores a los 3100 m y nieves perpetuas y hielos tropicales por encima de los 4700 m de altura.

En tal forma la precipitación media anual varía entre los 5000 mm, del valle del río Carare hasta los 500 del suroeste de Bogotá y la temperatura media anual desde los 0° Celsius de la Sierra Nevada del Cocuy hasta temperaturas superiores a 27,5°C en los alrededores de Cúcuta.

La multitud de climas y de orígenes crea también gran variedad de formas. La sierra Nevada del Cocuy, 5300 m de relieve bruscamente cortado, casi alpino, se reemplaza rápidamente por las formas redondeadas de los grandes páramos y de los cerros que rodean las altiplanicies. Los valles transversales de la vertiente oriental, con paredes casi verticales, dejan entre sí enormes cuchillas y contrastan con los valles longitudinales de la vertiente suroeste que unidos por pequeños valles transversales conforman entre ellos mesas, mesetas y pequeñas terrazas que descienden más suavemente, creando, en el fondo valles aluviales más amplios. Las lagunas y lagos de los páramos, de aguas claras y frías dejan escapar quebradas veloces hacia los altiplanos donde se convierten en ríos meandrosos de aguas lentas y turbias que, a su vez, cambian rápidamente de velocidad, color, temperatura y caudal al desprenderse, convertidos en torrentes, desde los dos mil y más metros de altura hasta los valles de tierra caliente donde se estancan transitoriamente en las ciénagas y pantanos o llegan tumultuosos, a engrosar las aguas de los gigantes tropicales: el Magdalena, el Ariari, el Meta, el Arauca, el Catatumbo.

Cuando se levantó la cordillera Oriental, parte de la vegetación que cubría el área no pudo adaptarse a las nuevas condiciones de clima y muchas regiones altas sólo reemplazaron su vegetación herbácea cuando llegaron árboles como el aliso y el roble hace aproximadamente 500 000 y 150 000 años respectivamente. Todo tiende a indicar que cuando Jiménez de Quesada, Federman y Belalcazar llegaron a la región las condiciones de suelos y clima eran tales que pudieron admirar más de catorce grandes formaciones vegetales (según la clasificación de Holdridge) sin contar los paisajes cultivados por los

Izquierda: *la apacible topografía de la represa de Tominé, en la altiplanicie,
contrasta con el escarpado relieve montañoso de Quebrada Blanca.*
Abajo izquierda: *panorámica de Bucaramanga,
ciudad levantada en tierras hoy totalmente erosionadas.*
Abajo derecha: *Bogotá, víctima del tráfico caótico y alienante.*

ndígenas. Muchas de estas grandes formaciones todavía subsisten, principalmente en los parques naturales nacionales, y han sido estudiadas por el instituto Geográfico Agustín Colazzi en su mapa ecológico donde separa los diferentes tipos de «bosques», según la temperatura, la precipitación y la evapotranspiración. Todavía se pueden admirar las enormes extensiones de «páramos húmedos subalpinos» que se forman cuando existen temperaturas entre 3 y 6°C, con precipitación entre 500 y 2000 mm, cubiertos de pajonales y gramíneas y adornados por los frailejones (*Espeletia*) y los romeros (*Diplosthe-*

phium revolutum). Más abajo se encuentran las formaciones del montano: el bosque pluvial montano con temperatura entre los 6 y los 12°C y precipitaciones por encima de 2000 mm. El bosque muy húmedo montano o «bosque nublado» con temperatura entre 6 y 12°C, precipitaciones entre 1000 y 2000 mm donde se pueden admirar los encenillos (*Weinmannia*), colorados (*Polypetis*) y rodamontes (*Escallona*) acompañados casi siempre por los chusques. El bosque pluvial montano bajo con temperaturas entre 8 y 12°C, y precipitaciones de más de 4000 mm repleto de musgos, líquenes, quiches y lianas donde

se encuentran los helechos arbóreos. Entre los 1800 y los 2000 m de altitud se forma el bosque muy húmedo montano bajo cuando se tienen precipitaciones entre los 2000 y los 4000 mm con especies tan importantes como el pino colombiano (*Podocarpus montanos* y *Podocarpus oleifolios*), el roble (*Quercus humbolti*), los borracheros (*Datura glauca*), sietecueros (*Tibouchina lenidota*), amarraboyos (*Merania nobilis*), arrayanes (*Myrcia Popayanencis*), nogales (*Juglans s.p.*) y carboneros (*Bejaria glauca*).
Cuando disminuye la precipitación, entre los 1000 y 2000 mm, se empiezan a encontrar los bosquecillos de

alisos (*Alnus*), cedros, trompetos (*Bocconia frutescens*) y cauchos (*Ficus s.p.*). En el mismo piso térmico pero con precipitaciones entre 500 y 1000 mm se forma el llamado bosque seco montano bajo con plantas como el retamo (*Spantium junceum*), el cerezo (*Prunas capuli*), el salvio (*Cordia s.p.*), la mera (*Rubus*) y el tuno (*Ppuntia s.p.*). Se denominan «tropicales» las formaciones vegetales con temperaturas superiores a los 24°C y en estos departamentos son importantes los bosques húmedos tropicales que se forman cuando la precipitación está entre los 2000 y los 4000 mm con árboles corpulentos, frecuentemente de más de 40 m de altura entre los que sobresalen los caracolíes (*Anacardium excelsium*), los gualandays (*Jacaranda*), los nobos (*Spondios bombin*) y las ceibas rodeados por los guamos (*Inga s.p.*) y yarumos (*Cecropia s.p.*).
Seguramente los montes que asombraron a los conquistadores españoles al abandonar el río Magdalena y emprender el ascenso de la cordillera por el camino del Opón estaban constituidos por las formaciones húmedas tropicales. Don Juan de Castellanos las describe así:

> Montaña tenebrosa y asombrada
> y más llegamos a la sierra alta
> tanto más la hallamos despoblada
> y de consuelo y de refugio falta.
> Montaña tenebrosa y asombrada
> de sucios animales toda llena
> cuya memoria sólo causa pena.

La variedad de «sucios animales» que relata don Juan fue descrita años más tarde por el obispo Lucas Fernández Piedrahíta así: «...tigres de notable fiereza, leones aunque pequeños, chuncos, erizos, faras, arditas a la manera de hurones voraces y de la misma calidad las comadrejas, coyas, escorpiones, culebras de muchas diferencias y grandeza... En las aguas de muchos ríos como son el de La Magdalena y el de Fusagasugá hay caimanes de catorce y de dieciséis pies de largo y así en éstos como en otros ríos, ciénagas y lagunas, se hallan lobos marinos, nutrias, y muchos géneros de peces buenos para el sustento en tanta cantidad que no hay arroyo... donde no se halle alguno... hállanse páramos (que) sirven de morada a mucha abundancia de ciervos, osos, conejos, dantas y gatos monteses... los bosques son muchos y deleitosos por la variedad de aves... los más celebrados son el toche... el siote... el azulejo y el babagui».
Esta descripción, escrita en 1666 apenas da una idea de la extraordinaria riqueza de la fauna que encontraron los europeos.

Los departamentos que nos ocupa reunían en tales épocas más de cinc grandes conjuntos de fauna con clara diferencias entre sí: la fauna del pára mo, la andina, las subandinas occi dental y oriental y la magdalenens además de las propias de pequeño *hábitats* formados en los pliegues de l cordillera. Hoy todavía los especialis tas se admiran de encontrar en el paí más de 2300 especies y subespecies d aves, alrededor de 22 especies de pri mates, 150 de murciélagos, 25 d marsupiales, 27 de tortugas y un riqueza íctica de agua dulce difícil mente comparable con otros paíse tropicales.
Durante varios siglos este conjunto de ecosistemas sostuvo autónoma mente, una población indígena cre ciente que en su clímax político alcan zó cifras muy altas para luego descen der a unas pocas decenas de miles ant la derrota de su cultura.
El país que ellos entregaron está des crito en la siguiente frase del obispo Piedrahíta: «Tan deleitoso sitio es e de Nuevo Reino que apenas se imagi nara deleite a los sentidos que falta e la amenidad de sus países.»

El deterioro ambiental actual

Casi cuatro siglos y medio después d la conquista española las nuevas tec

114

ología y costumbres y el aumento de población han originado grandes cambios ambientales.

Según el censo de 1973 los departamentos de Boyacá, Cundinamarca, Santander y Norte de Santander tienen una población de 6 869 728 habitantes. De éstos, 2 480 489 corresponden al sector rural y 4 389 239 viven en las cabeceras municipales. De estos últimos 3 259 323 residen en las capitales, incluyendo Bogotá con una población de 2 696 270. Considerando un área total de 98 914 Km² obtenemos una densidad media total de 69,45 habitantes por Km²; y una densidad rural de 25 h por Km².

Es muy difícil calcular cuál era la población indígena en 1538. Angel Rosenblat, calcula la población total de lo que hoy es Colombia en 850 000 habitantes; Kreeber suma un millón de miembros de la tribu chibcha; Triana habla de 2 000 000 de habitantes en la altiplanicie cundiboyacense. Gonzalo Jiménez de Quesada, según Piedrahíta, estimaba que sólo en la región de Turmeque había encontrado de 3 a 4 millones de chibchas. Juan Friede calcula la población de la provincia de Tunja en más de 500 000 habitantes con una densidad media de 36 habitantes por Km².

Según los datos anteriores es muy posible que solamente ahora estemos alcanzando las densidades rurales de población que existían antes de la conquista y es evidente que no hace mucho la población total era inferior a la indígena de comienzos del siglo XVI. Se puede entonces inferir que los destrozos ambientales actuales se deben más a los cambios en las costumbres y la introducción de nuevas tecnologías que el aumento en la población. Uno de los cambios más drásticos fue la creación de las ciudades. Veamos algunos de sus efectos.

Fueron, probablemente, los factores geográficos y culturales los que originaron la creación de Bogotá. Tanto

los chibchas como los españoles hallaron su clima, aguas y suelos preferibles a los de otras comarcas. Pero los indígenas nunca establecieron asentamientos que pudieran llamarse urbanos por su alta densidad y la ciudad española nunca pasó de varias decenas de miles de habitantes. Fue durante los últimos 50 años cuando enormes inversiones en los sistemas de provisión de agua y energía y circunstancias sociales hicieron posible que hoy exista, por primera vez en la historia de la humanidad, un asentamiento humano de más de tres millones de habitantes a más de 2400 metros de altura sobre el nivel del mar. Bogotá extrae y traslada elementos del ecosistema en que está situada; irrumpe en él, creando ineficiencias e introduce a su medio natural residuos que interrumpen los procesos de transformación o los hacen más costosos. Concretamente, Bogotá, ha extraído de la producción agropecuaria cerca de 30 000 hectáreas de suelos

que estaban clasificados como de primera clase, un 20 % de los suelos de este tipo existentes en el país. Los materiales usados en su construcción han sido extraídos de los cerros aledaños creando cicatrices indelebles, que destrozaron el paisaje, y de los bosques naturales de todo el país sin que exista ni la técnica ni los recursos para reemplazarlos. El agua que utiliza ha sido substraida del uso agropecuario dejando extensas regiones sin su recurso vital; como ocurre con el proyecto Chingaza. Para dotarla de energía ha sido necesario construir represas que inundan extensas regiones como el caso del valle de Guatavita o entubar ríos enteros, alterando todo el ecosistema del valle medio del río Bogotá y haciendo desaparecer una de las bellezas naturales más importantes del continente: el salto de Tequendama. Los combustibles y otras materias primas que hacen posible que funcione este monstruo se logran gracias a los sacrificios ecológicos

Izquierda: *últimas estribaciones de la cordillera Oriental en el departamento de Santander.*
Derecha: *sembrados de cebolla en las tierras aledañas a la laguna de Tota.*
Centro: *una de las fuentes de la economía sabanera es la ganadería lechera, alimentada en sus extensos y ricos pastos.*

y económicos de todo el país. La interrupción de una ciudad de millones de habitantes en medio del altiplano cundinamarqués ha, sin duda, alterado su clima por el calor que desprende y por el reemplazo de vegetación y suelos por cemento, vidrio y asfalto. El humo de sus chimeneas no sólo afecta a sus habitantes sino a la vegetación y a los suelos circundantes. Sus aguas están amenazando con la extinción al pez «capitán», que antaño era una solución alimenticia para los bogotanos. Los venados y osos de los páramos circundantes se redujeron a cantidades ínfimas desde hace varios años, fruto del ocio dominguero, lo mismo que los patos. Diariamente la ciudad produce alrededor de 3000 toneladas de residuos sólidos de distintos tipos que son arrojados en terrenos aledaños. El agua utilizada se devuelve por medio del sistema de alcantarillado al río Bogotá donde hace desaparecer toda vida íctica por reducción a cero del oxígeno en suspensión. Se calcula que si estas aguas no se tratan, a fines del siglo estarán amenazando gravemente la riqueza pesquera del río Magdalena. Todo este impacto ambiental de la capital sería más soportable si fuera producto de una alta calidad de la vida de sus habitantes, pero desgraciadamente la vista de los bogotanos se ofende continuamente con el desborde de la propaganda y la destrucción del paisaje, su oído se ensordece con la bocina de los automóviles y el escándalo de los altoparlantes callejeros, sus alimentos se contaminan de los residuos de substancias químicas caseras y sus pulmones se envenenan con los gases de los motores de explosión. El problema ambiental más grande del país se encuentra en los tugurios de Bogotá y de otras grandes ciudades en donde no se consigue agua potable, las viviendas no resguardan de la lluvia y el frío, no existen sistemas de alcantarillado y sus gentes apenas sobreviven unos

pocos años, acosados por el flagelo de la desnutrición y la enfermedad. Las otras tres capitales de la región: Bucaramanga, Cúcuta y Tunja en menor grado ocasionan el mismo deterioro ambiental que hemos descrito en los medios naturales en que fueron construidas.

En el caso de Bucaramanga las características geológicas de la meseta donde se fundó hacen especialmente grave el problema de erosión causada por sus aguas residuales y por el propio peso de sus construcciones. Existen indicios históricos de que Tunja, fundada en el lugar donde existía el «cercado» y las pocas viviendas del zaque, jefe chibcha de la región, gozó en un principio de la abundancia de materiales de construcción en las colinas adyacentes, lo que permitió a los españoles construir casas tan grandes como las europeas que habían dejado atrás, pero, antes de cumplir cien años, ya era notorio el daño que se había cometido por la

desaparición de las fuentes de agua potable situadas en los bosques cercanos.

El impacto ambiental de las grandes ciudades no se reduce al ecosistema donde se asientan sino que se transmite, a través de las vías de comunicación, a los lugares de donde provienen las gentes que, migrando, llegan a habitarlas y las materias primas que las surten. Las mismas vías de comunicación, carreteras, ferrocarriles y ductos, cada día tienen que ser de mayor capacidad y ocupar más espacio y ocasionan por donde pasan derrumbes, erosión, incendios y contaminación. Existen decenas de ejemplos de los casos anteriores como el derrumbe de Quebradablanca en 1974 causado por la construcción de un carreteable que desequilibró la zona por donde pasaba la carretera Bogotá-Villavicencio, embotellando por varios meses los Llanos Orientales; las pequeñas carreteras que tratan de bajar a los Llanos desde Socha

y Guicán destrozando los últimos bosques que quedan en la región; el envenenamiento de la represa del Sisga por volcamiento de un cargamento de insecticidas; el incendio de los bosques de roble de Arcabuco y de los pinares del Neusa por descuido de turistas de fin de semana; las vallas publicitarias que obstruyen la visión del paisaje, etc.

En los últimos años muchas industrias se han trasladado al campo buscando cercanía a sus materias primas, aguas puras o mano de obra barata. La falta de control de los pequeños municipios les facilita no cumplir las normas ambientales y se ocasionan problemas como los de las fábricas de cemento instaladas en la sabana de Bogotá y en el valle de Sogamosos; los talleres de los ferrocarriles en Bojacá; los desechos de la zona industrial de Madrid-Mosquera, la contaminación causada por las zonas industriales de Cajicá, Paz de Río, Soacha, Muña y otras.

Las nuevas carreteras llevan la colonización espontánea a aquellas zonas donde todavía existen bosques naturales; el colono obtiene energía y paga sus primeros gastos quemando y vendiendo madera; prueba los suelos con una o dos cosechas y si no tiene éxito se mueve más adelante y le

vende mejoras a algún incauto. Este proceso es todavía muy común en las zonas de Sumapaz, Puerto Boyacá, Carare, Catatumbo, Tama, y, en general en todas las cumbres y laderas orientales que todavía están cubiertas de bosques y que corresponden a las zonas de mayor pendiente.

Las actividades turísticas pueden también ser motivo de deterioro ambiental en las zonas rurales. Los hoteles han aumentado la contaminación y la eutroficación del agua de las lagunas andinas. Los cazadores sin control extinguieron el pato zambullidor nativo de las altiplanicies. La

Página doble anterior, izquierda: vista aérea de la tupida selva amazónica; abajo: la amazonia ribereña ofrece otro paisaje más relajado.
Derecha, arriba: el brumoso anochecer en la selva del Putumayo con su misterioso aspecto; abajo: llanos de Arauca, donde el horizonte se pierde en el infinito.

introducción de la trucha para la pesca deportiva ocasionó la desaparición del pez graso de la laguna de Tota. Las fincas de recreo substraen de la producción agropecuaria las tierras más próximas a las vías de comunicación. En general la afluencia masiva de gentes inexpertas de la ciudad a las zonas rurales somete éstas a presiones y demandas por encima de lo que habitualmente proveen deteriorando todo el sistema natural.

La introducción de la ganadería durante la conquista cambió por completo la utilización indígena de la tierra. Poco a poco el ganado fue desplazando los cultivos indígenas hacia tierras menos fértiles y más difíciles de cultivar por su topografía. El resultado fue una disminución neta de la producción agrícola. Y un deterioro creciente de los suelos de mayor pendiente que fueron sometidos a la intemperie tanto por la migración de la agricultura del maíz hacia las laderas como por la introducción de los

métodos españoles de labranza. Durante los últimos decenios la introducción de la ganadería en las tierras recién desmontadas de las montañas de Santander y Cundinamarca ha sido factor importante dentro del proceso de erosión de estas zonas por falta de cuidado en el pastoreo y en la rotación de las praderas. En los dos Santanderes y en especial en los alrededores de Cúcuta el pastoreo de cabras ha causado pérdidas irrecuperables de suelos forestales.

El desmonte de los suelos casi planos del valle del río Magdalena durante los últimos treinta años originó inicialmente explotaciones ganaderas extensivas y luego cultivos intensos de algunos productos como el arroz y el algodón. En Santander y Cundinamarca, como en otras regiones del país, el cultivo del primero está asociado al uso excesivo de productos químicos y al manipuleo de las aguas de la región. Una y otra actividad cuando no se controla adecuadamente puede producir deterioro ambiental por aumento de las poblaciones de algunos insectos al ser destruidas las especies que les hacían competencia o por la creación de resistencias genéticas que los hacen inmunes. Es grave también el peligro de envenenamiento de seres humanos y animales domésticos por efecto de la fumigación aérea sobre corrientes y depósitos de agua y en ocasiones sobre centros poblados.

En las montañas de Boyacá y Cundinamarca y en menor escala en los dos Santanderes las circunstancias históricas han creado un sistema de producción y un modo de vivir de la gente del campo caracterizado por la palabra minifundio. El propietario de un minifundio vive en condiciones equivalentes al habitante del tugurio urbano pero sin poder aprovechar los beneficios marginales de los servicios y las oportunidades de la gran ciudad. Como el tugurio, el minifundio origina deterioro ambiental a su alrededor y es en sí mismo un caso grave de baja calidad de la vida humana. El minifundista destruye los suelos porque no tiene suficiente tierra para rotar y dejar descansar, destruye los bosques para proveerse de combustible, contamina las fuentes de agua porque no tiene ni acueducto ni pozos sépticos y todas esas deficiencias revierten también sobre él y sobre su familia por lo reducido del territorio que habita.

Los minifundistas más cercanos a las ciudades conocen ya los efectos nocivos de los productos químicos. Los cultivadores de papa han entrado ya en el círculo vicioso de aumento de costos de los productos químicos, aumento de la frecuencia de las plagas y disminución de la productividad. Desde 1970 se denunció el caso de Tibirita donde después de aconsejar el uso de fertilizantes, matamalezas e insecticidas los técnicos no tuvieron ninguna solución para las plagas resistentes que destruyeron los cultivos

de habas y lentejas. En la laguna de Tota los cosecheros de cebolla no sólo ocupan año por año más territorio de la laguna sino que con los residuos de sus fertilizantes fomentan el crecimiento de plantas acuáticas que amenazan con cubrir esta belleza natural.

Llevados por alcantarillados y corrientes andinas los desechos de los millones de habitantes de la cordillera van a parar, en su gran mayoría, al río Magdalena, sin recibir ningún tratamiento.

En el camino los acueductos de las pequeñas poblaciones se surten de estos enormes ríos-alcantarillas. En el río Bogotá, aguas abajo de Soacha ya no existe suficiente oxígeno para los peces. En el río Magdalena esto acontecerá antes del año 2000 si no se construye una planta de tratamiento de las aguas negras de Bogotá.

No es ésta la única amenaza a la riqueza íctica de agua dulce de la región. La introducción de especies exóticas como la trucha, la carpa y la tilapia destruyó ya parte de la fauna acuática y amenaza a varias otras especies. La disminución de la pesca en el río por la contaminación causada por desechos industriales no biodegradables ha reducido los ingresos de los pescadores y obliga a algunos a usar dinamita lo cual destruye aún más el potencial íctico del río.

Todos los fenómenos descritos anteriormente han deteriorado gravemente los recursos ecosistemáticos de Boyacá, Cundinamarca, Santander y Norte de Santander.

Las minas de oro y plata de Girón y de Soatá se agotaron rápidamente durante la Colonia.

El cobre de Moniquirá y el hierro de Pacho y Subachoque ya no es económico explotarlo. Se han destruido bellezas naturales como el salto de Tequendama, las rocas de la ciudad encantada en La Calera y las formaciones de Tunjuelito. Un gran porcentaje de los suelos se han erosionado gravemente. De los suelos restantes sólo una pequeña proporción es de primera clase y la gran mayoría no son aptos para agricultura. 30 000 hectáreas de suelos de primera clase han sido urbanizados.

Se han desviado ríos como el Chingaza dejando sin agua o inundando a regiones enteras. Cientos de especies vegetales han desaparecido. En la sola altiplanicie se calcula la extinción de 50 especies arbóreas o arbústivas. Los bosques de la cordillera han sido despedazados. El bosque de roble que antaño regularizaba las aguas sólo sobrevive en pequeños parches cerca a Arcabuco y a Chiquinquirá. De los miles de podocarpus y de palmas de cera que existían en las cercanías de Bogotá, sólo hallamos contados ejemplares. Lo mismo sucede con los nogales y cedros bogotanos. El bosque de niebla está en trance de desaparecer en la ladera occidental y está siendo reemplazado por el páramo que ya se encuentra hasta 2500 metros

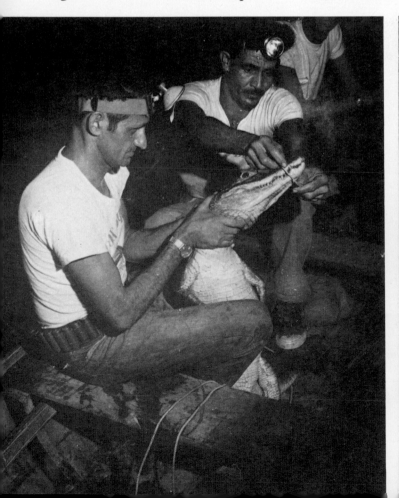

de altura. Es muy probable que la precipitación haya sido alterada como consecuencia de lo anterior. De la abundante fauna de la región es muy poco lo que resta. Osos de anteojos, venados, patos, caimanes, pumas y tigres ya sólo se ven excepcionalmente y es muy posible que estén a pocos años de desaparecer definitivamente de la región.

Finalmente es imposible calcular el daño directo causado por el deterioro ambiental a los habitantes de estos departamentos. Tendríamos que remontarnos a la conquista, cuando millones de ellos murieron por las epidemias y terminar con los afectados por las sustancias carcinógenas de todo género, que hoy usamos, y por la destrucción que a muchos amenaza.

Los ecosistemas futuros. El ecodesarrollo

El futuro de la capacidad de sostenimiento de los sistemas naturales de la región depende, en general, de la reinversión en su renovación y mantenimiento y en especial de la posibilidad de detener el crecimiento desordenado de Bogotá.

Daremos algunos ejemplos de acciones actuales tendentes a la renovación y recuperación ambiental. Varias de ellas podrían ser clasificadas como ecodesarrollo por su insistencia en el empleo de los ecosistemas para mejorar la calidad de la vida humana y su precaución de mantener y mejorar la productividad natural. Otras son simples normas de control destinadas a disminuir el impacto de la explotación.

En los cerros de Bogotá se inició hace varios años una experiencia de recuperación de canteras tendente a convertirlas en jardines mediante la formación de suelos utilizando los recortes de hierba de las zonas verdes de los barrios adyacentes.

En las tierras bajas de Bosa un grupo de hortelanos utiliza los desechos de la ciudad para producir legumbres en forma intensiva sobre suelos antaño sin fertilidad.

Miles de personas viven en Bogotá de la recolección tradicional de papel periódico y botellas.

Son tres ejemplos de reutilización organizada en forma rudimentaria que demuestran lo que podría hacerse si se organizara industrialmente la transformación de los residuos de la metrópoli.

Algunas de estas acciones de ecodesarrollo datan de hace muchos años y están, desgraciadamente, en trance de desaparecer. Los cafetales bajo sombrío constituyen un excelente ejemplo de utilización de tres dimensiones de un espacio rural con mínimo riesgo de pérdida de productividad y obtención múltiple de bienes naturales ya que el aprovechamiento indirecto de los árboles soluciona parcialmente el problema de energía y suministra frutas de varios tipos. El cultivo de papa en los páramos es

también muestra del ejemplo tradicional de la energía solar.

En el páramo de Berlín, en las cercanías de Bucaramanga, la baja temperatura se utiliza para mantener el pescado del río Magdalena, sin costo alguno de energía.

Técnicas simples han sido utilizadas recientemente para aumentar la productividad natural. Caso excepcional es la utilización de la posición geográfica de la sabana de Bogotá para la producción de flores de alta calidad mediante la construcción de inmensos invernaderos que evitan que se hielen los cultivos aunque el alto uso de productos químicos plantea problemas ambientales que tendrán que solucionarse.

Mediante el uso de desechos de arroz se han reconstruido suelos erosionados de la cuenca del Lebrija que hoy se utilizan para cultivar piña.

La ganadería de las laderas comienza a evolucionar con la utilización de pastos de corte que evitan la erosión causada por el pastoreo intensivo.

Investigaciones históricas permiten redescubrir especies que habían sido utilizadas por los indígenas como la quinua que está ahora siendo promovida como alimento para cerdos.

La ventaja de las aguas frías y puras de la cordillera es utilizada ahora para la producción de truchas en estanques, evitando así el impacto de su competencia con otras especies. También se ha ensayado su cría en jaulas flotantes en la laguna de Tota. Son ejemplos de los posibles resultados de la llamada revolución azul. La cultura del agua.

La reinversión de ganancias en el medio natural puede organizarse en sistemas como el de bosques comunales en el norte de Santander donde las agrupaciones comunitarias de campesinos de escasos recursos reciben del INDERENA asistencia técnica y un pago en efectivo por cada árbol que siembren y mantengan.

El mismo sistema se utiliza para realizar experiencias de cría de especies útiles en peligro de extinción, como la realizada con venados por la empresa comunitaria 20 de Julio.

De izquierda a derecha, *tres ejemplos de la bella fauna colombiana: el ibis rojo* (Endocimus ruber), *una de las aves más bellas del mundo, la garza* (Ardea cinerea) *y el papagayo* (Amazona ochrocephala).

donde existen todavía especies endémicas como la *Garagoa dugandi*.

El parque nacional natural del Cocuy de 306 000 hectáreas que rodean la única sierra nevada de la región cuyas aguas alimentan los cultivos del noreste de Boyacá y las zonas ganaderas de Casanare.

El parque nacional Páramo de Tama de 48 000 hectáreas para proteger bosques húmedos de clima frío casi intocados por el hombre en la frontera con Venezuela.

El santuario de flora y fauna de Iguaque de 6000 hectáreas donde se protegen tanto los venados y los robles que sobreviven en la región como la laguna donde, según los chibchas, nació Bachué, una de sus diosas más importantes.

Los sistemas ecológicos amazónicos y orinóqueos

Las aguas que corren por las laderas orientales de la cordillera Oriental pertenecen a las hoyas hidrográfica de dos de los más grandes ríos de mundo, el Amazonas y el Orinoco En nuestro país la vertiente del Ama zonas tiene un área aproximada d 332 000 Km² y la del Orinoco cubr 263 000 Km².

En el extremo norte de nuestra cuen ca orinóquea el río Margua descien de los altos páramos formando la fuentes del río Arauca que corre si guiendo muy de cerca el paralelo 7 d latitud norte.

El río Amazonas toca nuestro territo rio en lo que hoy llamamos el trape cio amazónico alrededor de los cuatr grados de latitud sur. Entre estos do extremos se extiende un enorme pla no inclinado desde la cordillera haci el oriente, surcado por ríos muy cau dalosos que descienden por terreno cuya llanura sólo se altera excepcio nalmente por la presencia de sierra o serranías aisladas o por pequeña mesetas y peñones. La división d aguas entre los dos sistemas corr

En 1977 se tomaron varias medidas de control para disminuir en la región el impacto ambiental de las actividades humanas desordenadas. Se prohibió la caza deportiva. La comercial había sido vedada desde 1973.

Se crearon cinco parques nacionales naturales y un santuario de flora y fauna.

El parque nacional natural de Sumapaz con un área de 154 000 hectáreas para proteger el macizo del mismo nombre que incluye formaciones vegetales de clima frío, templado y cálido y constituye reserva de aguas vitales para la sabana de Bogotá y el piedemonte de los Llanos Orientales.

El parque nacional natural Chingaza de 50 000 hectáreas que protege el páramo que produce gran parte de las aguas que aprovecha el acueducto de Bogotá.

El parque nacional natural de Pisba de 45 000 hectáreas para proteger el páramo por donde ascendieron los ejércitos libertadores de América Latina,

Muestras de la flor emblemática nacional, la orquídea, en tres hermosas variedades.
Propia de las regiones tropicales, constituye la familia más numerosa del reino vegetal.
La especie más exótica y difícil de encontrar es la orquídea negra.

entre los ríos Inírida y Guainía al oriente y entre el río Guayabero y las fuentes de los ríos Vaupés, Ajaju y Yari al occidente.

Los ríos principales de la cuenca del Orinoco son el Arauca, el Casanare, el Meta, el Vichada, el Guaviare y el Inírida pero entre estos gigantes se encuentran varios otros que en épocas de lluvia casi igualan sus caudales, como el río Cravo Norte y sus afluentes Ele y Lipa; el Ariporo, el Pauto, el Cravo Sur, el Cuisiana y el Upía, afluentes noroccidentales del Meta. Al sur del Meta casi todas las aguas corren agrupadas en caños y riachuelos hacia los ríos Tomo, Vichada y Guaviare que bajan lentamente hacia el Orinoco. Solamente a la altura del meridiano 70° empieza a alterarse la placidez de este paisaje con las serranías enanas de los alrededores del río Carimagua y las formaciones más respetables cercanas a las desembocaduras de los ríos Uva e Iteviare y del caño Mapiripán. Un grado

más al occidente, el bello río Manacacías corta bruscamente la orientación oeste-este del drenaje vertiendo perpendicularmente hacia el Meta y formando casi una isla con el río Metica ya que ambos nacen, aproximadamente, a 250 metros de altura, en la serranía que tiene el mismo nombre del primero. Entre los setenta y dos grados y medio y los setenta y tres de longitud el río Guaviare encuentra las serranías aisladas del precámbrico y recibe las aguas del caudaloso Ariari que nace en el macizo de Sumapaz y más al sur entre los ríos Guejar, Guayabero y Duda, se eleva, de repente, hasta más de 2500 metros de altura, una maravilla de la naturaleza: la sierra de la Macarena.

La geomorfología de las zonas situadas al sur del río Guaviare no se conoce todavía exactamente. Del cerro Campana, de la sierra de Chiribiquete y de las mesas de Iguaje se desprenden los ríos de aguas negras que serpentean entre los tepuyes, los

célebres peñascos de la saliente del Vaupés. El color de estas aguas, negro transparente, se debe tanto a la raicilla o ipecacuana que es abundante en la región como a la arenisca que cubre los fondos de sus cauces. Son aguas extremadamente pobres y muy ácidas que sostienen poca vida y que contrastan con las cargadas de sedimentos de sus vecinos tanto al sur como al norte. Los ríos principales de esta zona son el Guainía, llamado Negro en la frontera, que nace, probablemente, en los cerros Aracuri; el Aquio, el Isana, el Vaupés que tiene sus fuentes en la sierra Tuhani, y el gran río Apaporis cuyas fuentes, los ríos Tunia y Ajaju se deslizan entre cerros que unas veces son largos, de cima plana, y otras con forma de cúpula, de colores rojo, marrón o amarillo marrón, de alturas entre 250 y 650 metros sobre el nivel del mar y orientados casi siempre norte-sur. Los dos grandes ríos que siguen hacia el sur; el Caquetá y el Putumayo

De izquierda a derecha y de arriba abajo, *una muestra de la*
variada fauna colombiana: el oso de pequeño tamaño, una bandada
de alcobaranes en los llanos, el mono oriundo del bosque tropical,
el venado, el chigüiro y por último el oso hormiguero.

131

nacen en la cordillera Oriental y sus aguas son amarillas. Ellos como sus principales afluentes, el Yari, el Caguán, el Ortegaza, el Miritiparana, el Guamuez, el San Miguel, el Caucaya, el Cariparana y el Igaraparana son anchos y lentos y sus riberas bajas y cambiantes formando las llamadas «varzeas», áreas cenagosas, algunas veces inundadas durante gran parte del año.

Estas dos grandes cuencas pueden a su vez dividirse, de acuerdo con la información disponible, en varias regiones naturales. En la Orinoquia, Goosen (1973) distingue los siguientes paisajes: el pie de monte, la llanura aluvial de desborde, la llanura eólica, las terrazas aluviales y el aluvión reciente o bosque de galería. El pie de monte ocupa una faja de aproximadamente 20 Km de ancho a lo largo de la cordillera Oriental. La llanura aluvial de desborde ocupa la mitad de los valles del Casanare y del Arauca. La llanura eólica sigue a la zona anterior, limitada al oriente por el río Meta. Las terrazas aluviales se encuentran principalmente entre el río Ariari y el río Metica. Los bosques de galería se hallan en los depósitos aluviales recientes a lo largo de los grandes ríos. El mismo Goosen, citado por Guhl (1976) señala al este del río Meta tres paisajes diferentes: la terraza alta fluvial, la terraza alta con mal drenaje y la serranía. En la Amazonia, Guhl (1976) distingue: la región andina, desde los páramos hasta el piedemonte amazónico, la región piedemonte amazónico, la región llanura amazónica, la región de montañas de Isla y Caatinga con los ríos de aguas negras y la región de los valles aluviales con varzeas y ríos de aguas amarillas.

Nuestros terrenos amazónicos y orinóqueos están fundamentados en rocas muy antiguas (precámbricas). La región de montañas de Isla coincide aproximadamente con la llamada saliente del Vaupés, el extremo occidental del escudo de las Guayanas, la

formación más antigua de Sudamérica. Allí las rocas arcaicas están cubiertas por capas de areniscas de grano medio a grueso, y color blanco a rojo, de 300 metros de espesor medio, probablemente primarias y secundarias. Afloramientos como las sierras de la Macarena y de Chiribiquete muestran desde el basamento precámbrico cristalino hasta granitos metamórficos pasando por las areniscas cuarcíticas pardas del Cambro-Oroviciano y areniscas del mar que la inundó durante el Cretáceo. Las otras regiones están cubiertas por sedimentos cenozoicos no diferenciados, algunos del Pleistoceno, otros holocénicos

y muchos recientísimos, de origen aluvial y eólico.

El llamado ecuador climático atraviesa nuestra región siguiendo aproximadamente la división de aguas entre el Orinoco y el Amazonas, lo cual la coloca en la zona de calmas ecuatoriales, caracterizada por quietud atmosférica, lluvias zenitales y calma bochornosa. La poca altura sobre el

nivel del mar y lo plano del relieve crean en toda la región un clima tropical lluvioso con variaciones que van desde el clima de sabana, periódicamente húmedo, con lluvias zenitales, en la mayor parte de las llanuras aluviales y eólicas de la Orinoquia hasta el clima superhúmedo de selva ecuatorial con lluvias durante todo el año en el pie de monte pasando por el clima húmedo con lluvias durante todo el año pero con periodos menos lluviosos al sur del río Inírida. Algunos datos indican la existencia de un bolsón transversal de clima de estepa muy caliente con menos de 1500 mm de precipitación que va paralelo al río Meta por su orilla oriental. En el resto de la región las precipitaciones suben hasta los 4000 mm y las temperaturas oscilan alrededor de los 24 grados celsius. En las áreas cubiertas de vegetación arbórea la humedad oscila entre el 75% y el 90%.

El clima de la región hace posible que se puedan observar diez clases diferentes de formaciones ecológicas vegetales, según la clasificación de Holdridge. Las primeras corresponden a los pisos altitudinales de la vertiente de la cordillera y tiene similares características a los observados en la vertiente occidental, como se explicó en capítulos anteriores. Son éstos los bosques húmedos; montano, montano bajo y premontano. Las mayores precipitaciones, sobre todo al sur del pie de monte, crean formaciones más extensas de bosques muy húmedos montanos bajos y de bosques pluviales montanos; montanos bajos y premontanos. Sin embargo, las formaciones predominantes son, en su orden: el bosque húmedo tropical, el bosque muy húmedo tropical y el bosque seco tropical con una gran zona de transición entre los dos primeros.

Las especiales características de los suelos de las partes planas de la cuenca hacen que la vegetación predominante difiera de la que cabría esperar en estas formaciones. Por ejemplo, la

*Las variedades de plantas exóticas de vivos colores y extrañas formas
son características del paisaje tropical.
Son especies desconocidas en otros climas y latitudes,
y a veces su descomunal tamaño (como en el caso de la victoria regia, abajo)
infunden admiración y temor.*

zona de transición entre bosque húmedo y bosque muy húmedo tropical corresponde, aproximadamente, a la región de montañas de Isla y Caatinga donde las areniscas que cubren las rocas precámbricas sólo han dejado desarrollar una vegetación pobre que Schultes describe así en la cuenca alta del Apaporis: «...retazos de poca altura, plantas herbáceas cuyas más notables son los varios interesantes helechos primitivos; nudosas especies de hierbas y juncos... uno puede encontrar todas las clases de adaptaciones xerofíticas en las colinas. Todas las especies se reducen en tamaño...» En la misma zona pero más al oriente el

instituto Geográfico Agustín Codazzi ha encontrado que las especies más comunes son: arenillo, barbasco, carne-vaca, guarataro, pavito, pilón, dormidero, coco mono, granadillo, caimarón, laurel, palo aceite, sarrapio, palobejuco, zazafras, mortecino, sangretoro y yebaco y que la altura de los árboles dominantes escasamente llega a los 25 metros. En el área del Vaupés el IGAC ha encontrado como más comunes la siringa (*Hevea*), juansoco (*Couma*), laurel (*Ocotea*), castaño (*Strichnos*), guamo (*Inga*), yapi (*Olmedia*), chicle (*Manilkara*) y madre de agua (*Apeiba*). En la región de los valles aluviales, especialmente en el

alto Putumayo, las formaciones de terrazas, colinas bajas y varzeas permiten una vegetación más exuberante como lo describe Molano Campuzano: «La ribera está revestida de juncos, hierbas abundantes tales como *Ginerium Sagittatum*... estas plantas ceden el lugar a un matorral de enredaderas malpigiáceas ... los cuales van convirtiéndose en un bosque de árboles bastante robustos como los de *Cecropia* y *Triplaris*... *Bombax* e *Inga* afestonados con las enredaderas de *Mucuna, Combretum, Banisteria* y *Paullinia* ... detrás de las orillas se extienden muchas millas de selva cenagosa ... aquí crecen el caucho, el

cedro y el cacao ... miles de palmas *Mauritia* y *Mauritiella* ... las orquídeas y bromoliáceas ... los diminutos saprofitos ... un enredo denso de chamarrascas y malezas ... lo hacen casi impenetrable al hombre».

El instituto Geográfico Agustín Codazzi en la región del Caquetá, Putumayo y Amazonas define como especies más comunes las siguientes: fono (*Lecythis*), juansoco (*Couma*), ahumado, caimo, tres tablas (*Erythrina*), golondrino, cabo de hacha (*Irianthera*), guarango (*Parkis*), sangretoro (*Virola*), costillo, laurel (*Nectandra*), leche chiva, achapo (*Cedrelinga*), chicle (*Manilkara*), dinde, cerveza, cavi, aguatillo, palo de arco, palo brasil, itauva (*Anpidosperma*), turí, castaño (*Strichnos*), corcho, ceiba, cedro (*Cedrela*). Aun en la región del Putumayo es posible encontrar áreas de muy pobre vegetación como los «varillales», formaciones de árboles de tronco sumamente delgado, que encontró Domínguez en la divisoria de aguas con el Caquetá. Aun dentro de estas dos formaciones húmedas se encuentran áreas cubiertas únicamente de vegetación herbácea como las sabanas de Yari cuyo origen parece ser edáfico pues sus suelos son arenosos con una fuerte percolación vertical. Al noreste de las sabanas de Yari queda la sierra de la Macarena, el más

occidental de los tepuyes, a cuyo alrededor se pueden observar los cambios bruscos que en la vegetación originan el clima y los suelos. En las vegas del río Guayabero, Olivares describe cañafístulos, algarrobos, guarumos, gualandayes, guayacanes, ceibas y cedros así como sejes, palma reales, palmichos y moriches. En el flanco de las mesetas la roca sólo deja crecer pequeños árboles, arbustos y palmas de especial sistema radicular. En lo alto de las mesetas la vegetación dominante consiste en asociaciones de gramíneas intercaladas con árboles y arbustos (*Roupala, Coccoloba, Melastomaceas*). En las zonas más secas se encuentra en abundancia la *Vellosia macarenensis,* planta endémica del área, que a veces alcanza una altura de dos metros.

En la margen derecha del Guayabero empiezan las formaciones vegetales de sabanas que hoy son típicas de la cuenca del Orinoco. Extensas llanuras cubiertas de vegetación herbácea, alterada por arbustos de hojas coriáceas e interrumpidas por los bosques de galería que ocupan las vegas de ríos y caños o por las formaciones densas de palma moriche.

Más hacia el oriente la conjunción del clima de bosque seco tropical con la pobreza en minerales de los suelos de las llanuras eólicas, las terrazas mal

drenadas y las serranías produce una vegetación de sabana cada vez más seca. Pero las lluvias temporales permiten el desarrollo de una fauna que, si no tan impresionante como la de las sabanas africanas, asombra por su variedad y fortaleza. Sobresalen los chiguiros (*Hidrochaeris*) el roedor más corpulento del mundo, extraordinario convertidor de paja del llano en proteína, el caimán del Orinoco (*Crocodylus intermedius*), el venado sabanero (*Odocoileus virginianus*), el cafuche (*Tayassu pecari*), el ocarro (*Priodontes maximus*), el famosísimo pez caribe (*Serrasalmus sp.*) y entre las numerosísimas aves, la corocora y la oropéndula que construye grandes comunidades en los bosques de galería. Ya en las zonas de pie de monte la flora permite el aumento de estas poblaciones y la aparición de otras nuevas como el oso negro (*Tremarotas ornatus*), la danta o tapir (*Tapirus terrestris*); varias especies de primates como el tití (*Saimiri scierus*) el *Cebus apella* y el *Cebus capicinos,* la tortuga mata mata (*Chelus fimbriata*), la lapa (*Agouti paca*), el paují (*Crox elector*) y el águila miquera (*Harpia harpyja*). En la región de los ríos de aguas negras disminuye la fauna en variedad y en tamaño; especialmente los peces reducen sus dimensiones y aparecen algunas especies endémicas como el temible caimán del Apaporis (*Caiman crocodilus apaporiensis*).

Tanto en los ríos amarillos de la Orinoquia como en los de la cuenca del Putumayo y del Caquetá y del propio Amazonas la riqueza íctica es tan grande como desconocidas sus características. Se calcula que existen de 1000 a 1500 especies diferentes desde el bellísimo cucha real hasta las fabulosas toninas (*Inia geoffrensis*) y el enorme pirarocu. Todas las especies florecen en la región de los valles aluviales, ricos en humedad y en nutrientes. El sociable perro de agua o lobón (*Pteronura brasiliensis*) que está pagando con la extinción su simpatía; su prima, la nutria, las tortugas (*Podocnemis spp.*), el extraordinario manatí o vaca marina (*Trichechus inunds*) el caimán negro (*Melanosuchus niger*), la babilla (*Caiman crocodilus croducilus*), las grandes serpientes como la boa y la anaconda, los tigrillos, la gran variedad de primates y las bellas guacamayas (*Ara camao*) son apenas ejemplos de la riqueza fáunica

dos grandes estaciones, una seca y otra lluviosa. Federman distinguía la posición de las tribus indígenas nómadas y seminómadas por los inmensos incendios que provocaban. El clima, las enfermedades, las fieras, los insectos y la magnitud de los ríos fueron causa para que las actividades colonizadoras no siguieran muy de cerca a las expediciones de Federman, de Hernán Pérez de Quesada, de Gonzalo Jiménez de Quesada y de Spira, las cuales llegaron hasta penetrar las selvas del Putumayo en la primera mitad del siglo XVI pero siempre regresaron en derrota después de haber perdido a la gran mayoría de sus hombres. De los 1500 chibchas que llevó Jiménez de Quesada a descubrir el «Dorado» sólo regresaron tres. Todavía hoy las diversas tribus que recorren el área se mantienen en la zona boscosa del sur principalmente mediante la práctica de la agricultura itinerante y de la caza y la pesca. En las sabanas del norte los indígenas mantienen en ocasiones pe-

queños huertos y ganados pero son esencialmente nómadas que necesitan de un extenso territorio de recolección de frutos, raíces y fibras para sobrevivir. Según varios autores la actividad de estas tribus fue la causa de la desaparición del bosque al norte del río Guaviare y de la formación de las sabanas; otros hablan de razones climáticas y edáficas para explicar la existencia de las inmensas llanuras cubiertas, principalmente, de vegetación herbácea.

Durante la colonia solamente se crearon pequeños poblados, administrados, en ocasiones, por comunidades religiosas. La actividad económica fue también bastante reducida durante los primeros años de la república; tanto que en las primeras fotografías aéreas de los años cuarenta se observa un bosque completamente cerrado en la zona que hoy rodea a Villavicencio. Inclusive parece haber disminuido durante esos años la actividad humana en ciertas zonas como la de la Macarena ya que en 1846 Codazzi

que el INDERENA empieza a descubrir en sus proyectos de rescate.

Los problemas ambientales actuales

El poblamiento y la creación del sistema económico en la cuenca amazónica y orinóquea ha seguido un proceso similar pero mucho más lento del que afrontaron otras zonas del país. Los españoles que en 1535 atravesaron el río Apure y llegaron por primera vez a la zona encontraron numerosas tribus indígenas que hablaban diferentes dialectos. En sus descripciones se habla ya de pajonales que forman horizonte, de selvas húmedas y de

De izquierda a derecha: *el urugallo, el oso, el tapir y el mono negro.*

describe allí una vegetación mucho más pobre que la que hoy observamos. Fenómenos de índole social originaron un cambio grande a partir de la mitad del siglo XX; primero los cazadores comerciales, luego los leñadores especializados, más tarde los colonos espontáneos y finalmente los industriales de la madera empezaron a explotar las zonas más cercanas a los grandes mercados de la cordillera. Inclusive los hábitos de las tribus indígenas han variado; en lugar de la flecha para pescar se usa la dinamita, los frutos en ocasiones ya no se recolectan sino que se tumba el árbol madre. A continuación relacionaremos algunos de los problemas ambientales creados por estos cambios. Aparte de las colonizaciones de la Compañía de Jesús y de algunas experiencias fallidas de finales del siglo XIX es posible que la primera explotación organizada en gran escala de esta inmensa área fue la del caucho en la zona del Putumayo-Caquetá durante los primeros diez años del siglo XX por la cruelmente célebre Casa Arana, cuya actividad ocasionó no sólo la desaparición de tribus enteras sino la asolación de la fauna y la destrucción de la zona cauchera.

Las carreteras y aeródromos construidos durante los años treinta facilitaron la llegada de los primeros colonos tanto a Villavicencio en el norte como a Florencia y Leticia al occidente y al sur, pero fue solamente en los años cuarenta cuando comenzó a organizarse el comercio de pieles para exportación en la primera y en la última ciudad. Durante más de treinta años (en 1940 se exportaron 122 649 kilos de pieles) los comerciantes especializados organizaron con toda libertad a colonos y a indígenas para cazar, masivamente, pumas, tigres, nutrias, caimanes, osos, perros de agua, venados y todas las demás especies cuya piel tuviera mercado en el exterior hasta que en 1974 y en 1977 el INDERENA vedó la caza comercial y deportiva. A partir de 1965 la cacería fue muy intensa e incluyó la de animales vivos como primates y aves para surtir laboratorios y almacenes de *pets*, la masiva de chiguiros para vender carne en Venezuela durante Semana Santa y la organización de «safaris» de cazadores deportivos extranjeros. Una sola persona exportó en 1972, 1200 pieles de tigrillos; si se piensa que uno de esos animales necesita para sobrevivir un territorio de más de 10 000 hectáreas se puede apreciar el estado crítico de la fauna de la Amazonia y Orinoquia colombiana.

A la explotación del caucho siguió la del Palo de rosa. Durante años agentes de las industrias perfumeras de otros países fletaron destilerías móviles que cortaban y convertían en aceite la preciosa madera (4 toneladas de madera producen 50 galones de aceite), lo que explica que hoy este árbol ya no se encuentre en las proximidades de las vías navegables. El desarrollo de la industria maderera y de los mercados internacionales de maderas finas ha originado la explotación selectiva de algunas especies de maderas preciosas como el cedro (*Cedrella*). El altísimo valor de ellas justifica que partidas de leñadores especializados escudriñen la selva en su busca y luego las transporten por ríos y caminos, por miles de kilómetros, dejando el bosque empobrecido. Cosas semejantes pueden suceder con cualquier especie que, por obra del espionaje científico, se convierta en materia prima de una industria extranjera o que constituya la mejor solución para un producto nacional de consumo masivo como es el caso de la llamada leche Caspi que se extrae del juansoco (*Couma macrocapa*) o la fibra chiquichique que crece en las vegas de los ríos negros y es utilizada para fabricar escobas. Debemos distinguir la actividad colonizadora de las explotaciones descritas anteriormente por la intención manifiesta de asentamiento en las nuevas tierras. Siguiendo las carreteras de Villavicencio, Mocoa y Florencia e instalándose en las inmediaciones de los embarcaderos fluviales o de los campos de aterrizaje llegan los colonos. Muchos de ellos se quedan donde primero arriban, se dedican al comercio y van conformando los poblados. Otros se mueven a lo largo de los ríos o de los caminos, desmontando las riberas, sembrando maíz o arroz, vendiendo parte de la madera y quemando la mayoría. Durante muchos meses sus proteínas provienen de la caza y la pesca hasta que una y otra se agotan. Los comerciantes les entregan víveres a crédito a cambio de las maderas o de las cosechas futuras. En 1980 se calcula en 600 000 personas las que ocupan las áreas de colonización de Sarare, Arauca, Casanare, Ariari, El Retorno, Planas, La Uribe, Caquetá y Putumayo. Su tasa de crecimiento es aproximadamente del 7 %. Se calcula que cada familia puede desmontar alrededor de 3 hectáreas por año. De este modo es probable que se derribe más de 300 000 hectáreas de bosque húmedo anualmente en la cuenca amazónica y orinoquia ya que la enorme mayoría de los colonos llega a las zonas boscosas donde los árboles reemplazan su ausencia de capital para proveer energía y dinero para adquirir lo indispensable a los comerciantes. Según investigaciones recientes el nivel de vida de la mayoría de las familias es menor que el que gozaban antes de iniciar su emigración de las zonas montañosas. Pero ya es muy tarde para volverse atrás. Aquellos que se establecen a lo largo de las riberas o en la vertiente de la cordillera buscando transporte fácil o mejor clima son los que mayor daño a más corto plazo causan a los ecosistemas por alteración de las condiciones hidráulicas del drenaje natural. Los que llegan a los suelos de las llanuras eólicas o de las terrazas mal drenadas ven desaparecer sus esperanzas agrícolas rápidamente y tienen que migrar a otros sitios. Casi ninguno llega con la información correcta sobre la bajísima fertilidad de los suelos. Algunas de las corrientes colonizadoras se dirigen precisamente a la zona de los ríos de aguas negras donde la productividad biológica natural es tan baja que los indígenas se alimentan de insectos y gusanos y el tamaño máximo de peces y de troncos de árbol se puede indicar con la palma de la mano.

No todos los colonos son pobres. Empresas ganaderas respaldadas por fuertes capitales se han establecido tanto en el Caquetá como en las terrazas y llanuras del Casanare, Arauca, Meta y Vichada. En muchas de estas áreas se observa ya la erosión causada por el sobrepastoreo y las quemas. En el Caquetá se aprecia un descenso apreciable de la precipitación media de las áreas deforestadas treinta años atrás. La industria maderera ha tratado también de organizar explotaciones propias, además de comprar la madera extraída por los colonos. En los bosques de los ríos Ele y Lipa fueron los mismos ganaderos quienes se opusieron a la concesión de la madera de la extensa zona de donde surgían las principales fuentes de agua de la región. Los cultivos comerciales de arroz en el pie de monte han llevado a la Orinoquia el problema de la contaminación química de aguas y atmósfera.

Son estos ejemplos de los problemas causados por la aceleración de ciertas actividades económicas sin contar con suficiente información sobre la capacidad de sostenimiento de los sistemas ecológicos. Tenemos hoy suficientes instrumentos para destruir la Amazonia pero no para aprovecharla y existen indicios de que al ritmo actual podríamos perder su riqueza genética antes de conocer los posibles usos de los miles de especies que no hemos estudiado. Existen también indicios de cambios radicales en las áreas donde se ha destruido el bosque y algunos afirman que su desaparición podría afectar al clima de todo el planeta. Es entonces preciso que desaparezcan los antiguos conceptos sobre la posibilidad de tratar estas regiones con los mismos métodos utilizados en otras partes del mundo y que la ciencia y la tecnología afronten la necesidad de conocer sus ecosistemas para poder usarlos adecuadamente.

El ecodesarrollo

Es en la Orinoquia y en la Amazonia donde Colombia tiene la mejor oportunidad para conseguir el ecodesarrollo, o sea, la organización de las actividades comunales para lograr una mejor calidad de la vida mediante el aumento sostenido de la eficiencia de los ecosistemas, ya que es allí donde se ha conservado mejor la eficiente original de ellos. Para esto es necesario cumplir dos condiciones previas: conocer las interrelaciones existentes y adaptar las técnicas de manejo a esas interrelaciones. Algunos pasos se han dado hacia estos objetivos. Existen ya (1978) estudios exploratorios de suelos en gran parte de la Orinoquia y se desarrollan estudios generales de recursos naturales en el resto de la zona. Los primeros resultados permiten afirmar que el vigor de la vegetación que se observa en algunas áreas no está fundamentado

en la fertilidad de los suelos sino en ciclos biológicos muy largos originados por el clima y alimentados por sus propios residuos. La fertilidad de la Amazonia es un mito y sus suelos, al igual que los de la cuenca del Orinoco, son pobrísimos en nutrientes y muy ácidos. Algunas partes de las llanuras aluviales de la Orinoquia tienen buenas características de drenaje pero son pobres en los minerales fundamentales para el desarrollo de cultivos. La vegetación de las zonas más húmedas y de mejores suelos como el pie de monte mantiene las características tropicales de abundancia en especies y pobreza en individuos. Se observan alrededor de 200 especies diferentes por hectárea, lo cual hace costoso tanto en términos económicos como ecológicos su explotación con los sistemas tradicionales. En algunas áreas la pobreza de los suelos, a pesar de la cuantiosa precipitación, sólo alcanza a mantener una vegetación arbustiva de troncos muy delgados.

Estas características fundamentales permiten afirmar que para mantener un rendimiento económico sostenido a largo plazo de estos ecosistemas es necesario conocer más a fondo sus características para desarrollar sobre ellas técnicas especiales de producción y algo se ha adelantado para ello. En la terraza alta bien drenada localizada entre los ríos Vichada y Guaviare la estación de «Las Gaviotas» ha avanzado en el perfeccionamiento de máquinas para producir energía de diversos tipos con los recursos ecosistémicos de la zona. En el Caquetá el INCORA y el ICA experimentan especies que se adapten mejor a las condiciones de clima y suelos. Varios científicos del instituto de Ciencias Naturales de la universidad Nacional, y de otras universidades del país, han pasado ya de la clasificación taxonómica de las especies al análisis de su posible utilización y se han identificado algunas posibilidades de producción sin destrucción de la cobertura boscosa, como la extracción de fibras de la palma cumare (*Astrocayum vulgare*), de harina y aceite del moriche (*Mauritia mino*), del seje (*Jessenia polycarpa*) y del chontaduro (*Guilielma gasipaes*); de almidón de las marantáceas y aráceas; de nueces del marañón (*Anacardium occidentali*); de lulos, mamoncillos y caimitos de diversos tipos; de insecticidas y otras drogas del

barbasco (*Rotenonas*); de ceras del cauassu (*Calathea lutea*) y muchas otras fibras, drogas, esencias, ceras, aceites, gomas, resinas, féculas y materias primas como la celulosa y la lignina cuyo alto precio unitario haría económica su extracción del bosque actual o del bosque enriquecido mediante prácticas silvícolas que incrementen el número de las especies utilizables. Lo mismo puede afirmarse de las especies animales; sólo técnicas de cría que permitan la producción sin destrucción harán posible el aprovechamiento de recursos genéticos como los que hacen posible la sociabilidad de los perros de agua, la eficiencia protínica de los chiguiros, la orientación de los murciélagos, la resistencia en la selva de aves como los tinamúes y paujiles, la agilidad de los tigrillos, la supervivencia de la danta y tantas otras cualidades que deben aprovechar las generaciones futuras sin hablar de la eficiencia actual de estos animales como productores de carne y piel ni de la necesidad de su existencia para que no se corten las cadenas de alimentación y de su aplicación en procesos agrícolas como ya está sucediendo con el control biológico de plagas mediante el uso de parásitos e insectos de la selva, o de animales únicos, como los manatíes que mantienen limpios de plantas acuáticas los canales de Florida.

Mientras se puede manejar adecuadamente estos recursos de los ecosistemas amazónicos y orinóqueos es necesario actuar prudentemente y reducir la explotación al mínimo necesario. Las reservas naturales existentes en la zona como el parque nacional natural de la sierra de La Macarena, el parque nacional natural Amaca Yacu y los territorios faunísticos del Tuparro y de Arauca deben aumentarse para contar con los instrumentos legales indispensables para que la nación no pierda el patrimonio de los que están por venir.

Ilustración doble página posterior: *Espléndida panorámica del raudal Tomahipán, del río Inírida, afluente del Guaviare.*

137

LA MUSICA

José Ignacio
Perdomo
Escobar

De las ciudades gemelas del altiplano, Santa Fe de Bogotá y Santiago de Tunja, esta última tomó la delantera en los aspectos económico y cultural. A ella llegaban los ultramarinos por la ciudad de Vélez y se revendían en las tiendas de Santa Fe. Esta se desarrolló en el siglo XVII: «La ciudad tiene muchos letrados —escribe el cronista fray Pedro Simón— ...grandes romancistas y toscanos, hombres eminentes en poesía y en música de instrumentos y quien los haga y la compongan.»

Tunja en el siglo XVI fue una ciudad renacentista. Una falta de previsión para su crecimiento y desarrollo la

hizo venir a menos. El elemento vital del agua.

Fue renacentista en arquitectura, en pintura, en música, en danza, en *luthierie* o factura de instrumentos musicales.

Renacentista es la fachada tallada en piedra morena de su catedral, que nos recuerda aquella de la catedral de Valladolid. Pintores italianos montaron sus caballetes, al abrigo de la cellerisca runtana: Angelino Medoro, Andrea del Pozo. Maestro de danzas, fue el bailarín y vihuelista Jorge Voto de trágico sino. Músico y mecenas en ese mismo arte fue el cura, poeta y soldado don Juan de Castellanos,

autor de las «Elegías de Varones ilustres de Indias» que abrió escuela par la enseñanza de artes, retórica y teología y que hizo probanza de sus conocimientos, de ser «hábil y suficient así en canto llano como en canto d órgano», para lo que se llamó a lo testigos fray Francisco de López O.P., fray Juan de Zamora O,P. Baltasar Barrionuevo, Diego Garcí Matamoros para deponer conform a derecho.

Allí también se cultivó el arte de l elaboración de instrumentos musica les: órganos, clavicordios, arpas, vio las pomposas, vihuelas y vihuelones chirimías. Hasta hace muy poco lo miembros de la familia Caviedes d Cerinza eran organeros expertos. D sus manos salieron instrumentos qu todavía están en uso como los de la iglesias de Firavitoba, Tibasos y Sora.

La escritora mística sor Francisca Jo sefa del Castillo y Guevara cuenta e su vida que pulsaba el órgano en s casa y convento.

Y no olvidemos que don Hernando Domínguez Camargo produjo su ce lebrado poema en honor de san Igna cio en el curato de Turmequé y qu era tañedor de vihuela: «La tácit vihuela nunca antes pulsada y por l diestra de Bermudo fabricada.»

Tornando a Santa Fe hallamos que l docencia musical tiene su precurso en el canónigo don Alonso Garcí Zorro (Santa Fe, 1548-1617) que fun da en 1575 una escuela de canto y u seminario para clero indígena. El no ble jesuita piamontés José Dade (Mondovi, 1574; Santa Fe, 1660) fun da en las aulas a principios del sigl XVII escolanía musical.

El primer arzobispo de Santa Fe, fra Juan de los Barrios, trajo en su equi paje los primeros libros de canto qu llegaron a la ciudad. Su sucesor, fra Luis Zapata de Cárdenas, emprendi la fundación del colegio seminario d San Luis de Tolosa, uno de los prime ros seminarios conciliares de Améri ca. Entre sus asignaturas aparece

Izquierda: *los primeros ejemplares de libros de cantos renacentistas*
como el de esta fotografía fueron traídos por fray Juan de los Barrios,
primer arzobispo de Bogotá.
Abajo: *la marimba, instrumento musical*
que fue traído por los negros del Congo,
consiste en una hilera de tubos de madera (hasta 24) colocados de mayor a menor.
Están cubiertos de tablillas que son golpeadas con los palos, llamados tacos,
guarnecidos de caucho.

enseñanza de «canto llano y canto de órgano»; este último en el lenguaje musical de la España renacentista equivalía a la polifonía. Fue maestro de canturrias en tal plantel el notable compositor y maestro español, de la escuela sevillana, Gutierre Fernández Hidalgo (c. 1553-1620) que enseñó en Bogotá por 1584. Se retiró a los dos años de su cargo en el seminario, porque los seminaristas «hicieron dejación de su colegio» por parecerles insufrible la disciplina de cantar a diario las horas canónicas. Se dirigió luego a Quito, el Cuzco y finalmente a Chacras. Sus obras completas reunidas en cinco volúmenes que contrató con el padre provincial de los jesuitas en el Alto Perú para ser editada en Europa, ha desaparecido. Lo único que se conserva en el mundo de él son tres libros de coro de la catedral de Bogotá. Entre sus obras sobresalen sus ocho «Magnificat», dos «Salves», «Salmos de Vísperas y Completas». La obra musical de Fernández Hidalgo corresponde en toda su altura y nobleza a la escrita por los grandes maestros polifonistas del renacimiento español, como Victoria, Morales y Guerrero.

En el siglo XVII sobresalieron el monje jerónimo fray Manuel Blasco, quien fue maestro de capilla hacia 1680, eminente compositor, director y organista, de quien también tan sólo en Bogotá se conservan algunas obras, entre ellas sus «Versos al órgano a dúo para chirimías».

En seguida domina por cincuenta años el panorama musical el sacerdote bogotano Joseph de Cascante (c.1620-1702) del que se han preservado cerca de 30 obras entre ellas motetes, salmos y villancicos.

A principios del siglo XVIII fue notable entre todos los compositores del indo-barroco musical santafereño el bachiller y presbítero don Juan de Herrera (c.1665-1738). Fue ordenado sacerdote en 1689, formado humanísticamente en el Real Colegio Seminario de San Bartolomé. En 1703 ocupó la plaza de maestro de capilla de la catedral, hasta su muerte. El bachiller fue prolífico e inspirado compositor. Sus obras de mayor envergadura son sus seis misas, una de «Réquiem», un «Oficio de Difuntos», tres colecciones de «Lamentaciones», siete colecciones de «Salmos Vesperales», además de numerosos villancicos y jácaras.

El gran florecimiento de la música colonial religiosa vino a menos con la guerra de la independencia. A mediados del siglo XIX fueron notables principalmente José Joaquín Guarín (1825-1854) bogotano, hermano del costumbrista José David Guarín; sus obras más sobresalientes fueron: una «Overtura de Concierto», una serie de «Caprichos», «Lamentaciones» una «Canción Nacional» y un «Oficio de Difuntos», que por cierto se ejecutó en sus exequias. Julio Quevedo Arvelo (1829-1897) el célebre «Chapín», hijo del edecán del Libertador, también músico, don Nicolás Quevedo Rachadell, altísimo artista un tanto desequilibrado, autor de la popular «Misa Negra», ejecutada hasta hace muy poco en las exequias bogotanas, la «Misa Azul», la «Misa de Táriba», el «Pésame a Nuestra Señora de los Dolores», un «Te Deum», «Lamentaciones», «El Canto del Búho». Y otro bogotano José María Ponce de León (1846-1882) alumno del conservatorio de París autor de las óperas nacionales «Florinda» y «Ester», los valses la «Bella Sabana» y una «Sinfonía sobre temas colombianos» (1881).

A mediados del siglo don Enrique Price (1819-1863) fundó una «Sociedad filarmónica de Conciertos» la cual comenzó a edificar planos par

De izquierda a derecha: *Juan de Herrera, maestro de capilla de la Catedral Vicente Vargas de la Rosa, que colaboró en la fundación de la Academia de Música; Diego Fallon, que ideó un método para simplificar la lectura de las notas y Oreste Sindici, autor de la música del himno nacional.*

u propio edificio con base en planos del arquitecto del Capitolio Nacional, don Tomás Reed. Un hijo de ste, don José W. Price (1853-1953), undó la Academia nacional de música que comenzó a funcionar el 8 de marzo de 1882 y en 1910 cambió este ombre por el de Conservatorio nacional. De la academia salieron en el iglo pasado don Andrés Martínez Montoya (1869-1953) que ocupó el argo de director de la Banda Nacional y autor de una obra de impecable actura: la «Rapsodia Colombiana», on Santos Cifuentes (1870-1932), otable pedagogo, fundador de la Academia Beethoven, compositor inspirado, autor entre otras obras de na «Sinfonía sobre aires tropicales», n «Concierto para piano y orquesta, música de cámara».

Carlos Umaña Santamaría, sacerdote, notable pianista, lo mismo que oña Teresa Tanco de Herrera 1859-1945) autora de una zarzuela de mbiente costumbrista: «Similia Similibus», con libreto del poeta Carlos áenz Echeverría; don Manuel María árraga Paredes (c.1826-1895), de asendencia venezolana y santandereaa, autor de notables composiciones ara piano editadas por la casa Breitopf & Hartel de Leipzig entre ellas celebrado y difícil «Bambuco sore aires populares neogranadinos». n italiano, residenciado en Colom

bia, don Oreste Sindici (1837-1904), fue el autor del himno nacional de Colombia. Por insinuación de don José Domingo Torres, el artista compuso sobre la letra original del doctor Rafael Núñez de un himno a Cartagena, una canción nacional que fue ejecutada con motivo de la fiesta del 11 de noviembre de 1887, aniversario de la independencia de la Ciudad Heroica para rendir un homenaje al presidente titular. La obra, de entonación marcial y rotunda, vino a ser el himno de los colombianos.

Dentro de los compositores de los altiplanos y las montañas orientales de Colombia, sobresale la personalidad de don Guillermo Uribe Holguín, nacido en Bogotá el 17 de marzo de 1880 y fallecido nonagenario el 26 de marzo de 1971. Comerciante primero, ingresó muy joven a la Academia nacional de música. Fue discípulo allí de don Santos Cifuentes y estudió violín con Narciso Garay. En 1907 viajó a París e ingresó a la Schola Cantorum que dirigía Vincent D'Indy. Tuvo entre sus compañeros a Joaquín Turina y a Reic Satie. En la «ciudad luz» conoció a la pianista Lucía Guttiérrez Samper, hija de colombianos con la que contrajo matrimonio.

Duró poco esta unión. Como homenaje a la mujer amada compuso su celebrado «Réquiem».

Al llegar a Bogotá fue propuesto para ocupar la dirección del conservatorio nacional de música en el que permaneció veinticinco años.

Este cargo volvió a regentarlo durante un período muy breve algunos años después.

Su ingente obra está actualmente bajo la custodia del Patronato de Artes y Ciencias. Comprende en términos muy resumidos: a) para teatro: la ópera «Furatena», op. 76.; b) obras sinfónicas: «Sinfonía del Terruño», op.15; «Bochica», poema sinfónico, op. 73; «Tres ballets criollos» op. 78; «Ceremonia indígena»; c)obras sinfónicas con solistas: dos «Conciertos para violín y orquesta», op. 64 y 79; «Concierto a la manera antigua» para piano y orquesta, op. 61; obras que musicalizan textos poéticos de Rubén Darío, José Asunción Silva, Guillermo Valencia; d) música de cámara: comprende 23 opus entre los que se descuellan seis «Cuartetos de Cuerdas», seis «Sonatas para violín y piano», dos «Quintetos para piano y cuarteto de arcos» y un «Divertimento»; e) obras religiosas: «Réquiem» para solo, coros y orquesta, op. 17, «Improperia» y una «Misa» para coro a capella de niños y voces masculinas; f) obras para piano: los «Trozos en el sentimiento popular» que pasan de 300, varias suites y preludios.

La música de Uribe usa de gran libertad de ritmos, riqueza instrumental; está inspirada en las formas musicales impresionistas de la escuela francesa; la escrita sobre aires colombianos manifiesta desgano al tratarlos.

La Banda Nacional tuvo por mucho tiempo al frente de ella al maestro José Rozo Contreras (1894-1976). A su lado es preciso nombrar a su sobrino José Oriol Rangel Rozo (1916-1977) exquisito ejecutante y compositor de los aires populares de la tierra y arreglista muy afortunado.

Entre los contemporáneos sobresalen Fabio González Zuleta (Bogotá, 1920) formado en el conservatorio de su ciudad con Demetrio Heralambis y Egisto Guivannetti. Ocupó la dirección de esa entidad. En 1944 escribe su «Suite Amazonia» a la que siguen sus «Sinfonías». La modernidad de su lenguaje se expresa en el «Te Deum por la paz de Colombia», «Quinteto Abstracto», «Suite de ayer y de hoy», «Sonata» para contrabajo y piano, «Sonata» para clarinete y piano, «Díptico» para orquesta, «Sinfonía N.º 4 del Café» premiada por el concurso abierto por la Federación Nacional de Cafeteros. La crítica norteamericana ha sido favorable a la obra del maestro González Zuleta, en quien no se sabe qué más admirar, si su profundidad o su modestia.

El maestro Jesús Bermúdez Silva (Bogotá, 1884-1969) inició sus estudios en la Academia; luego en España con Conrado del Campo. Entre sus composiciones son de mencionar: «Cuento de Hadas», «Torbellino», el poema sinfónico inspirado en «La Vorágine», «Sinfonía», sobre temas de una canción colombiana, «Tres danzas» ballet, «Sinfonía en do», «Preludio y fuga en sol menor» para órgano y la suite pianística «Seis viejas estampas de Santa Fe de Bogotá.»

A él vale agregar al maestro Gustavo Escobar Larrazábal (1890-1968) artista tan modesto como fino, notable pianista y pedagogo. Entre su repertorio pianístico figuran tres breves acuarelas de impecable factura: «Bambuco en rondó», «Bambuco característico» y «Escena característica». Fundó una academia musical.

En la fuerza de su actividad creadora y docente, principalmente al frente del acreditado «Muro Blanco», tenemos al maestro Luis Antonio Escobar (Villapinzón, 1925) personalidad tan inquieta como versátil. Compositor, dirigente activo del que fue Club de estudiantes cantores, programador afortunado de radio y televisión.

Ingresó al Conservatorio nacional, luego al Peabody Conservatory of Music. Discípulo en Alemania de Boris Blacer. Becario Guggenheim (1958).

Izquierda: *Honorio Alarcón y Jorge Price,*
fundador de la Academia Nacional de Música.
Centro: *el maestro Guillermo Uribe Holguín.*
Abajo: *Antonio María Valencia.*

u producción es abundante y puede
gruparse así: 1. Obras escénicas:
Avirama» (1956), ballet; las óperas
La princesa y la arveja» y «Los ham-
ones». 2. Obras para orquesta: «Se-
enata colombiana», «Divertimento
N.º 1», «Concertino» para flauta y or-
uesta, «Cantica» de cantos colom-
ianos para solistas, coro mixto y or-
uesta, «Rondas y canciones infanti-
es». 3. Vocales: «Cantata Campesi-
a». 4. De Cámara: «Cuartetos» de
uerdas, «Sonatas» para violín y pia-
o, «Sonatina» para piano solo,
Bambuquerías».

En el terreno de la música electrónica
obresalió la malograda figura de Jac-
ueline Nova (1936-1975), tempra-
amente fallecida.

En el terreno de la música nacionalis-
a finalizaremos con una apretada
numeración de valiosas figuras entre
as cuales son pertinentes, en el siglo
asado Nicomedes Mata Guzmán,
lamado «El Divino» y cercano a no-
otros Emilio Murillo (1880-1942)

cuyos motivos vernáculos constituyen páginas inolvidables; el gran artista por temperamento Luis A. Cal-
vo (1882-1945). Nació el inspirado
compositor de los «Intermezos» en
Gambita. En la composición culta
escribió una fantasía: «Escenas pinto-
rescas de Colombia». Lelio Olarte
Pardo (1882-1940) autor de la «Guabina Sinfónica» y sus celebradas
«Guabinas».

En terreno en que se funden la inspi-
ración popular y las composiciones
de aliento y técnica encontramos al
maestro Guillermo Quevedo Zorno-
za (1886-1964) de la raza musical de
los Quevedo tan sobresaliente en
nuestro acontecer musical, autor de
inspiradas obras del género chico, de
una «Fantasía orquestal» y de la inol-
vidable «Amapola».

Poco conocido, muy profundo en sus
conocimientos, Alejandro Villalobos
Arenas (1875-1938) natural de Piede-
cuesta, fue prolífico compositor.

En Norte de Santander encontramos

a Elías M. Soto Uribe (1858-1944),
que se podría llamar el autor del
himno nativo, «Las Brisas del Pam-
plonita», y con él, Víctor M. Guerrero (1888-1956) autor de cosecha
abundante y Rafael Contreras (1915)
formado en el conservatorio de Bogotá y presente en su ciudad nativa,
Ocaña, en las celebraciones sesqui-
centenarias de la Convención.

En cuanto a la música de la Amazonia, la Orinoquia y los Llanos, cree-
mos que su estudio encaja mejor en el
capítulo de folklore de este mismo
libro, por lo que excluimos su estudio
en este ensayo.

EL FOLKLORE

Guillermo Abadía

Principios teóricos del folklore

Siguiendo las pautas del trabajo que expusimos en la compilación «Teorías del Folklore en América Latina», obra que reunió las puntualizaciones conceptuales de nueve folklorólogos del área latinoamericana, detallaré en este primer tomo de El gran libro de Colombia las bases teóricas del folklore colombiano, la taxonomía ideada para ordenar este estudio y los temas generales de su desarrollo, seguidos del ejemplario correspondiente a los territorios que abarca la primera zona.

Grafía

La voz inglesa *folk-lore*, creada en 1846 por William John Thoms, está generalizada hoy en todo el mundo. Dicha voz inglesa está formada por dos términos: *folk* y *lore*, cada uno de los cuales tiene un significado definido y por esto no son susceptibles de modificar en su ortografía sin que alteren su semántica. *Folk* indica lo popular y *lore* el conocimiento tradicional. Y es obvio que la semántica, según su propia definición, tiende a sistematizar el lenguaje científico y a unificar el conocimiento.

Definición

De las muchas definiciones existentes hemos configurado la que ha sido expuesta en varios de nuestros libros y trabajos publicados: El folklore es la tradición popular, típica, empírica y viva.
Tradición indica las creencias y prácticas que han pasado de una generación a otra. Popular lo que corresponde al patrimonio del pueblo y abarca no sólo el aspecto sociológico, principalmente, sino el etnológico, ya que en nuestro caso colombiano la etnia forma parte del pueblo vivo y actuante. Típica por corresponder a un tipo determinado, que es el colombiano, en sus distintas variedades. Empírica

porque se obtiene por medio de las prácticas y experiencias y no por doctrinas científicas ni teorías técnicas. Viva porque implica una dinámica social latente que la distingue de lo arqueológico y de lo histórico.

Lo anónimo en el folklore

Numerosos son los comentaristas de música que al tratar el tema del bambuco, por ejemplo, repiten el argumento de que lo «anónimo» es condición esencial para que un bambuco o cualquiera otra tonada folklórica pueda llamarse así con propiedad. Allí se toma al pie de la letra el término «anónimo» y ocurren graves confusiones. Debemos despejar el verdadero alcance del adjetivo «anónimo» que no es exactamente lo que carece de autor manifiesto ni lo que no ostenta el nombre de su autor como lo define la Academia, sino lo que por reunir las características de lo folklórico (tradicional, típico, empírico, popular y vivo) es prohijado por el pueblo y adquiere así una autoría colectiva. Cuando un autor del pueblo produce una obra que este mismo pueblo acoge y prohíja de inmediato y la conserva en su acervo de tradición, ese autor es el creador colectivo, Juan Pueblo; es la voz o es la mano del pueblo mismo. Cuando un músico erudito, un poeta retórico, un coreógrafo de alto coturno, construyen un impromptu o una canción, un poema o una danza de intención típica, muy raras veces obtienen el «sabor folklórico» y tales obras pasan inadvertidas para el pueblo. Estos autores eruditos no son el pueblo ni representantes suyos; así nos aseguren que se han inspirado en el sentimiento popular.

Taxonomía

Con el fin de simplificar al máximo las ramas en que se separan los temas del folklore hemos adoptado un mínimo de cuatro (4) ramas que pueden ser las que corresponden a la actitud

del hombre folk en cuanto cree, piensa, dice y hace. Pero preferimos separarlos en función de sus expresiones artísticas: literatura, música y danza que son géneros de comunicación muy definidos y bien delimitados. Y una cuarta rama que hemos denominado Demosofía por cuanto en ella predominan los fenómenos de lo que el pueblo cree y piensa o de lo que hace con sentido primordialmente utilitario. Sabemos que al decir demosofía estamos indicando algo relativo a la sabiduría popular y el folklore no es una sabiduría sino un simple «saber popular».
La primera rama, que hemos llamado folklore literario se expresa por medio de la palabra hablada o escrita, es decir, como literatura oral o como literatura gráfica (impresa). Incluimos en este género (encabezado con el número 1 de la clasificación).

1-1- El habla (lenguaje popular)
1-2- Narraciones
1-3- Coplerío y poesía popular
1-4- Paremiología

El habla comprende:
1-1-1- Léxico o vocabulario
1-1-2- Dejo, acento o tonada regional
1-1-3- Giros locales
1-1-4- Contracciones y deformaciones

El léxico o vocabulario comprende:
1-1-1-1- Antroponimia (nomenclatura de personas)
1-1-1-2- Zoonimia (nomenclatura de animales)
1-1-1-3- Fitonimia (nomenclatura de plantas)
1-1-1-4- Toponimia (nomenclatura de lugares y cosas)

Las narraciones:
1-2-1- Cuentos
1-2-2- Fábulas
1-2-3- Leyendas
1-2-4- Mitos

El coplerío y poesía popular comprende:

1-3-1- Coplas o cantas
1-3-2- Bambas
1-3-3- Corridos, galerones y ensaladas
1-3-4- Décimas y glosas de décima
1-3-5- Poemas típicos

La paremiología comprende:

1-4-1- Refranes
1-4-2- Dichos, comparaciones y exageraciones
1-4-3- Adivinanzas
1-4-4- Retahílas y trabalenguas
1-4-5- Jerigonzas y jitanjáforas

La segunda rama, que hemos llamado folklore musical, se expresa por medio del sonido instrumental o vocal. Incluimos en este género (encabezado con el número 2 de la clasificación decimal):

2-1- Tonadas y cantos indígenas
2-2- Tonadas y cantos mestizos
2-3- Tonadas y cantos mulatos y negros
2-4- Instrumentos indígenas
2-5- Instrumentos mestizos
2-6- Instrumentos mulatos y negros

Las tonadas y cantos indígenas comprenden:

2-1-1- De fertilidad y cosecha, caza y pesca
2-1-2- De iniciación, pubertad e himeneo
2-1-3- De conjuro, exorcismo o ensalmo médico
2-1-4- De cuna o arrullo
2-1-5- De estreno de vivienda y anfitriones
2-1-6- De libación y preparación de bebidas
2-1-7- De viaje
2-1-8- De guerra
2-1-9- De funebria

Los instrumentos musicales (organología) comprenden cuatro géneros:

2-4-1- Aerófonos
2-4-2- Membranófonos
2-4-3- Idiófonos
2-4-4- Cordófonos

Los aerófonos son de nueve clases:

2-4-1-1- LIB (libres)
2-4-1-2- SS (silbato simple)
2-4-1-3- SM (silbato múltiple)
2-4-1-4- EM (embocadura)
2-4-1-5- BQ (boquilla)
2-4-1-6- LS (lengüeta simple)
2-4-1-7- LM (lengüeta múltiple)
2-4-1-8- SIR (siringa o flauta de Pan)
2-4-1-9- OCR (ocarina)

Los membranófonos son de cinco clases:

2-4-2-1- IM.FA (una membrana y fondo abierto)
2-4-2-2- IM.FC (una membrana y fondo cerrado)
2-4-2-3- IM Pf. (una membrana perforada)
2-4-2-4- 2M (dos membranas)
2-4-2-5- MAD (tambores de madera)

Los idiófonos son de seis clases:

2-4-3-1- CH (choque)
2-4-3-2- ECH (entrechoque)
2-4-3-3- SAC (sacudimiento)
2-4-3-4- FR (fricción)
2-4-3-5- PER (percusión)
2-4-3-6- LEN (lengüeta)

Los cordófonos son de cuatro clases:

2-4-4-1- PUL (pulsación)
2-4-4-2- FR (fricción)
2-4-4-3- PER (percusión)
2-4-4-4- AM (arco musical)

La tercera rama, que hemos llamado folklore coreográfico, se expresa por medio del movimiento ritmo-plástico del cuerpo humano, solo o auxiliado por la música o por la acción dramática o por ambas a la vez. Incluimos en este género (encabezado con el número 3 de la clasificación decimal):

3-1- Danzas indígenas
3-2- Danzas mestizas
3-3- Danzas mulatas y negras
3-4- Parafernalia y atuendo vestuario
3-5- Juegos coreográficos (mojigangas y sainetes danzados)

Las danzas indígenas comprenden los mismos géneros de las tonadas y cantos indígenas y se ordenan con la misma numeración de éstos pero cambiando la serie inicial (2-1) por la de 3-1.

La cuarta rama, que hemos denominado folklore demosófico, se expresa por medio de todas las actividades no comprendidas en las tres ramas anteriores pero que pertenecen al saber popular tradicional.

Este género (encabezado con el número 4 de la clasificación decimal) comprende:

4-1- Vivienda
4-2- Artesanías
4-3- Medicina empírica
4-4- Bromatología
4-5- Usos y costumbres
4-6- Supersticiones

El capítulo de vivienda comprende:

4-1-1- Vivienda indígena
4-1-2- Vivienda mestiza y mulata

Las artesanías comprenden los artículos que por sus materiales se diferencian en cuarenta géneros distintos (que se clasifican en el renglón 4-2-): alfeñique, algodón, arcilla, azúcar, barniz de Pasto, bejuco, calabazo o totumo, caña, caucho, cera, coco, concha, crin, cuero y tripa, cuerno, chusque, dientes, esparto, fique, guadua, harinas y cereales, hierro y acero, hojas vegetales, hueso, junco, lana, madera, majagua y cortezas, metales finos, mimbre, paja, palmas, pauche, balso, tusa y similares, piedra, plumería, resinas, aceites y mantecas, semillas, tagua, tintes (achiote, jagua, carayurú, etc.) de uso vario, otros.

El capítulo de medicina empírica comprende la mágica indígena, la yerbatería, los ilusiógenos y alucinógenos, los venenos de flecha y serpiente y los contravenenos (renglón 4-3).

El capítulo de bromatología comprende la culinaria típica regional, las chichas, masatos y similares, la frutería general y la sitoplastia y dulcería general (renglón 4-4).

El capítulo de usos y costumbres comprende los festejos religiosos y patronales, los nacimientos, los nupciales, la funebria, las ferias ganaderas y agrícolas, comerciales, los festejos profanos de recreación, los deportes ancestrales y típicos, los juegos de suerte y azar y los pasatiempos y la lúdica general sin música (renglón 4-5-).

El capítulo de las supersticiones comprende los agüeros, los rezos, oraciones, conjuros y hechizos, los familiares y ayudaos, los talismanes o amuletos y las velaciones de vivos (4-6).

Cundinamarca, Boyacá y Santanderes

1-1- *El habla*. La zona que comprende los departamentos de Cundinamarca, Boyacá y Santanderes Norte y Sur resulta notablemente rica en el folklore literario porque en ella confluyeron, por la parte nativa, las manifestaciones de la cultura más importante entre las colombianas como era la del imperio chibcha y, por parte de la aculturación hispana, también las formas más destacadas de la cultura foránea en razón de estar allí precisamente la sede central del gobierno en el Nuevo Reino de Granada, residencia obligada de los oidores, virreyes, presidentes y notables inmigrantes. Así en el capítulo del habla popular resulta muy explicable la presencia de innumerables voces chibchas y la curiosa supervivencia de abundantes arcaísmos castellanos, propios del siglo de oro español y que hoy ya no son de uso en la península hispana aunque aparezcan en los mejores escritores clásicos de la lengua. En Cundinamarca, Boyacá y parte de Santander del Sur encontramos en plenas postrimerías del siglo XX términos como éstos en el vocabulario campesino:

1-1-1- *(Arcaísmos)*: agora (ahora), asina (así), agüelo (abuelo), asiéntese (siéntese), arremangar (remangar), cuasi (casi), creigo (creo), dotor (doctor), dentrar (entrar), fizo (hizo), endenantes (en antes), entual (tan pronto), endespués (después), jilito (hilito), jilar (hilar), juso (huso), jeder (heder), juyir (huir), lamber (lamer), maña (manía), malquisto (malqueri-do), ñor y ña (señor y doña), quesque (dizque), riyó (rió), sumercé (vuesa merced), temisto (temeroso), talito (diminutivo de tal), tuavía (todavía), entuavía (aún todavía), truje (traje, de traer), toy (estoy), hora (ahora), mesmo (mismo), vusté (usted), vide (vi), mero (solo), apenitas (tan pronto como), táte (quédate), arrempujó (empujó), misiá (mi señora).

Por parte del ancestro indígena encontramos que la mayoría de los nombres de ciudades, aldeas, corregimientos y veredas, así como muchos apellidos de estos departamentos son voces chibchas, por ejemplo:
Boyacá (manto real), Tunja (alhaja, joya), Bogotá, antes Bacatá (fuera de la labranza), Chiquinquirá (ciudad de jeques o sacerdotes), Sogamoso, antes Sugamuxi o Suamox (morada del sol), Tundama (a mí el tributo), Iguaque (laguna viajera), Pesca (fortaleza espíritu), Sutatausa (regalo del soberano), Ramiriquí (caolín o tierra blanca), Covarachía (escondite de la luna), Chía (luna), Somondoco (el ojo del sol al otro lado), Fúquene (el lecho de Fu, demonio en figura de zorro), Fúmeque, hoy Fómeque (rincón de los zorros), Firavitoba (cuántas nubes), Gámeza (intacto), Moniquirá

Arriba: *la tradicional banda de pueblo preside todos los festejos populares.*

antes Monquirá (ciudad del otro lado), Turmequé (el mercado), Soatá, antes Soabá (tierra del maíz), Simijaca (pluma de lechuza), Samacá (detened la noche), Motavita (fin de la oscuridad), Cota (cosa ondeada), Tequendama (precipitarse allá), Guatavita (extremo de la cordillera), Guasca (falda del cerro), Ubaque, antes Ebaque (señor del bosque o la madera), Muequetá (campo de labranza), Cajicá (fortaleza de piedra), Facatativá (fortaleza de la fortaleza), Busbanzá (exento de gravamen), Toca (boquerón), Tocancipá (boquerón del Zipa), Tobazá (sin nubes), Chipatá (labor de

la luna), Chocontá (plantío), Gachetá (campo de las penas), Suta (soberano), Cucunubá (aroma de las flores). Asimismo las voces: Cuba (el menor), Cubio (tubérculo comestible), Cucubo (árbol), Cuítiba (insecto), Cura (aguacate o palte), Curuba, Uchuba (frutas), Chingue (traje breve o camisón), Chusque, Guadua (gramíneas), Fique (planta textil), Guabina, Guapucha (peces), Quincha (picaflor), Toche (ave canora), Quiche (planta parásita), Tegua (médico empírico), Tunjo (joya), etc.

1-1-1-1- (Antroponimia): Es la manera caprichosa y regional de denominar

bogotanos «rolos» o patojos (por el uso del calzado de cuero que al decir de los campesinos les hace caminar con los pies torcidos); a los habitantes del altiplano cundi-boyacense, en donde estaba asentado el reino de la Colonia, «reinosos». A los de Usaquén «lambepiedras» por las muchas canteras del lugar; a los de La Calera «patiasaos» por la abundancia de cal viva en los suelos; a los de Funza «guapucheros» por la abundancia de las guapuchas, pescaditos de las chuchas y vallados y a los vendedores de esos peces. A los de Zipaquirá «salaos» por las minas de sal de la locali-

nuestro padre), Paipa (padre), Susa (paja blanca), Fusagasugá (mujer que se esconde), Usme (vuestro nido), Cáqueza (no hay pelea), Tena (tierra baja), Zipacón (lamento del Zipa), Sopó (guerra), Tibacuy (capitán de los orfebres), Sorocotá (camino largo y escarpado), Gachancipá (duelo del Zipa), Ubaté (campo de sangre), Choachí, antes Chiguachi (reflejo de

a las gentes, según sus características más destacadas, y que están revestidas de un sentido gracioso o humorístico. A la manera de apodos con que se motejan las gentes de una región por sus defectos, oficios predominantes o gustos particulares. Así en Bogotá denominan «califios» o calentanos a todos los provincianos; en otras regiones del país llaman a los

dad; a los de Tabio «maiceros» por los cultivos de maíz; a los de Tocancipá «pisabarros» por la abundancia de arcillas y la industria tradicional de olleros de barro; a los de Gachancipá

Arriba: *en los pueblos de Cundinamarca, son frecuentes las carreras de burros que despiertan gran entusiasmo.*

«chulos» por el consumo de carne que permite compararlos con los gallinazos, voraces carnívoros; a los de Sopó «requesones» por la industria lechera y quesera; a los de Chía «tragatallos» por el gran consumo de esta hortaliza. A los de Guatavita «pelacueros» por las tenerías y curtiembres; a los de Guasca «ahumaos» (¿por las carboneras vegetales?); a los de Cogua «garroteros» por el uso del bordón o perrero; a los de Nemocón «tragarrudas» por la abundancia de la yerba llamada ruda; a los de Boavita «niguatosos» por las niguas; a los de Soatá «pisapasito» por lo mismo de los anteriores; a los de Macaravita y Capitanejo «cotudos» por la frecuencia del bocio endémico o «coto»; a los de Chita «mute-de-habas» por el consumo de este plato típico, etc.

1-1-1-2- (Zoonimia): Es la manera caprichosa y regional de denominar a los diversos animales y que responde a la necesidad de nombrarlos de modo más gráfico y gracioso o más doméstico. Constituyen la fauna típica por sus nombres populares. Al armadillo se le llama también en esta zona: jusa y armajusa; a la tortuga, morrocoyo; a la zarigüeya, runcho, fara o jara; al caballo, mocho, rango, teque; al burro, pulecio, orejas, orejón; a los terneros, becerros o recentales; a los perros, gozques, chandosos, canchosos; al gallinazo, chulo y guale; al borugo o boruga, guatinajo; a la danta (anta o anteburro), gran-bestia; al cerdo montés, saíno; al pájaro tucán, dios-te-dé.

1-1-1-3- (Fitonimia): Es la manera regional de denominar a las plantas y a veces la voz caprichosa con que se les designa por similitud de apariencia o por las virtudes medicinales o mágicas de los vegetales en cada caso. Es la flora regional por sus nombres vulgares; así al floripondio o datura, borrachero, cacao sabanero, burundanga; a la ayahuasca, caapi o banisteria; a la aristolochia, gallo de monte, zaragoza; a la chonta, cachipay, cachineya, cachimeya, macana, pijivaos, pisbaes; a la achira, nacuma, bore; al pedrofernández o nogalillo, chiraco y pedrohernández; a la papa, turma; al eucaliptus, ocálito; al aguacate, curo; a la higuera, brevo; al guayacán, chicalá.

1-1-1-4- (Toponimia): Es la manera caprichosa y regional de denominar a los lugares, pueblos, montes, ríos, veredas, viviendas, parajes, etc. Peña negra, alto del olivo, alto de la paja, del totumo, de las cruces, etc. Vega de la quebrada de don Pedro, Vega del gaque, Barranca bermeja, Vaho de las vacas, Boquerón de Tausa, Malabrigo, Paloquemao, Ventaquemada. Otros nombres típicos para las partes del cuerpo como «la totuma» para la cabeza; o para la misma, la porra, la pepa, la mula, la azotea, el tejao; «jaula» a las costillas; «flautas» a los huesos de las piernas y los brazos; «mutes» a los ojos; «la singüeso» a la lengua; «mechas» a los cabellos; tripa o buche al estómago; remos a las piernas; pezuñas a los pies; garras a los zapatos; bijuacá a la romaza o al cigarrillo ordinario; lavagallos, pichón y palito a los aguardientes; gurbia al hambre y sedón a la sed intensa; carraca a la mandíbula; ñatas a la nariz, etc.

1-1-2- Dejo regional, tonada o acento. Es el modo especial que tienen las gentes de una región para pronunciar las palabras y frases con un acento característico y un ritmo fonético propio de ellas. Así el dejo característico de los bogotanos o rolos, el de los boyacenses o de los santandereanos es menos marcado y diferenciado que el de otras regiones del país como las costas, los llanos y aun regiones de la misma área andina como Antioquia que se diferencia notablemente de Nariño o del Huila.

1-1-3- Giros locales. Otro tanto puede decirse de las locuciones, motes, interjecciones y frases típicas de ciertas regiones. Así el «alita, nada que te pinte» de los bogotanos, el «vainoso hijuepuente» de los santandereanos o el «si tas bien puay, táte puay» de los boyacenses. Los ejemplos de estos giros, como el de los dejos, deben establecerse por medio de grabaciones fonéticas.

1-1-4- Contracciones y deformaciones. Son limitaciones de los vocablos, recortes o supresiones, sílabas o letras iniciales, intermedias o terminales que se quitan, ya por estar subentendidas, por comodidad o rapidez en la locución o por corruptela del uso popular. Veamos algunos ejemplos: «Hora sí que toy canso e trerle» por «ahora sí que estoy cansado de traerle», «Zipa» y «Faca» y «Fusa» por Zipaquirá, Facatativá y Fusagasugá.

Campesino tocando la flauta, muy característico de la zona andina.

1-2-1- Narraciones. Son la descripción oral (denominada en folklore literatura oral) y a veces consignada en lo escrito, de lo que relatan los campesinos en forma elemental (relates en Cundinamarca) y en el lenguaje en que ellos se comunican (habla popular); a veces estructurados en forma literaria por escritores profesionales pero que han sabido conservar el léxico, los giros típicos y la sintaxis característica del lenguaje regional para mantenerse dentro del ámbito folklórico.

La mayor parte de los cuentos de esta zona adolecen —desde el punto de vista folklórico— de la forma literaria, retórica en ocasiones, que les asimila a la cuentística erudita. Aun en el género más usual que es el del costumbrismo. Citaremos a José María Vergara y Vergara autor de «El chino de Bogotá», «Consejos a mi potro» y «Las tres tazas» que son cuadros de costumbres. A José David Guarín en «Entre usted que se moja», «Mi cometa», «Vamos a fiestas», «Mi pri-

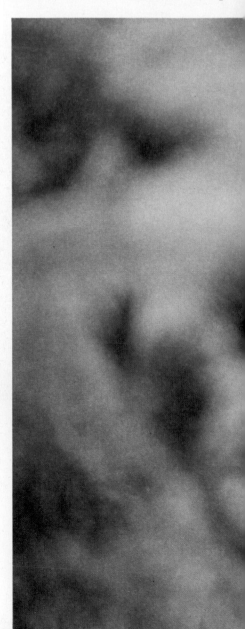

150

mer caballo», etc. A José Manuel Groot, autor de «La barbería», «La tienda de don Antuco», etc. A Octavio Amórtegui, autor de «Fray Simplicio y otros cuentos», «De incógnito en la vida» y «El demonio interior»; a Tomás Vargas Osorio, autor de «Cuentos santandereanos»; a Eduardo Caballero Calderón cuyos relatos contienen material cuentístico en abundancia y algunos cuentos con proyección a novela como «Manuel Pacho», «Diario de Tipacoque», «El cristo de espaldas», «Siervos sin tierra» y «Cuentos infantiles». A Antonio García, autor del libro de cuentos «Colombia, S.A.». Tal vez uno de sus cuentos mejor ambientados en el folklore es el llamado «Porvenir». A Jorge Zalamea, autor del cuento «La grieta» y del relato «Las metamorfosis de Su Excelencia». A Hernando Téllez, autor de los cuentos «Cenizas para el viento y otras historias». A Elisa Mújica, autora del libro de cuentos «Angela y el diablo». A Arturo Laguado, autor del libro de cuentos «La rapsodia de Morris». A Pedro Gómez Valderrama, autor de la colección de cuentos «El retablo de Maese Pedro». A Antonio Montaña, autor de «El aire turbio» y otros cuentos, como los del libro «Cuando termine la lluvia». A Helena Araújo, autora de «La M de las moscas». A Nicolás Suescún, autor de los libros «Trece cuentos colombianos» y «El retorno a casa». Puede decirse sin error que el cuento folklórico propiamente dicho no tiene en esta zona un ejemplo que sea modelo del género como sí lo tiene en buen número el cuento literario erudito.

1-2-2- Fábulas. La fábula es una narración corta en la cual se presenta de modo ejemplar y generalmente con una conclusión que enseña principios de sabiduría (prudencia, desconfianza en los peligros, astucia, serenidad, valor y rectitud de carácter). La conclusión, llamada moraleja, puede estar manifiesta en la relación o solamente sugerida. Para poder mostrar los diversos caracteres sin herir la susceptibilidad de los aludidos, se hace uso de la personificación con los animales que, por su índole más común, representan las virtudes o los vicios humanos. Así, como valores positivos, la fuerza del león, el valor del gallo, la prudencia de la paloma, la desconfianza del venado, la astucia de la zorra, la paciencia del burro, la fidelidad del perro, la laboriosidad de la hormiga, etc. y como valores negativos la timidez de la liebre, la terquedad de la mula, la torpeza de la gallina, el gregarismo de la oveja, la lentitud de la tortuga, la pereza del cerdo y aun la vanidad del hombre. El género fábula, tan usado en la literatura infantil, oral o escrita, complace mucho a nuestros campesinos de todas las regiones. Recordemos las relativas a las picardías del conejo, los chascos del tío tigre o del sapo.

Doble página posterior: *grupo de campesinos alrededor de una fogata: tiempo de tertulia y confidencias.*

1-2-3- Leyendas. Son narraciones que tienen principio en recuerdos históricos o en hazañas, pero a las que se agregan fantasías y habladurías populares. No sólo refieren los sucesos reales ocurridos sino otros de dudosa veracidad o misteriosos. Notables son las trascritas por Lilia Montaña de Silva Celis en su libro «Mitos, leyendas y tradiciones del lago de Tota», como «La aparición de los Chihicas» o la de «Los hermanos encantados», tal vez las mejores leyendas del libro. También en esta área otros escritores han tratado el género, como Rodríguez Frayle, Caicedo Rojas, Leónidas Peñuela, Otero D'Acosta, Quijano Otero, la condesa de Podewills y el historiador Manuel José Forero; de este último se destacan sus libros «Leyendas históricas de Santa Fe y Bogotá» en dos tomos. Con todo, debemos anotar que en este género, lo mismo que en el cuento y la fábula, son escasos los de tipo puramente folklórico.

1-2-4- Mitos. Llamamos «mitos» en general a una serie de personificaciones de las fuerzas naturales que gobiernan la vida del pueblo, especialmente en el ámbito campesino. Muchos de ellos poseen una categoría de creaciones filosóficas (teogonías) y de simbolizaciones artísticas (tótems) que vienen a representar una especie de grupos tutelares que serían a la vez amos de los seres mortales y servidores suyos merced a las advocaciones realizadas para conseguir su favor o su ayuda. Son por ello a la vez enemigos temibles que pueden transformarse en amigos poderosos. Todo depende del comportamiento que sepamos observar y del respeto que les otorguemos. Es notable esta tendencia moral que en nuestras tribus primitivas determina el trato que se debe a los animales y seres vegetales y aun a ríos, lagunas, montes, etc. terminando en aumento de categorías hasta la luna y el sol. De tal modo aparece el universo como una gran familia o una hermandad de todos los seres que han de estar en armonía para el buen suceso de la vida humana. Separamos los mitos en: mayores, menores y espantos. Los mayores constituyen una especie de deidades tutelares; los menores se asimilan a genios maléficos o traviesos; los espantos son simples visiones o sugestiones que se emparentan con los espíritus o ánimas de los muertos y se localizan en los

lugares sombríos, lóbregos o medrosos como cementerios, graneros, casonas derruidas, edificaciones muy antiguas, parajes solitarios, etc. Entre los mayores, en esta zona, citaremos: La Madremonte. Es un personaje tan notable como la «madre-montaña» de los griegos o su par americana, la Pacha-mama de los incas. La Madremonte es deidad tutelar que impera en la selva y rige los vientos y las lluvias y toda la naturaleza vegetal. No tiene representación material definida, lo que le presta un carácter de deidad de alta categoría. Tampoco la tuvo el Pachacamac de los incas que sólo podía invocarse mediante un

gesto particular. Tampoco el dic supremo de los muiscas: Chiminir gagua. Dicen los monteros que I Madremonte vive en un rincón de I selva, a la sombra de una gran piedr. Cuando viene la época de las lluvia en las cabeceras de los ríos y éstc crecen su caudal, el agua baja revuelt y arrastra en su corriente toda clase d despojos: maderas podridas, frutc dañados, cadáveres de muchos an males que han sido barridos por la lluvias y torrentes desde las orilla y que, descompuestos, emponzoña las aguas haciéndolas nocivas para baño. La imaginación popular, par explicarse el efecto nocivo de est:

antioqueña que se detalla en los mitos de dicha zona (tomo II). El Mohán o Moján es otro espíritu tutelar de las aguas y en consecuencia de su importancia, mito mayor. Vive en los pozos oscuros de los ríos y quebradas tropicales y ahoga a quienes pretenden violar sus dominios; es pues el responsable de la muerte de los que perecen ahogados en los ríos selváticos. Su nombre corresponde a la voz «mojas» con que los chibchas denominan a sus sacerdotes o hechiceros. Los campesinos de Cundinamarca atribuyen a los mojanes la crecida de los ríos y no a la Madreagua. La Candileja o Luz viajera es considerada como compañera del Mohán aunque se trata de un mito menor. Es una luminaria o luz a la cual, por no sabérsele el origen o causa, se atribuye una personificación fantástica. Así los fuegos fatuos causados por huesos o por metales enterrados, de cuya descomposición o alteraciones salen gases que se encienden al aflorar a tierra, o bien al resplandor lejano de algún tabaco encendido que lleva el caminante nocturno, o a una luminaria que hace cierto recorrido y que es originada por la lumbre que alguna persona lleva desde un rancho a otro, o por cocuyos, cuyo cuerpo es luminiscente, etc. Todas éstas son oportunidades de que se atribuya tal luz al personaje misterioso llamada La Candileja o luz viajera. Se le suponen virtudes mágicas para causar daño a las gentes. Entre los espantos propiamente dichos hay en esta zona algunos como el Coco, el Duende, la Mula de tres patas o mula coscoja que aparecía —siempre como ruido— en la antigua Santa Fe de Bogotá y otras ciudades y cuya marcha nocturna, en que posiblemente faltaba una herradura, asociaba la idea de una mula de tres patas. El cura sin cabeza, la mano peluda, la mano negra, la vieja Inés, (que camina y no tiene pies) y el Mandingas, son los más conocidos.
1-3-1- Coplerío. Las Cantas. La voz «copla», del latín copulam que signi-

guas, sin apelar a razones científicas que no conoce, lo atribuye a que la Madremonte se bañó en el río y con̄aminó las aguas para que ningún mortal pretenda lavarse en ellas. La desobediencia es castigada por la Madremonte con la aparición de ronchas y pústulas en la piel, cosa que ocurre explicablemente por la infestación del agua crecida. El agua está embarbasada o picada, dicen los campesinos. Este mito parece identificarse con Daybagdódjira entre los indios Barinotilón del Catatumbo, tribu chibcha.

La Patasola no es exactamente el gran mito de la zona antioqueña porque en Cundinamarca y Boyacá es sólo un personaje misterioso que rapta a los niños cuando lloran mucho o hacen travesuras. Se identifica en este caso con la Mancarita de Santander y por ello sería más bien un mito menor. Esta última se relaciona con una leyenda popular en que una mujer a causa de sus perversiones y brujerías perdió un brazo y fue la manca Rita, que tal era su nombre y de allí nació la voz «mancarita». Por una reyerta con la madre en que Rita intentó asesinarla con un cuchillo, perdió el brazo que llevaba el arma. En cambio, en la región del Carare (Santander) aparece la verdadera Patasola, similar a la fica enlace, unión, acoplamiento, es la acomodación de un verso con otros para formar la estrofa. La copla es pues este enlace de versos que se dicen como comentario breve o como diálogo satírico entre dos o más cantores o troveros, o bien que se cantan al compás de una tonada. Como la voz es no sólo el instrumento más directo de la expresión dramática sino el medio de comunicación ideológica más elemental, es claro que para el pueblo la copla ha de ser la expresión más elocuente de su sentimiento, más aún cuando aparece ayudada por la música en la forma cantada o canción o canta como típicamente se llama a la copla, no sólo en Colombia sino en Venezuela. Las características de la copla folklórica son cinco. 1.- Lleva cuatro versos en que riman el segundo y el cuarto, generalmente en consonancia, ocasionalmente en asonancia. 2.- La medida silábica de estos versos sigue cuatro fórmulas que son: a) octosílabos todos los cuatro versos; b) octosílabos el primero y el tercero

y heptasílabos el segundo y el cuarto; c) heptasílabo el primero y octosílabos los tres restantes; d) heptasílabos el primero y el tercero y octosílabos el segundo y el cuarto. Estas fórmulas son más o menos frecuentes; así la de 8-8-8-8 (53 %); 8-7-8-7 (22 %); 7-8-8-8 (12 %) y 8-7-8-7 (6 %); 3.- El lenguaje usado en estas coplas es eminentemente campesino; 4.- Su significado ha de tener gracia (humorística, irónica, picaresca, etc.).

El origen de nuestra copla es lógicamente mestizo como lo es la gran mayoría de nuestra población campesina. El ancestro español se encuentra en las formas populares de la poesía hispana: saetas, serranas, serranillas, seguidillas, endechas, romances, décimas o espinelas. El ancestro indígena se halla en los copleríos taíno-caribe y quéchua para el caso americano general y en el coplerío chibcha para el caso de esta zona. Ya los cronistas de Indias dieron fe de la existencia de esta forma cantada entre los indios del altiplano cundi-boyacense. Lucas

Fernández de Piedrahíta dice textualmente: «Tenían los muiscas el hábito de hacer a sus ídolos ofrendas con música y danzas que continuaban después de la ceremonia y que acompañaban con sus fotutos y tambores. Cantaban canciones arregladas a cierta medida y consonancia a manera de endechas y villancicos.»

1-3-2- *Las Bambas* son sucesiones de coplas con un verso de pie forzado que sirve para el comienzo de cada copla. En Boyacá son muy populares las del armadillo: «Esto dijo el armadillo / subido en un arboloco: / ni me subo ni me bajo / ni dejo subir tampoco»; «Esto dijo el armadillo / al pasar por el cuartel: / si no juera por la cuzca / yo servía pa coronel»; «Esto dijo el armadillo / trabajando en la barranca: / por qué me daría mi Dios / tanta juerza en la palanca».

1-3-3- *Corridos* son narraciones que han tomado como modelo el antiguo romance hispano, anónimo en su mayoría pero que no conserva exactamente las características de verso octosilábico asonante del romance sino que mezcla el asonante con el consonante y varía en la medida silábica. De la época en que Casanare pertenecía a Boyacá fue muy popular en el oriente de Boyacá el corrido llamado «del Zancudo» que decía: «Un hombre se fue a cazar / y el perro latió mu-

folk fuere evidente. El único caso ejemplar de poema típico de consideración pertenece precisamente a esta zona primera pues corresponde a Boyacá. Es la obra en 45 cuartetas de copla llamada «Historia de José Resurrección Ramos» o Historia de un indio contada por él mismo. Su texto, escrito por el doctor Antonio Morales, magistrado de Tunja que vivió largos años entre el campesinado de Boyacá hasta el punto de dominar el vocabulario rústico usado en su poema con gran exactitud. El comienzo de este poema, joya típica del folklore literario, dice: «Soy José Résurrición / y mi apelativo es Ramos; / toy pa servirle a mis amos / con toda satisjaición. / Yo no supe onde nací, / pasque jué en Sutapelao / y endespués que tuve criao / metrujeron pa Monguí. / Mi agüelo era Luis Mocó / y dicen quera de Sora / y mi mamita señora / creigo quera de Sopó. / (Ver texto completo en la obra Compendio general de Folklore colombiano, tercera edición, serie tercera de la Biblioteca

Básica colombiana, tomo 24, editado por el instituto colombiano de Cultura).

1-4- Paremiología. Esta palabra se deriva de la voz griega «paroimía» que traduce refrán y de la voz logía, estudio de. Podría reemplazarse en parte por «refranero» pero la paremiología comprende además los dichos y cachos, las comparaciones y exageraciones, las adivinanzas, las retahílas y trabalenguas, las jerigonzas y las jitanjáforas.

1-4-1- El refranero no tiene entre nosotros muy numerosos ejemplos ya que se trata de una derivación del refranero hispano; la mayor parte de ellos tiene más relación con los dichos que con los proverbios. Son muy populares los que se diferencian de los modelos extranjeros, por su léxico y manera de construirse; así en vez del

Esta doble página *recoge el baile del bambuco, máscaras populares y procesión de Corpus Christie en Cundinamarca.*

duro, / y lo que vino cazando / fue un dingomandín zancudo. / Y el zancudo lo mataron / en medio diun matorral; / aunque fue el más chiquitico / siempre fue de caporal. / El nido deste animal / él era muy chiquitico: / lo andaba en cuarenta días / un antioqueño aburrido. / Del hueso de la cabeza / hicieron dos mil pilones / donde cabía un almud / cuando había muchos piones. / Del cuero deste animal / salieron tres mil tambores / y sobraron las correas / pa ponerles cargadores. / La rellena este animal / le mandaron una al cura / aunque fue la más pequeña / siempre fue de abarcadura. / Los muslos y contramuslos / mandaron pal hospital, / comieron 40 enfermos / y el médico y personal.»

1-3-4- En las variedades del coplerío denominadas galerón y ensalada, así como en la décima, no hay ejemplos populares en esta zona. En cambio, se encuentran romances arcaicos como una versión muy desfigurada del hispano del conde Olinso en el hallado en la vereda de Sote, vecina de la capital de Boyacá.

1-3-5- Poemas típicos. Solamente se consideran como del género «poema típico» obras cuyo léxico conserve el lenguaje propio del pueblo sin enmiendas o arreglos gramaticales y cuya aceptación por parte del hombre

hispano «a falta de pan, buenas son tortas», resulta más propio «cuando la chicha se acaba, los cunchos también son buenos». Así el antiguo de Berceo (siglo XIII) «uno piensa el vayo e otro el que lo ensiya» se transformó en el colombiano «una cosa piensa el burro y otra el que lo está enjalmando». Otros de la zona son: «El mico le dijo al mono: mira qué rabo tenés; y el mico le contestó: ¿y el tuyo no te lo ves?», «Hijo de tigre sale pintao, hijo de runcha rabipelao».

1-4-2- En el lenguaje campesino y aun en el de gentes urbanas son abundantes las frases hechas, similares a los refranes pero sin el contenido filosófico de éstos y que sólo se usan para abreviar explicaciones o situaciones. Estos son los dichos. Muchas veces hacen referencia a cuentos y anécdotas, a chascarrillos o cachos, episodios históricos, fábulas, etc. Buena parte de ellos llevan la frase anunciadora: «como dijo...». Así, refiriéndose a un centenario que vivió en el oriente de Bogotá, llamado Sandalio Castro, en

da no es con yeguas» para indicar que el trabajo ha de hacerse con gentes hábiles. «Subírsele la arretranca» a alguien por enojarse a causa de alguna molestia como sucede a los mulares cuando les ocurre este percance que los encabrita.

1-4-3- Adivinanzas. Entre nosotros revelan generalmente su origen hispano pero hay un buen cúmulo de adivinanzas criollas que muestran el sello de lo popular folk; así en esta zona primera encontramos algunas que, por su léxico y por su concepción rústica, indican el origen andino, como esta que, sin lugar a dudas, es una joya típica: «En un monte muy espeso canta un gallo sin pescuezo» (El hacha). O la que muestra la gran capacidad de observación de las gentes rurales: «Juan Guaraguao, más alto sentao que parao» (el perro). «Una señora bien aseñorada, entra a la casa y echa una bailada» o «En el monte reverdea y en la casa corcovea» (La escoba); o esta excelente, del tren, cuando llegaron a Colombia las

tandonte y traed una liebre godieble, pericondieble, tarantandieble, etc.» Las retahílas son series de palabras que pueden tener un sentido racional pero que al decirlas se establece cierto ritmo adecuado a formas de canto sencillo y se aplican con frecuencia como rondas en los juegos infantiles. Algunas se ejecutan a modo de prueba o competencia en la lúdica infantil. Así las que se dicen reteniendo el aliento por periodos lo más largos posibles, como la de «la gallina nicaragua puso un huevo en el alar, puso uno, puso dos, puso tres, etc., hasta donde fuere posible retener la respiración es decir, sin tomar aire. La citada aquí fue muy popular en Sopó (Cundinamarca).

1-4-5- Jerigonzas y jitanjáforas. Las jerigonzas son formas de lenguaje en clave usadas por ciertos gremios sociales como gamines, estudiantes, marineros, gitanos, etc. que se comunican de manera que los circunstantes no entiendan; para ello agregan una o más sílabas a cada sílaba del texto

cuya conversación abundaban los dichos, dio lugar a que se generalizara la frase: «Como dijo Sandalio Castro» que se aplicaba a muchísimos dichos, aun a los que no habían sido usados por él. Los dichos se convirtieron a veces en máximas como éstas usadas en Santander: «Mula negra me alegra y mula mora me enamora» para las mejores mulas; «Mula retinta, descansada brinca y mula acobrada la cara, que no le falte la carga», para las buenas pero pícaras; «Mula baya que se vaya», para las malas. Ramiro Lamo Arenas en sus notas sobre arriería trae otras máximas que son ya dichos populares. «La molien-

primeras locomotoras inglesas: «Un animalito inglés, camina y no tiene pies.»

1-4-4- Retahílas y trabalenguas. Como este último nombre lo indica, son palabras o frases de pronunciación dificultosa por razón de la repetición de sílabas alteradas, juegos de vocablos caprichosos, adecuados para confundir al que los dice o lee de corrido; ejemplo, ésta de Santander: «Una madre godable, pericotable, taratantable, tenía unos hijos godijos, pericontijos, tarantijos y tarantables. Les dijo: Hijos míos godijos, pericontijos, tarantijos y tarantables: id al monte godonte, pericondonte, taran-

hablado, deformándolo intencionalmente. O bien, alterando el final de cada palabra con una desinencia que mantenga sílabas de las mismas vocales finales de la palabra; así la locución «yo no tengo plata» puede deformarse en la jerigonza: «Loyo-lono-letenlogo-lapla-lata»; o bien: «yóboro nóboro ténbere góboro plábara tábara». Las jitanjáforas sólo expresan un ritmo de dicción, a la manera de los tarareos y sólo tienen una función puramente rítmica. Muy usadas en el conteo de los juegos infantiles como las muy conocidas de «Ene-tene-tú cape-nape-nú-emba-la-cá-di-sa-en tis-tus».

2-1- Tonadas y cantos indígenas. El concepto de la música para los indígenas representa una vivencia trascendental ya que ellos la toman, como sus restantes formas de arte: danza, teatro, magia, a modo de práctica religiosa o rito. En razón de este principio su música no puede tener jamás el carácter de pasatiempo o recreación frívola que se halla en la música popular o mesomúsica. Por ello su funcionalismo obliga a clasificarla en géneros de aplicación utilitaria. Así se han establecido diez géneros que son: 1- De fertilidad, cosecha, caza y pesca; 2- De pubertad, himeneo e iniciación; 3- De conjuro, ensalmo o exorcismo médico; 4- De cuna o arrullo; 5- De estreno de vivienda, anfitriones y bienvenida; 6- De libación y preparación de bebidas; 7- De viaje; 8- De guerra; 9- De funebria; 10- Indeterminado. En la zona primera encontramos unos pocos cantos, tonadas y aires que podemos enumerar así: El canto del bautismo entre los tunebo de la región limítrofe con Arauca es entonado por el Kareka o brujo y se hace en una lengua fósil llamada «paleotegría». Se denomina en tunebo «Bakuna» este canto de iniciación. Otros cantos de los tunebo son: el de las golondrinas, el del yerbatero (Guarkuna), el de los micos (Sitramá), el de las pavas (Róbtara), el sanjaké y el coñore, indeterminados, el de los váquiros (Tusina), el llamado Chuvay que es una danza de los Achagua, el llamado Cativia y el de la palma de los Sáliva·y Piapoco; el de la consagración. de los tejidos, de los Bari–motilón. Los de animales y el de la palma son de fertilidad y cosecha; el Guarkuna es de ensalmo médico; el de la Cativia y el Chuvay, indeterminados; el de la consagración de los tejidos es un canto de labor que indirectamente hace referencia a la vegetación y por ello sería de cosecha o fertilidad.

2-2- Tonadas y cantos mestizos. Estos implican una fusión entre formas musicales indígenas con aires o tonadas de la cultura hispana. En esta zona encontramos un repertorio abundante de bambucos, torbellinos, guabina, pasillos y danzas criollas además de las formas dramatizadas en que se utiliza el torbellino.

2-3- Tonadas y cantos mulatos y negros. (Corresponden a otra zona).

2-4- Instrumentos indígenas. En esta zona encontramos el Botuto de tierra, de los indígenas Sáliba y la maraca Dadóo, el tambor Katsatí, la trompeta de calabazo. La ocarina Kara-kara de los tunebo.

2-5- Instrumentos mestizos. Las Bandolas de 12, 14, 15 y 16 cuerdas; los bombos o tamboras, el cacho de toro, los capadores en varias clases, la carraca o mandíbula de caballar, la concha de gurre o armadillo, las cucharas de palo, el chucho o alfandoque, la esterilla, el guache de totuma, la gui-

Izquierda: *desfile musical con «atril portátil», y tipleros de Santander.*
Abajo: *bailes en una verbena en Vélez (Santander).*

tarra criolla, la hojita de guayabo o naranjo, el marrano, variedad de zambumbia, la matraca de trinquete, ocarinas de tierra cocida, pandereta, pito de Santander, el quiribillo, la raspa o caña de ranuras, la raspa o caña de sonajas, el redoblante, el requinto, silbatos de arcilla, el tiple, el tiple-requinto, la zambumbia.

2-6- Instrumentos mulatos y negros. (Corresponden a otra zona)

La tercera rama del árbol del folklore comprende el folklore coreográfico, encabezado con el número 3 de la clasificación decimal.

3-1- Danzas indígenas. La mayoría de las tonadas indígenas mencionadas llevan danza correspondiente.

3-2 Danzas mestizas. Bambuco, torbellino, guabina chiquinquireña (exclusivamente, porque la guabina veleña que es la más auténtica, no lleva danza sino que utiliza en los interludios el torbellino), pasillo y danza criolla no se danzan y ya sus antiguas coreografías cuando se presentan lo hacen a modo de reconstrucción histórica con el atuendo vestuario del siglo XIX y comienzos del XX.

3-3- Danzas mulatas y negras. (Corresponden a otra zona.)

3-4- Parafernalia y atuendo vestuario. En las danzas indígenas se utilizan numerosos atributos agregados al traje normal y éstos están constitui-dos por coronas ceremoniales, manípulos, ajorcas, brazaletes, bastones, máscaras, pinturas faciales y corporales, etc. que varían según los géneros de danzas y según las tribus.

3-5- Juegos coreográficos. En esta zona abundan las formas dramatizadas que incorporan coreografía y música de las danzas típicas. Son especialmente abundantes las mojigangas o sainetes danzados como: el Angelito bailao, la Caña, el Disimulo o Coqueta, la Escoba, el Juso, la Manta jilada, la Mantecada, la Mata redonda, los Pasamanos, los Pastorcitos, las Perdices, los Saludos y el Surumangué o Surumanguito.

La cuarta rama del árbol del folklore comprende el folklore demosófico, encabezado con el número 4 de la clasificación decimal,

4-1- Vivienda. En el área indígena de esta zona encontramos el Bohío cónico techado de paja o palma y a veces a medio-cañón de los tunebo, la ramada de los Sáliba y Tinigua y el Rancho grande, rectangular con hojas de palma sobre 16 horcones en cuadros y muros de empalizadas; jaula en el centro de la casa para guardar vituallas y utensilios.

En el área mestiza encontramos el rancho de tapia pisada o de bahareque de chusque en regiones frías y de guaduas en los climas medios o cáli-dos, la choza pajiza de cuatro paredes de tapia (tierra pisada) con una sola puerta y una ventana a lo más, caballete a dos aguas. El bahareque de chusque utiliza a veces barro mezclado con boñiga de res vacuna o guadua rajada, pañetada una vez atada con bejucos. El uso de la teja de barro determina la existencia de chircales o tejares vecinos. En áreas urbanas la casa de ladrillo o adobe y a veces piedra y ocasionalmente en las ciudades antiguas de importancia (Bogotá, Tunja, Ocaña, Leiva, Cúcuta, San Gil, etc.), la casa colonial de estilo español clásico. Otros estilos que abundan en las zonas urbanas no representan en modo alguno nuestra vivienda típica.

4-2- Artesanías. De los rubros enumerados en el capítulo de taxonomía son tradicionales en esta zona los siguientes: el alfeñique en la confección de dulcería de molde (Sitoplastia), especialmente en Chiquinquirá, Capilla de Tenza, Arcabuco, Moniquirá, Vélez, Soatá, Bogotá, etc. la arcilla en Ráquira, Chiquinquirá y Gámeza, Tocancipá, La Mesa. El azúcar en Vélez, Chitagá, Moniquirá, La Capilla y Bogotá. El cuero en Santa Rosa y Cuche, Chocontá y Sogamoso. El cuerno en Tunja y Bogotá. El fique en Tipacoque, Pesca, Bogotá y Fómeque. Harinas y cereales en Bogotá

Arcabuco, Tunja, Sogamoso, etc. Hierro y acero en Bogotá, Sogamoso, Belén, Corrales, Facatativá. La lana en Nobsa, Lenguazaque, Sogamoso, Leiva, Sutamarchán, Chía, Usaquén, Iza, Gámeza, Pesca, Funza, Nemocón, Sopó. La madera en Duitama, Sogamoso, Bogotá y Santa Rosa. La paja en Tenza, Utica y Gualuas. Todas las artesanías llamadas productos de la selva se hallan principalmente en el área indígena.

4-3- Medicina empírica. Este inmenso renglón que abarca la magia indígena, la yerbatería, los bebedizos y pusanas, los ilusiógenos y alucinógenos, tiene en esta zona algunos aspectos de gran importancia como son el uso del fute, la tela de araña, el polvo de quicio, el cenizo o trompeto, el guargüerón, el paico, la leche de higuerón, etc. La magia indígena está circunscrita en esta zona al uso de la coca entre los Tunebo y en parte al tabaco. En el área mestiza son originales los usos del fute en Boyacá. Es éste una floración de hongos del maíz que se prepara pelando el cereal y enterrándolo envuelto en hojas, entre el fango del fondo de un pozo. A los diez días los granos se cubren de hongos o mohos y éstos son usados, mezclados con miel de abejas y suministrados por vía ingesta, para combatir o prevenir la fiebre puerperal; tópicamente se usa sólo para untarlo sobre las heridas. La razón de su eficacia, comprobada desde los tiempos del imperio chibcha, se debe a que dichos hongos no son otra cosa que el «Penicillium notatum» o penicilina que usaron nuestros muiscas y usan los campesinos de Boyacá, empíricamente, desde hace siglos, sin conocer el descubrimiento del sabio Fleming. El uso eficaz de la tela de arañas y el polvo de quicio, aunque mantiene el riesgo de infección secundaria, se debe a que en estas sustancias se encuentran hongos o mohos que son posiblemente el Streptomyces griseus o estreptomicina, útil en la acción antiséptica de heridas o lesiones de la piel. El uso de la telaraña en la tocología, cuando se corta el ombligo a los niños campesinos, tiene su fundamento terapéutico por la presencia de este antibiótico. Igualmente los usos del trompeto, guabo o cenizo en heridas y dolores consiguientes se explica por la acción de la boconina como analgésico en heridas supuradas y antiséptico activo. Los del guargüerón, el paico y la leche de higuerón, como cardiotónico el primero y como vermífugos y vermicidas los segundos, se explica por la presencia de glucósidos como la digitoxina en el guargüerón y del aceite de quenopodio y la ficina en los otros dos.

4-4- Bromatología. Es la parte relativa al tipismo en comidas y bebidas. En el área indígena de esta zona encontramos en la alimentación el maíz, la yuca, la papa, el plátano en diferentes preparaciones sencillas y —como todas las tribus— la pesca y la caza son bases alimentarias: la danta, el guatinajo, el venado, el conejo, el tatabro, el mico, el armadillo, la pava, el paujil, el pato y aun las hormigas y comejenes y como complemento el tabaco y la coca. Entre las bebidas la chicha de maíz y el majule o chicha de bananos. En el área mestiza nuestros campesinos de esos departamentos (Cundinamarca, Boyacá y Santander) tienen una culinaria más compleja y así son típicos el maíz pilado o «mote» las arepas de maíz y mazorca, el cuchuco sabanero de trigo y carne de cerdo, el ajiaco de papas y guascas con pollo, el cuchuco de cebada de Boyacá, el chocolate santafereño, el puchero bogotano, el mondongo de Santander y los tamales del mismo departamento, el cocido del oriente de Bogotá (papa pepina, cubios, rubas, chuguas, hibias, arracacha). Las chichas de Soacha, Chiquinquirá, Bogotá y los masatos, alojas, guarru-

Izquierda: *rodeo en Viota*.
Arriba: *rodeo a caballo en Santander*.

ces y horchatas de la misma capital.
4-5- Usos y costumbres. Entre los festejos son característicos en el área indígena de esta zona la cócora de los
Tunebo que es el rito de pubertad de
las muchachas en que las que van
a contraer matrimonio se rapan el
cabello y se ponen un gorro de hojas
de rascadera y en tanto se les cantan
las letanías de la cócora, que es el
nombre del gorro y el del ritual. Las
danzas de la tribu Sáliba que se celebran en Orocué el 14 de enero y los
bautismos o Bakuna de los Tunebo.
En el área mestiza se celebran numerosísimas fiestas: religiosas, reinados,
festivales musicales, ferias artesanales, concursos deportivos, etc.
En muchas de estas fiestas hay proce-
siones, rogativas, peregrinaciones
y romerías y en sus modalidades pro-
fanas varas de premio, vaca-locas,
fuegos artificiales o pirotecnia, galle-
ras, corralejas y deportes típicos. Los
juegos de azar se celebran habitualmente dentro de los festejos.

Los ritos de nacimiento, boda, y funebria tienen muy señaladas características en el área indígena; en el área
mestiza siguen las normas y usos de la
sociedad de consumo, comunes a todos los países hispanoamericanos.
4-6- Supersticiones. Otro tanto ocurre
con las hechicerías, agüeros y sortile-
gios que mezclan la copiosa herencia
hispana con las creencias mágicas
(magia negra y blanca) tomadas de las
culturas indígena y negra que inciden
en el mestizaje y el mulataje. Como
son más destacadas y curiosas en
otras zonas que se estudian en los
tomos venideros, no se detallan en la
presente zona de la región andina de
Cundinamarca, Boyacá y Santanderes.

Folklore musical del Llano

2-2-2-1- El joropo. Si entre los aires
mestizos hemos dicho que el torbellino es el que revela un más fuerte
ancestro indígena, el que denota más

el ancestro español, es el joropo. Tonada-base o tonada-tipo de la zona de
los Llanos Orientales de Colombia
zona que abarca la gran llanura oriental desde San Martín del Meta, hasta
Casanare de Boyacá y la Intendencia
de Arauca. Su origen tiene una indudable raíz española y, a semejanza del
jarabe mejicano, conserva, tanto en el
canto como en la coreografía, los
portamentos o arabescos de la voz
y el zapateo flamenco, a más de la
jacarandosa altisonancia, sin punto de
comparación con los aires y danzas
indígenas. La etimología de «joropo»
parece derivarse del arábigo xärop
que traduce «jarabe», sirope o hidro-
miel. Se sugirió la derivación del que-

*En los festivales del joropo, los conjuntos
compuestos de arpa, cuatro y maracas,
acompañan la danza. El joropo «se canta
lentamente hasta extinguirse, como la
pasión de algunos besos prolongados que
terminan en queja».*

hua huarapu (que dio origen a «guarapo») con base en la observación del viajero y explorador francés Edouard André, en la publicación América Equinoccial: Colombia - Ecuador, editada por Montaner, en Barcelona, por 1884, citado por Perdomo Escobar. Allí dice: «en los Llanos Orientales de Colombia se ejecuta una danza que, como su tonada musical, se llama "guarapo"». Agregamos: En Venezuela existe todavía en algunas regiones del llano, el guarapo, como tonada y danza, pero es el mismo joropo. El joropo casi siempre tiene como base del canto un relato en verso, más comúnmente de los llamados «corridos» y a veces bambas, ensaladas o simples sucesiones de coplas. El canto se desarrolla en forma muy particular y caprichosa y reviste frecuentes caídas de la voz, alteraciones del tono, melismas o arabescos que le dan gran vivacidad y que adelantan su ancestro de «cante jondo». Como el llano colombiano en su sector oriental continúa geográficamente en el Llano venezolano, el joropo pertenece por igual a ambos países, pero Venezuela lo ha hecho su tonada y danza nacional y le ha dado el prestigio y exaltación que merece. El instrumental típico usado tradicionalmente en el joropo colombiano consta de: cuatro, requinto y carraca. El bandolín que reemplazaba a veces

al requinto, está casi abandonado. Recientemente, ya en la región de Arauca por vecindad limítrofe, ya en los festivales populares pseudo-folklóricos y por esnobismo de turistas, se ha echado mano del arpa usada en Venezuela tradicionalmente, en cambio de nuestro requinto, y han agregado los «capachos» o maracas, en cambio de nuestra maravillosa carraca. Quienes hemos vivido la realidad llanera en diferentes épocas pasadas (1927, 1933, 1940) y en el ámbito de los hatos del «Llano adentro», no podemos transigir con estas adulteraciones del instrumental que en nada benefician la «calidad» de la música folklórica y le restan autenticidad. Lo mismo que el bandolín o bandola «pin-pon», se está abandonando el furruco.

Entre las confusiones que puntualiza Harry Davidson (Diccionario folklórico de Colombia) se hallan las de Santos Cifuentes y Piñeros Corpas, que nos parecen dignas de tomarse en cuenta. La primera presenta una conjetura de identidad entre el torbellino y el galerón. La segunda, entre el torbellino y el corrido. Anotamos que el galerón es precisamente un corrido desde el punto de vista del texto literario, pues la forma literaria folklórica en que el texto de coplerío se presenta en forma continua o seguida en narración de un mismo tema

se llama «corrido». Por ejemplo, el Corrido de las Aves, que comienza: «De las aves de los Llanos / te cantaré la ensalada / de varias que conocí / en el caudaloso Arauca; / azul es el azulejo / y parda la paraulata, / colorado el tornasol / y negro si el sol le falta», etc. Si el «corrido» lleva sus versos rimados en consonancia de «ao» a cada dos versos para obtener un efecto de monotonía apaciguadora de los ganados que se manejan con este canto, se llamará «galerón», como el que comienza: «gavilán pico amarillo / gavilán pico rosao; / si el gavilán se comiera / como se come el ganao / yo ya me hubiera comido / al gavilán colorao / pa quitarle la querencia / que tiene en el otro lao», etc. Sabemos, además, que el galerón se canta obviamente en aire de joropo que es la tonada dominante en toda la zona llanera. Pues bien: resultan muy fáciles de comprobar extrañas relaciones rítmicas y aun melódicas entre joropo y torbellino al hacer la sencilla prueba de escuchar en velocidad de 3.75 un joropo grabado a velocidad de 7.5. Lo que se escucha tiene gran semejanza con un torbellino.

2-2-2-2- El galerón. Hay en el repertorio popular una pieza escrita por el músico Alejandro Wills y llamada «Galerón Llanero», con letra ambigua de coplerío y un mote de octosílabos y heptasílabos alternados que

reza: «aguas que lloviendo vienen...», etc., y de un estribillo de tres versos pentasílabos y dos trisílabos alternados con hexa y heptasílabo, respectivamente. Como se ve, es una estructura caprichosa que en el texto literario no corresponde a los galerones normales; tampoco en la parte musical, pues, como es sabido, Wills tomó de base un joropo aragüeño (Venezuela) antiguo, llamado precisamente «El Araguato» y que tenía curiosamente la misma estructura de un viejo torbellino colombiano llamado «El Rodeo». Modificó Wills el ritmo de «El Araguato», corriendo los acentos de la cuarta sílaba en los cuatro versos pentasílabos que estaban así:

> El araguato
> Señor Vicente
> fuma tabaco (y)
> bebe aguardiente.

a las segunda y quinta sílabas de los versos segundo, tercero y cuarto, dejando intacto el primero y acentuando también la sílaba final del cuarto,

> Ta-ra-la-lá-la
> Ta-rá-la-la-lá-la
> ta-rá-la-la-lá-la
> ta-rá-la-la-lá.

Los versos primero y cuarto se conservaron pentasílabos como en «El Araguato», pero segundo y tercero se hicieron hexasílabos.
O bien, si el modelo fue el torbellino «El Rodeo», que estaba medido así:

> Del rodeo la bulla empieza,
> se dispersan los vaqueros
> y sus gritos placenteros
> resuenan aquí y allá.

en que los cuatro octosílabos copleros (con defecto en el cuarto) se acentúan en las sílabas tercera y séptima. En el galerón de Wills ocurre algo semejante en el desarrollo de cada copla:

> El que bebe agua en tapara
> o se casa en tierra ajena
> no sabe si el agua es clara
> ni si la mujer es buena.

pues las sílabas tercera y séptima reciben el acento rítmico como «El Rodeo». Y la segunda parte de «El Rodeo» que está medida así:

> La manta toma,
> cuchillo y guala
> y el calaguala
> que calor da,
> y alegre el indio
> coplas cantando,
> la trocha andando
> feliz se va.

Se acentúan las sílabas cuartas de cada pentasílabo, con defecto de los versos cuarto y octavo en que se corta la sílaba final por ser fines de coplas. Hay, pues, similitud con el de Wills y casi identidad con el joropo aragüeño. De todo podemos deducir que Wills conoció ambos modelos, pero su galerón llanero no es galerón sino joropo en ritmo de galope y con influjo de torbellino.
Siendo el galerón esencialmente un canto, no es bien fundado el idear una coreografía especial. Ya hemos dicho que su ritmo básico es el del joropo y, por tanto, comoquiera que al cantar un galerón, no en su desarrollo funcional que es el manejo de ganados (canto de vaquería), sino en el sosiego de las estancias o casas de hatos y se desea bailar a su son, no puede hacerse cosa distinta de ejecutar las figuras del joropo. Las nuevas coreografías ideadas surgieron —a nuestro entender— por los años de 1937 a 38, cuando el supuesto galerón de Wills se puso en boga y los coreógrafos, con la mejor buena voluntad se decidieron a acondicionarle una

La palma simboliza fertilidad. Las coronas, ajorcas, brazaletes, máscaras y pinturas son atuendos imprescindibles, y varían según las actitudes y ceremonias.

164

165

planimetría y unos juegos estereométricos completamente convencionales que tienen más las características de un pequeño «ballet» que de un baile popular. Partieron de la base de las figuras del joropo, cosa que no estaba desacertada, pero le acomodaron una serie de «contrapunteos» de tacones, golpes de fusta y «flamenquerías» que nunca se vieron en la vida de la llanura oriental. La demostración más clara de esta tesis se halla en la circunstancia de que, sin excepción, los bailarines de galerón no utilizan en Colombia sino la música patrón de estas coreografías, que fue el supuesto galerón llanero de Wills.

2-2-2-3- El zumba-que-zumba. Esta variedad del joropo, que sólo puede serlo en cuanto a la letra del texto, tuvo posiblemente en sus orígenes un carácter festivo y satírico como su nombre lo indica. Hoy es un capricho musical sin compromiso de tema y asimilado a joropo normal en lo vocal, instrumental y coreográfico.

2-2-2-4- El pasaje. No es cosa diferente del joropo que es la tonada-base. Podría definirse como un joropo lento, cadencioso, en que el texto o letra utiliza de preferencia temas descriptivos, amorosos, líricos. A causa de la popularización del arpa venezolana en algunas zonas del Llano colombiano (Arauca y centros con vías carreteables), ha aumentado en forma muy notoria el repertorio de los «pasajes», hasta el punto de igualar y aun sobrepasar el de los joropos clásicos. Si el joropo, al modo del torbellino andino, usa más el coplerío regional que los textos poemáticos, en el Pasaje, como en el caso del bambuco, ocurre lo contrario: que los textos preferidos son las narraciones poemáticas, con unidad en la complexión como se requiere en las canciones líricas. Esto ha motivado el fenómeno de que la calidad literaria de los textos se ha rebajado en los pasajes, pues se ha echado mano de poemas mediocres o pésimos para musicalizarlos. No ocurrió eso en el bambuco, pues coincidió su auge con un notable desarrollo literario en que los músicos capitalinos tenían a su disposición todo el parnaso colombiano y un amplio repertorio de poesías extranjeras que se divulgaban en diarios y revistas con gran profusión en el siglo XIX y primeras décadas del XX. Aquí volvemos a destacar la distinción que hemos establecido siempre, de que cuando menos hay dos especies distintas en cada género musical (bambucos, torbellinos, guabinas) uno estructurado con mayor o menor técnica, y otro espontáneo, que es el que posee características más folklóricas. De la coreografía del pasaje nada puede decirse sino que es la misma del joropo, pero realizada con la lentitud requerida.

2-2-2-5- El seis. Es otra variedad de las formas del joropo. Si buscamos su origen en la etimología de la palabra que lo designa, hallamos diferente

Familiares y vecinos acuden en comparsa para celebrar la fiesta del venado.

versiones: una argumenta que se debe
al compás en que se ejecuta y que es
× 8; esto es válido únicamente para
una de las cinco clases de seis, existentes en Colombia: la llamada seis por
ocho, ya muy poco usada. Otra versión dice que pudo ser el seis de
Puerto Rico, danza zapateada en que
toman parte seis parejas de bailarines
y que se introdujo en Venezuela con
igual modalidad y dentro del género
de tonadas llamadas «golpes». Otra
tesis afirma que el nombre se debe
a que se ejecutaba a las 6 de la tarde,
o que recibía tal nombre por el instrumento llamado seis (existente todavía
en Venezuela) y que era una especie
de guitarruco.

Existen además del seis por derecho,
el seis por numeración o enumeración, el seis figuriao y el seis corrido.
Del seis por derecho no sabemos la
razón de su nombre; el seis por numeración, numerado o por enumera-
ción, es el que utiliza en el texto o letra
las enumeraciones, temas relaciona-
dos siempre con los números, como
los textos que siguen.

Quién dice que no son una / la rueda
de la fortuna; / quién dice que no son
dos / el romadizo y la tos; / quién dice
que no son tres / dos caballos y una
res», etc.

O aun nuestras viejas coplas: «Tres
cosas hay en el mundo / que no se
pueden cuidar: / una cocina sin puerta, / la mujer y un platanar». O la de:
«cuatro son los animales / que el
hombre debe temer: / y son el caimán
y el tigre, / la culebra y la mujer». O si
la enumeración es de relato, como la
de: «en Arauca estaba yo / cuando
reventó el cañón; / murió Páez, murió Bolívar, murió Cristóbal Colón, /
murieron los hombres guapos / que
formaron la Nación». Del seis figuriao que no hemos conocido sino de
nombre, supusimos ya que era llamado así quizá por las figuras del baile
y evidentemente la folkloróloga y et-
nomusicóloga Isabel Aretz confirmó
esta tesis en sus trabajos sobre los
aires llaneros de Venezuela. Por 1973
conocimos en los llanos de San Martín, una coreografía de joropo muy
rica en figuras, y que por ello se llama
«figuriao». Nos resta agregar que el
seis corrido es el que utiliza en su letra
o texto las narraciones llamadas corridos, tan populares en el Llano. Finalmente es conveniente observar que el
llamado joropo sanjuanero, es cosa
bien diferente a los aires del Llano.

Folklore coreográfico

3-2-2-1- El joropo. A más de lo dicho
en las págs. 162 y 163 debemos agregar que la danza del joropo puede
considerarse más bien como un baile,
ya que la expresión corporal se me-
noscaba por el fenómeno de la pareja
cogida, toda vez que las figuras aéreas
de la coreografía (estereometría) se
limitan al movimiento de los brazos
en posiciones laterales de distensión
y replexión y a veces de figuras de
arcos en la modalidad llamada «joropo figuriao»; normalmente las manos
de los danzarines permanecen «cogi-
das» en candado o por los dedos,
y esto limita la plasticidad de la figura, que se funde, por así decirlo, en un
doble cuerpo con cuatro brazos y los
ademanes se anulan virtualmente.
Más aún, en la figura del «valsiao» en
que se hace un simple baile de salón
sin contenido coreográfico. El joropo
no tiene siquiera el recurso del jarabe
mejicano —su hermano en origen—
de hacer danza suelta o individual.
No sabemos si en su forma primitiva,
anterior a medio siglo atrás, pudo
bailarse suelto como sus abuelos fla-
mencos que fueron esencialmente
danza. Tal vez la condición predominante del joropo como aire, que es un
canto y toque instrumental y sólo
a veces se acompaña o intenta inter-
pretar coreográficamente, le preste
tal característica de baile agarrado,
como se dice popularmente. Su riqueza está en las variedades de canto
e instrumentación que reciben un sin-
número de denominaciones que ve-
remos más adelante.

3-2-2-2- El galerón. Aparte de lo dicho
en las págs. 163 y siguientes, agrega-
remos que el galerón, como canto, no
lleva coreografía por tratarse de un
canto de labor, funcional por consiguiente, como los cantos de vaquería
del litoral Atlántico, como la zafra o,
en último término, como el paseo
vallenato, cuya función es la crónica
cantada. Se ha hecho la excepción del
impropiamente llamado «Galerón
llanero», pieza particular del músico
Alejandro Wills, cuya coreografía
afortunada del maestro Jacinto Jaramillo, ha hecho carrera en el público
de todo el país y desde su creación por
los años de 1938, se ha divulgado
hasta el punto de que es forzoso reco-
nocerle un puesto en el folklore coreográfico actual.

3-2-2-3- El zumba-que-zumba. Ya hemos dicho que si esta forma de corrido desea acompañarse con baile, el
expediente normal es ejecutar la coreografía del joropo dentro del ritmo
que señale el zumba-que-zumba.

3-2-2-4- El pasaje. En la pág. 166
explicamos cómo no era más sino un
joropo lírico en que la forma descrip-
tiva, lenta y cadenciosa de la ejecución, se presta admirablemente para
ser interpretado por mujeres en el
canto delicado y sentimental y acom-
pañado en la organología moderna de
arpa y capachos, popularizada desde
Venezuela, en asocio del cuatro llanero, imprescindible. Si se ha de recu-
rrir al acompañamiento bailado, su
ritmo se modifica de «allegro» que
es el del joropo, en «andante» o
«moderato» mucho más adecuados
al pasaje.

3-2-2-5- El seis y sus variedades. En la
pág. 166 y 167 dijimos lo relativo
a este aire y expresamos que su modalidad danzada no podía ser otra que la
del joropo. En 1971 conocimos en los
llanos del Meta —coincidencialmente
con la preparación de un festival folklórico— una versión de joropo que,
por sus numerosas figuras, lleva el
nombre de «figuriao»; muy probablemente a esta circunstancia de la
abundancia de figuras existe la deno-
minación «seis figuriao». Una tesis
nueva expuesta con relación al nombre de seis es la del uso del cordófono
llamado seis (similar por tanto a la
guitarra actual) y de uso en Venezuela, país en el que existen, a más del
común cuatro que usamos en Colombia, el cinco, el cinco y medio y el
seis. Se denomina cinco y medio un
cuatro de cinco cuerdas que lleva
además media cuerda, es decir, una
cuerda corta que se enclavija, no en la
cabeza del instrumento, sino en el
«cogote», esto es, en el empate del
mástil a la caja. Según la tesis, el aire
o tonada llamada seis sería un joropo
ejecutado en el instrumento de igual
nombre que hemos indicado.

Ocurre en la música y danza llaneras
algo que es explicable confusión en el
medio folk: abundan las denominaciones de piezas particulares o de una
misma tonada con nombres capri-
chosamente variables que son tomados en últimas cuentas como aires
independientes y distintos. En la zona
andina, durante un tiempo se habló
de «bambucos» y «guatecanos», este
último nombre no se refería al bambuco de Emilio Murillo, sino al tor-

bellino del Valle de Tenza. En el Llano encontramos numerosas variedades que tienen como base o tonada tipo al joropo, y que por razón de ser cantos con alguna modalidad ligeramente distinta en cuanto al modo de cantar, a la forma dialogada, al acompañamiento instrumental, etc., llevan nombre distinto. Así, se habla de «contrapunteo» al designar los duelos cantados con improvisación de coplas o versos de corridos, se habla de «Pajarillo», «Quirpa», «Carnaval», «Gabán», «Chipola», «Seis chipoliao», «Guacharaca», «Pájaro», «San Rafael», «Golpe criollo», «Periquera», «Nuevo callao», etc.

Mitos de la selva

La Madremonte

Cuando viene la época de las crecidas de los ríos, esto es, cuando llueve mucho por las cabeceras del río, el agua baja revuelta y arrastra en su corriente toda clase de despojos: maderas podridas, frutos dañados, cadáveres de muchos animales que han sido barridos por las lluvias y torrentes desde las orillas y que, descompuestos, emponzoñan las aguas haciéndolas nocivas para el baño. La imaginación popular, para explicarse el efecto nocivo de estas aguas, sin apelar a razones científicas que no conoce, lo atribuye a que la Madremonte se bañó en el río y contaminó deliberadamente las aguas para que ningún mortal pretenda lavarse en ellas. La desobediencia a esta voluntad de la Madremonte es castigada con la aparición de ronchas y pústulas en la piel, cosa que ocurre muy explicablemente por la infestación del agua crecida. El agua está embarbascada o picada, dicen los campesinos. El término embarbascada no es exactamente apropiado, pues así se denominan las aguas que han sido envenenadas con las ramas machacadas de una hierba llamada «barbasco» o «berbasco» o «verbasco», que es un bejuquillo sapindáceo cuyas hojas se emplean para pescar. Impregnada el agua con el zumo de esta planta, atonta a los peces y permite cogerlos, pero dosificada en exceso puede envenenarlos. Esta influencia sobre las aguas emparentaría a la Madremonte con la madredeagua o madrediagua, cuyo enojo con los hombres causa la sequía de los ríos y fuentes; tal vez

también con algún culto antiguo a Huitaca o Chía (la Luna). Parece identificarse con Daybagdódjira entre los Barimotilón del Catatumbo y tal vez con Pulvichi de los Noanama.

El Hojarasquín del Monte

A este personaje selvático se atribuye la desaparición de las gentes en la selva, las que perdidas en la maraña vegetal deben invocar al Hojarasquín para dar con el camino; así se le atribuye también el rescate de los perdidos por auxiliarlos el Hojarasquín cuando son de su agrado o merecen su gracia. Se le imagina con apariencia vegetal, cuerpo musgoso y entrelazado de bejucos, coronado de flores silvestres; sería una especie de fauno americano sugerido a la fantasía popular por las figuras que afecta la vegetación de la Selva, apariencias zoomorfas y antropomorfas. El pintor Carlos Correa lo ha representado en una notable acuarela. El Hojarasquín tiene pezuñas como corresponde a su condición de protector de todos los animales de pezuña: venado, danta, tatabro, etc. Por ello, él mismo deja rastros o huellas de su pezuña, pero los coloca en sentido inverso para despistar a los cazadores y proteger así a los animales que él tutela. Parece identificarse con Boráro y aún con Waí-Maxsë, dueño de los animales entre los desana.

El Bracamonte

Su existencia sólo corresponde a un baladro o bramido (Bramadora se denomina en las zonas ganaderas de la Costa Atlántica) que espanta a los ganados en las cercanías del monte y que anuncia la peste de los hatos. Como se le atribuye la muerte de los vacunos, las gentes utilizan una calavera de vaca que, ensartada en un palo, se coloca mirando hacia el monte más cercano, de donde se supone que ha salido. No es, pues, coincidencia el hallazgo frecuente de estas calaveras ensartadas en las cercas de las sabanas ganaderas.

Las Patasolas

Este formidable mito selvático es típicamente colombiano. Los personajes femeninos que representa son de gran ferocidad, genios maléficos del monte, semejantes a las Furias o eu-

ménides griegas, en su papel de guardianas de la naturaleza vegetal y con el carácter terrorífico que les dier Esquilo. Las Patasolas, a pesar de su anatomía unípede (una sola pierna en que se unen los dos muslos) no co rresponden a las deidades egipcia (tipo Annubis), sino más bien, por su carácter vegetal, a las Dríadas o Ha madríadas griegas, personificacione de las encinas y árboles, o a las Vrik sadévatas hindúes, pero no risueña como éstas, sino macabras. Las Vrik sadévatas eran doncellas que se repre sentaban colocadas de pies, apoyada en el tronco de un árbol, un pie sobr el suelo y el otro graciosamente apo yado en el tronco, con los brazo levantados y entrelazados a las rama floridas del árbol. Las Patasolas nacie ron a la mitología popular nuestra cuando se iniciaron los trabajos de descuajamiento de las selvas tropica les, empresa heroica en que la derriba de los árboles constituye una verda dera lucha entre el hombre y la selva La selva aquí se personifica en un genio tutelar de sus dominios y es la enemiga del hombre en forma de un endriago de cabellera enmarañada (ramajes) y de una sola pata (tronco del árbol) que le da su nombre de «patasola». Todos los percances con siguientes a la labor de los hacheros y aun de los mineros que trabajan en las montañas (ríos selváticos en don de se hallan las minas de oro de aluvión) se atribuyen a la agresión de las Patasolas. La motivación de este mito como presencia femenina se de be a las circunstancias vitales de la selva, en cuyos trabajos el hombre está solo, ya que la mujer poco parti cipa en tan ruda y peligrosa faena y por ello la imaginación crea natural mente la presencia del sexo comple mentario en estas deidades femeni nas. La violenta labor del hachero termina con la caída del árbol que aquí simboliza a la selva como hem bra dominada y vencida, pero, a ve ces, trágicamente vencedora. Los mi neros de la región del Carare dicen que la Patasola anda gritando por los montes, llamándoles, y que el minero que se deja llevar por su reclamo nunca vuelve a encontrar la salida de la selva, o bien se halla ahogado en algún río o muerto en algún paraje

Derecha: *indígenas tocando flautas, hoj silbadora y ocarina.*

retirado. Cuando hacheros o mineros se pierden en la selva, es corriente el dicho: «se lo llevó la Patasola». El maestro Pedro Nel Gómez ha tratado este tema por primera vez en la pintura americana y ha dejado al país numerosas obras de pintura mural al fresco, exaltando como una epopeya colombiana este extraordinario mito.

El Patetarro

Parece a primera consideración una variante del anterior, pero corresponde a un personaje maléfico masculino, que lleva el muñón de la canilla que le falta, metido en un tarro de guadua; la secreción purulenta que allí recoge es vertida por él en algún sembrado o en las aguas de las fuentes, infestándolas con esto. Carece de fundamento la suposición de algunos folkrorólogos en atribuir al Patetarro un gran temor por las calaveras de vaca; se trata de una confusión con el Bracamonte, que ya vimos. Parece identificarse como nënguë-uáxti de los desana.

El Patas

Este curioso personaje mítico de nuestros campesinos —especialmente antioqueños— nada tiene que ver con el demonio o diablo de la religión católica, y por ello no se identifica con otras entidades demoníacas como el Mandingas, el Malo, el «enemigo malo», etc. El Patas (sic, o en la grafía popular de Antioquia) es un prodigioso personaje semejante apenas al Proteo griego, hijo éste de Neptuno y al que el dios de los mares dio el poder de cambiarse de forma o apariencia «para librarse de quienes le acosaban pidiéndole predecir los destinos humanos», según cuenta Virgilio. El Patas es una síntesis de todo; es el súmum de la belleza, de la sabiduría, de la fealdad, de la torpeza, de la ignorancia, etc. Virtud, vicio, grandeza, miseria, todo lo abarca y es «la medida de todas las cosas», como dijo algún polígrafo parodiando al filósofo en su concepto sobre el hombre. Así decimos de una muchacha bonita que es «más linda que el Patas» o de una poco agraciada, que es «más fea que el Patas»; de un hombre, que es «más inteligente que el Patas» o «más bruto que el Patas». Puede afirmarse que no existe en la imaginación popular otro personaje más típico en el folklore mundial que nuestro «Patas», ni de tan vasto alcance expresivo y tanta utilidad en el macizo léxico popular.

El Mohán, Moján o Muán

Es un personaje vegetal, de aspecto musgoso y peludo que, según la descripción de Nicanor Velásquez, tiene «cara de león» a causa de la abundante melena o cabellera que usa. Esta es la razón para que en el Tolima sea tan frecuente el dicho que se aplica a quien lleva muy largo y descuidado el cabello. Así, de un muchacho que se halla con el cabello muy abundante y enmarañado dicen: «este güipa está más mechudo quiún Muán». El Mohán es otro espíritu tutelar de las aguas; vive en los pozos oscuros de los ríos y quebradas tropicales y ahoga a quienes pretenden violar sus dominios; es, pues, el responsable de la muerte de los que perecen ahogados en los ríos selváticos. Nace probablemente de la imaginación sugerida por la oscuridad de ciertos parajes de los ríos, en donde la vegetación parece afectar figuras de hombres o fantasmas. Su nombre corresponde a la voz muisca «mojas», con que los chibchas denominaban a sus sacerdotes o hechiceros. Los campesinos de Cundinamarca y otras regiones atribuyen a los «mojanes» la crecida de los ríos y no a la Madremonte. En vecindarios de Ibagué se confunde con el Poira.

La Llorona

Este es otro mito de gran importancia y corresponde a las muchas imaginaciones y divagaciones a que da lugar un grito macabro, un plañido espeluznante que se oye en la selva en ciertas noches de luna. Personalmente lo he comprobado por cuatro veces en el año de 1940 en las selvas de la cadena de Guayuriba, región de La Mistralia, sistema selvoso del Vaupés y en la zona comprendida entre los ríos Negro y Quenane, departamento del Meta. Siempre en noches de luna, cuando los monteros sólo temen a dos cosas: el tigre, que en tales noches sale a cazar, y al grito gemebundo y horrendo de la Llorona. La lógica indica que forzosamente debe corresponder a algún animal que lo emite; pero el aterrador efecto que produce este súbito y pavoroso aulli-do no permite verificar a qué puede deberse. Escobar Uribe en sus «Mitos de Antioquía», dice que es común a varios pueblos de América y que todos coinciden en que el grito es real, pero agrega que la imaginación popular le da figura de mujer con largas vestiduras y rostro de calavera que acuna entre sus larguísimos brazos un niño muerto, etc., y que vaga por las selvas y ríos lanzando horribles lamentos. José Eustasio Rivera parece identificarla también en Casanare con una indiecita mapiripana a la que se refieren varias consejas. El misterio queda en pie mientras los naturalistas o monteros no descubran el origen de este grito. Debo agregar que al escuchar ese grito la cuarta vez, tuve la misma conmoción escalofriante que recibiera la primera vez en que lo oyera. En las dos últimas ocasiones hicimos inspecciones del lugar para tratar de descubrir el animal que así grita (cuadrúpedo o ave) sin resultado alguno. El maestro Pedro Nel Gómez la escuchó en las selvas del Carare y ha dado una excelente interpretación pictórica en varias de sus acuarelas y bocetos para frescos murales, representándola como «guardiana» de la selva.

El Gritón

Es la personificación mítica del anuncio de las tempestades, borrascas y chubascos. El rumor de un trueno lejano que presagia lluvias, el aullido de algún animal selvático que presiente la tempestad, el rumor de los vientos que traen la borrasca, todo puede identificarse con la presencia de este personaje que grita en los montes y, si es buena señal para quienes esperan la lluvia, puede ser adversa para quienes representa contratiempo de un viaje, etc. Habría alguna identificación con el caribe Hurakán. Ha sido tratado como tema artístico en la escultura por el maestro Pedro Nel Gómez como uno de los más importantes mitos americanos.

La Candileja

Es un mito que se considera a veces como compañero del Mohán. Se trata de una luminaria o luz, a la cual, por

Derecha: *máscara de fibra vegetal y madera de la zona del Vaupés.*

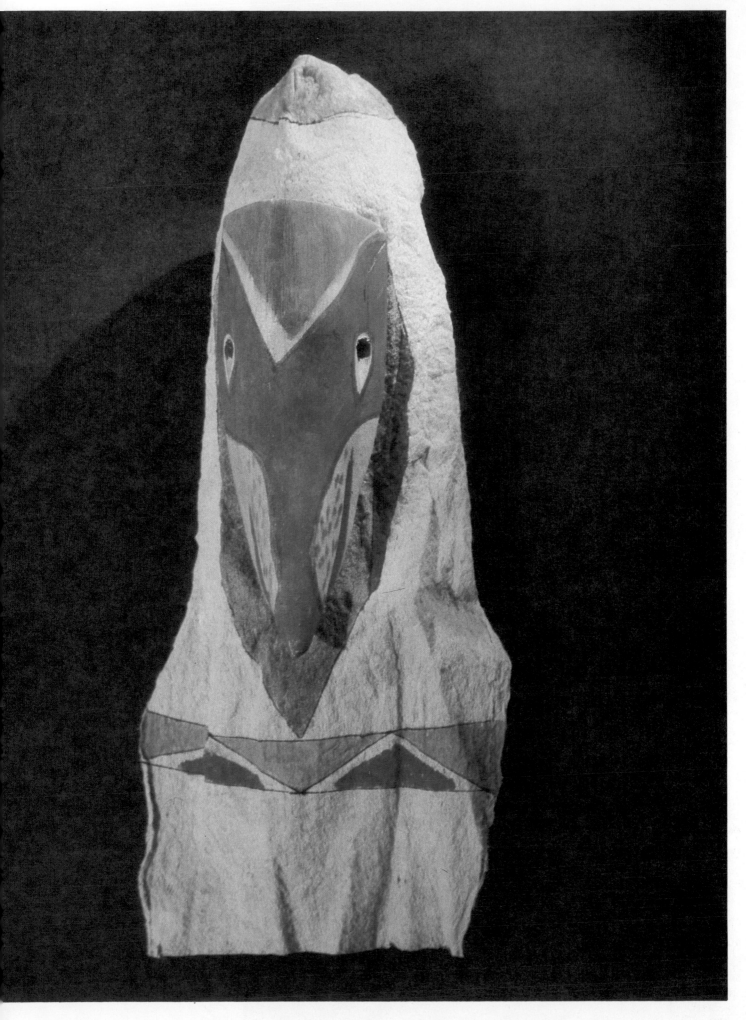

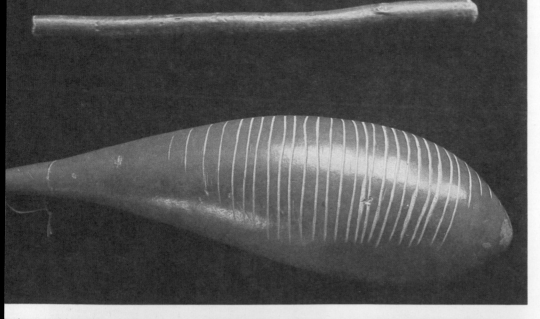

no sabérsele el origen o la causa, se
atribuye una personificación fantástica. Así los fuegos fatuos causados por
huesos o por metales enterrados, de
cuya descomposición o alteraciones
salen gases que se encienden al aflorar
a tierra, o bien al resplandor lejano de
algún tabaco encendido que lleva el
caminante nocturno, o a una luminaria nocturna de la selva o los montes
o el campo que hace cierto recorrido
y que es originada por la lumbre que
alguna persona lleva desde un rancho
a otro, por cocuyos, cuyo cuerpo es
luminiscente, etc. Todas estas son
oportunidades de que se atribuya tal
luz al personaje misterioso llamado
La Candileja o la Luz Viajera. Se le
suponen virtudes mágicas para causar
daño a las gentes.

Los ilusiones

Comentados en la obra literaria del
maestro Tomás Carrasquilla como
duendecillos que dicen al oído de los
niños las vulgaridades que éstos van
aprendiendo y las ideas deshonestas,
aparecen adjetivados como masculi-
nos en la obra de don Tomás, aunque
otros narradores los denominan también «ilusiones malas».

La Mancarita

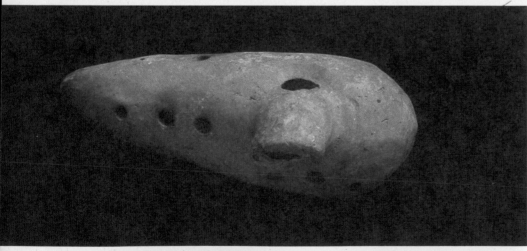

Tiene en varios departamentos de
Colombia una tradición como fantasma que se roba a los niños y puede
equivaler a la versión cundinamarquesa de la Patasola, que ya no es el
genio maléfico sino fantasma doméstico o indeterminado que «se lleva
a los niños» como el «coco» foráneo
o «cocorote», ente diabólico. En Santander se dice que este mito nació de
una leyenda relacionada con una mujer manca llamada Rita, cuyas brujerías y perversiones la condenaron
a ser un espíritu maléfico: la Mancarita.

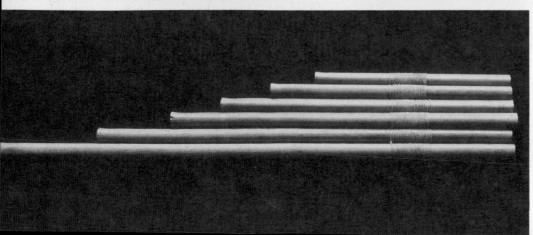

EL TURISMO

Bernardo Restrepo Maya

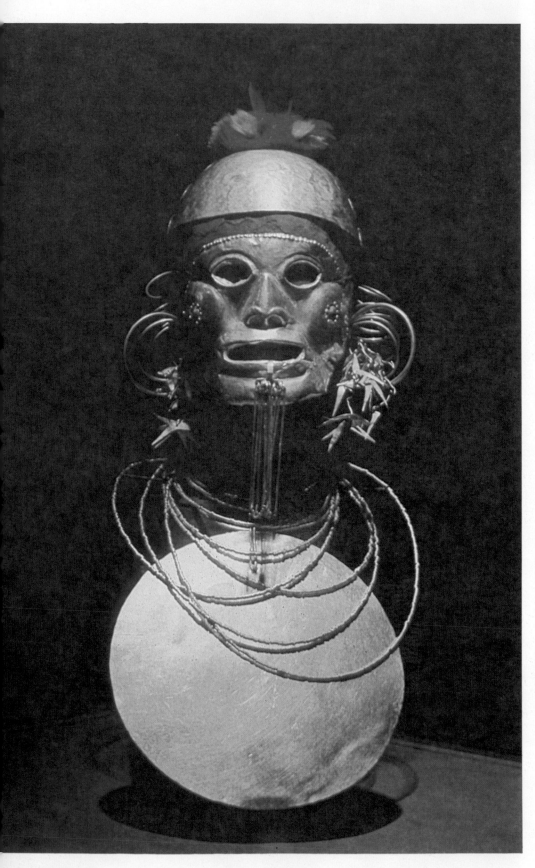

Colombia es un país de paisaje. Más que por un interés organizado y metódico, la naturaleza se ha preservado en él por una relación lógica entre su extensión territorial, que es aproximadamente de 1142000 km², y la cifra de su población, calculada para finales de 1978 en poco más de veintiséis millones: un área demasiado extensa para ser destruida fácilmente.

Esa circunstancia, y la de hallarse todo su territorio recorrido por tres ramales de los Andes, que en un medio de exuberancia tropical perforan el firmamento con sus grandes alturas, logran que la geografía casi inviolada ofrezca un encanto elemental excepcionalmente vario, y en ocasiones, casi siempre, deslumbrante; quizás el más rico en aventura óptica, en riscos, en nevados, en páramos y abismos, o en blandas colinas y en valles sorpresivos, en todo el «anillo de fuego» que circunda al Pacífico y que cierra en el Japón el Fujiyama. Bogotá, la capital, está situada en el rincón noreste de una de las más extensas y más bellas mesetas andinas. A 2640 m de altura, en horizontalidad que parecería perfecta si no la perturbasen, apenas, leves colinas, se extiende la sabana que en 1538 concentró la sorpresa de los tres conquistadores, llegados el uno del norte, desde las costas del Atlántico, el otro de oriente, y el tercero desde el imperio del Perú, fijos todos ellos, por sus diversos rumbos, en la lumbre de una estrella ideal nacida en el cielo nuevo de América: El Dorado.

Al este, al fondo, la ciudad intenta escalar las faldas de la cordillera, que al doblar su filo desciende a las inmensas llanuras que integran más de la mitad del territorio colombiano y lo limitan con el Ecuador, con el Perú, con Brasil y Venezuela, en las regiones de los grandes ríos.

En esas estribaciones se encuentran las edificaciones clásicas de Bogotá: el antiguo barrio de La Candelaria, que fue el asiento urbano principal cuando empezó a modificarse ha‹

Izquierda: *este hermoso ejemplar de máscara y pectoral de oro,*
testimonia la pericia de los orfebres precolombinos.
Abajo: *el santuario de la Peña, al pie del cerro de Monserrate*
conserva el aire recogido y sereno
de la época colonial.

principio de comodidades elementales el rancherío primitivo. Sus calles estrechas recuerdan las de las viejas aldeas españolas. Las construcciones se encuentran, en una considerable proporción al menos, excelentemente conservadas, y recrean para el visitante un ambiente lejano del suyo en cuatro siglos. A la entrada de muchas de ellas aparecen placas conmemorativas de la vida del personaje que las habitara en épocas de la Colonia, o, más acá, en las primeras décadas de vida independiente, bien un pintor de importancia en la historia del arte americano, como Gregorio Vásquez de Arce y Ceballos, bien un criminal

famoso, a cuya historia se mezcla de manera casi indesentrañable la leyenda, como el doctor José Raimundo Russi o como Trinidad Forero, o un virrey, o un oidor de la Real Audiencia, o un prócer de la libertad. Un poco más arriba en la pendiente, en medio de jardines románticos, se encuentra la Quinta de Bolívar, en donde transcurrieron los días más amables quizá de la apasionada vida del Libertador, en compañía de la bella Manuelita Sáenz. Con el recuerdo del Bolívar humano, descabalgado de su corcel de guerra, se mantiene intacto allí el ambiente de la época: muebles, cortinajes, uniformes, trajes

de gala que pertenecieron al héroe. Y más arriba aún, ya en la montaña, el antiguo santuario de La Peña, varias veces derribado por terremotos y otras tantas reconstruido, siempre en torno al culto de tres imágenes, al parecer antiguas tallas indígenas sin forma precisa, en las que los devotos campesinos quisieron adivinar representaciones cristianas esculpidas por el milagro en la roca. El caso es que fue encargado de perfeccionarlas el maestro cantero Luis Herrera, y luego el escultor Pedro Laboria, brillante figura del arte colonial, allá por el año de 1730. En ese entonces el santuario constituyó el mayor centro de fe reli-

el barrio de Egipto, sector residencial popular de la Colonia que conserva en su vida actual no sólo su ambiente característico sino también muchas tradiciones antiguas, y en el cual suele conmemorarse cada año, «en vivo», la pasión del Señor, con ceremonias en las que Cristo, la Virgen y san José, son representados, así como los demás personajes históricos, por hombres y mujeres de la muchedumbre obrera que allí habita.

Abajo, en la planicie urbana, muchas otras huellas de la historia, circuidas en la actualidad por modernos rascacielos, especies de islas de silencio y de recuerdo en medio del intenso tráfico contemporáneo: el museo Colonial, en primer término, que guarda pinturas y tallas invaluables, entre ellas unos setenta óleos y más de cien dibujos de Vásquez, varios de los Figueroa —Gaspar y Baltasar— y otros de Fernández de Heredia y de Antonio Acero de la Cruz. De famosos artistas extranjeros figuran en esta colección dos cuadros, atribuidos el uno al Corregio y el otro a Guido Reni. Es riquísima, también, la presentación que allí se hace de platería y de mobiliarios coloniales.

El edificio mismo del museo constituye un motivo de interés: construido en 1606, sobre planos del arquitecto Juan Bautista Coluchini, su pesada arquitectura exterior contrasta con la gracia antigua del interior, en los claustros de columnas monolíticas que cercan jardines detonantes de geranios florecidos.

Extrañamente, otro museo, el Nacional, funciona en el antiguo edificio de un presidio. Fue construido éste en el siglo XIX para albergar a los más peligrosos criminales, y se reconstruyó y adaptó, ya hace unos años, para instalar en él muestras museográficas que diesen una noción de la vida colombiana en sus diversos aspectos y desde la época precolombina. Contiene el museo Etnológico y Arqueológico, el Histórico, y el de Bellas Artes. En el primero de ellos se reproduce el proceso de la vida social en las comunidades aborígenes, con testimonios de la cultura lítica de San Agustín, y de las civilizaciones pijao, chibcha y quimbaya, entre otras. En el Histórico, que guarda pabellones, armas y trajes de la guerra de Independencia, y la cota de malla del conquistador Gonzalo Jiménez de Quesada entre muchos otros objetos de gran valor, hay una joya extraordinaria, donada a Colombia por el general venezolano Antonio José de Sucre, y por él traída de la campaña libertadora del Perú: el manto de la esposa de Atahualpa. En el de Bellas Artes una completa colección de la pintura colombiana de todas las épocas, desde Vásquez y los Figueroa

giosa en la ciudad. A él concurrían por centenares los fieles, y en él se celebraban diariamente treinta misas. Los peregrinos le hacían donaciones valiosas que fueron robadas en el siglo XIX, y de él desaparecieron también, en el transcurso de los años, numerosos cuadros de la extensa colección que poseía. Se conservan aún algunos de especial significación, entre ellos el san Joaquín, de Vásquez, y el de la Virgen de Loreto y san Liborio, en el cual aparece la efigie del fiscal de la Real Audiencia, don José de Castilla y Lisperguer.

Entre la quinta de Bolívar y el santuario, un poco hacia el norte, se halla

Izquierda arriba: detalle de típico patio neogranadino. Centro abajo: mercado callejero en el popular barrio Egipto de Bogotá.
Centro arriba: portalón y sobria fachada herreriana del Museo Colonial de Bogotá. Derecha: patio de la quinta de Bolívar.

pasando por Santamaría, Pizano y Páramo hasta llegar a los contemporáneos como Obregón, Botero y Grau, entre otros.

Quizás uno de los museos de menor renombre popular en Bogotá, a pesar de su real importancia, es el de Santa Clara, situado en las cercanías del Palacio Presidencial, en la antigua sede de la Facultad Nacional de Bellas Artes. En él se encuentran cuadros atribuidos a Rubens y a Quintín de Metzys, valiosas tallas quiteñas, colecciones de pintura nacional, y una extensa colección de reproducciones escultóricas del arte griego y del Renacimiento. También una campana del siglo XI, que alguna vez perteneció al templo de la cercana población de Fómeque.

En general, los templos de Bogotá pueden ser considerados como verdaderos museos, tanto por las obras de pintura religiosa que en ellos se guardan, como por la riqueza de las tallas estofadas que casi en la totalidad de los altares ofrecen un espectáculo fulgurante por el brillo de la laminilla de oro que las recubre. La catedral, que reemplazó en su mismo sitio al cobertizo de paja en que se celebró, para las tropas de Jiménez de Quesada, la primera misa en 1536, objeto luego de modificaciones y reconstrucciones, guarda el pendón que trajeron consigo los conquistadores en su marcha desde las costas del Atlántico. El templo de San Ignacio, en donde se exhibe «La Lechuga», bellísima y valiosa custodia así llamada popularmente por hallarse prácticamente cubierta de esmeraldas; el de San Francisco, con sus preciosos retablos decorados de frutas y de aves tropicales; el de La Veracruz, erigido en 1546, en donde se celebró el primer matrimonio ocurrido en Bogotá, entre don Juan de Olmos y doña María de Cerezo Ortega, y en donde están los sepulcros de numerosos próceres de la independencia fusilados en la época de la reconquista española; el

Tesoros precolombinos

De las culturas precolombinas que los conquistadores hallaron en territorio colombiano y que destruyeron casi totalmente por servir a su ávido interés económico y a su excluyente fanatismo religioso, ha sido posible concentrar en Bogotá misteriosos testimonios artísticos, recogidos minuciosamente por el Banco de la República en su museo del Oro. Ellos integran la más completa y rica colección que en su género existe en el mundo. De las joyas asirias, por ejemplo, se encuentran ejemplares preciosos en urnas de los museos de Norteamérica y Europa, pero sólo son muestras parciales que alcanzan a ofrecer nociones fragmentadas y sintéticas: en este museo colombiano más de veinticinco mil piezas de oro, de técnicas y estilos diferentes, dan una presentación metódica, organizada y deslumbrante del más valioso sector de la orfebrería en América: de la chibcha, propia de las regiones en donde se encuentra Bogotá, propi de un pueblo pacífico, patriarcal eglógica, relacionada con los animales menores, con sus sacerdotes, co los mitos, con las ceremonias religiosas y fúnebres lacustres, y ornamenta en su sentido más profundo; de l quimbaya, al occidente del mapa co lombiano, demoníaca; de la tayrona al norte, en las vertientes de la sierr Nevada sobre el Caribe, poblada po los monstruos de la selva y de los ríos o, al sur, de la lúbrica tumaco, llena d movimiento, de gracia, de ingenu perversidad y de encanto. Y toda ellas orientadas en una escala de valo res jerárquicos.

Santuarios

Dominando la totalidad del extens paisaje de la sabana, a más de tres mi metros de altura, los cerros de Mon serrate y Guadalupe vigilan esta ciu dad, conjunto de modernidad y d pasado. En el primero de ellos exist un santuario al que los fieles ascien

de San Agustín; la capilla del Sagrario, en donde se guardan tesoros coloniales; y la Recoleta de San Diego, con su estatua de Nuestra Señora del Campo, de Juan de Cabrera, para la cual fue especialmente levantado el templo, y con su romántica vinculación a la historia del virrey Solís, converso al haber asistido a su propio entierro, y en donde él profesó al retirarse del mundo.

Todos ellos son muestras extraordinarias del plateresco americano, fundidos los motivos que importaran los artesanos españoles con los del ambiente circundante, los frutos de la tierra y la sensibilidad lenta y honda del indígena.

Izquierda arriba: catedral primada de Bogotá. *Centro:* la capilla del Sagrario que guarda valiosos tesoros del arte colonial. *Derecha:* el popular santuario de Monserrate se levanta a 3100 m de altura.

len en inverosímiles peregrinaciones, de rodillas, y los turistas del exterior en teleférico, ceñido a la ladera casi vertical; en el segundo, muy de acuerdo con la formación española, otro santuario.

La gastronomía

Si en algo más se aúnan profundamente en Bogotá lo tradicional y lo contemporáneo, más aún quizá que en su invertebrado conjunto arquitectónico —edificios de cuarenta pisos al lado de una construcción de uno solo, antigua de siglos y con labradas ventanas de madera—, es en sus posibilidades gastronómicas. Los grandes hoteles turísticos ofrecen, así como los múltiples y sofisticados restaurantes, toda la gama de la comida internacional. Pero en ellos también, como en los sitios deliberada y exclusivamente típicos, puede hallar la clientela cuotidiana, o la que traen las corrientes del turismo, los manjares principales de Colombia, de la ciudad y de sus contornos, principalmente. Entre ellos el ajiaco, que se elabora con tres variedades de la papa, cocidas en forma gradual, primero la más sólida y luego la más blanda, para formar, con trozos de pollo deshuesado, un caldo espeso, sazonado, a más de las especias comunes —y en ello está el secreto— con una hierba aromática que los aborígenes empleaban, comúnmente llamada «guasca» —Galinsega parviflora— de crecimiento abundante y espontáneo en las montañas circundantes. Alcaparras, y un poco de crema de leche y al servirlo en platos preferiblemente de barro, como toque final. Y resulta un plato extraordinario.

En las bebidas, y se habla aquí de las alcohólicas, el turista suele preferir, igual que el bogotano tradicional, el «canelazo», cuya tradición viene también de tiempos muy lejanos, mezcla de agua y aguardiente, azúcar, apenas unas gotas de limón y un poco de canela, y servida a temperatura de ebullición o poco menos.

Bogotá: centro de artesanía

Son especialmente llamativos en Bogotá los almacenes de artesanías, en los cuales se concentra la producción de todo el país, especialmente en tejidos típicos, cerámica y orfebrería de filigrana, y últimamente en cuerno, en hueso y en la corteza que recubre el fruto del cocotero, objetos estos últimos de valiosa exportación. Como mercancía más exótica se encuentran las hamacas multicolores que vienen del norte, las tallas en madera, del sur, los «chinchorros», tejidos con fibras vegetales en remotos caceríos indígenas del oriente del país, y las pinturas sobre cortezas de árbol que producen los primitivos pobladores de la ribera del Vaupés, en las grandes llanuras.

En Bojacá

De Bogotá, que es el propio centro del país, parten vías de comunicación —carreteras o ferrocarriles— como radios. Por la que desciende al suroeste, apenas a treinta y cinco kilómetros, se encuentra el santuario de la Virgen de Bojacá. Bojacá, hasta donde avanza aparentemente sin otro destino un ramal de excelente carretera, es apenas un pequeño poblado, de algunas ocho o diez manzanas, en las que está contenido todo el núcleo de habitantes que apenas alcanza a colmar su templo en la misa del domingo. Pudiera decirse que ese templo —el santuario mismo— es el pueblo, y que sin él esta agrupación humana no tendría existencia. A un costado de la abierta plaza, típicamente española, en donde la totalidad de las edificaciones —salvo, naturalmente, la casa cural— son de una sola planta, se levantó el templo para albergar la imagen de la Virgen de la Salud, visitada por peregrinos de todo el país que acuden a ella en busca del milagro. La época inicial de esta devoción coincide casi con la llegada de los conquistadores. Con ellos se establecieron allí los agustinos. El padre doctrinero pere-

grinaba por los caminos lentamente, predicando en un idioma que sus oyentes nativos no entendían. Al considerar que ya había conseguido expulsar de sus cuerpos oscuros al demonio, les permitía penetrar al templo de bahareque y techo de palma que erigiera. Luego, en 1630, empezaron entre todos la construcción de algo más digno para dar ámbito a la imagen de la Virgen que don José Pérez, un andaluz, había traído, que había donado a la iglesia al morir, y que había empezado ya a manifestarse milagrosa. Y así se hicieron sus retablos, y sus púlpitos dorados, y se pobló de cuadros de los más famosos pintores santafereños y ecuatorianos su contorno. Este pequeño templo es de una riqueza interior deslumbrante, que contrasta con su fábrica externa. Penumbroso, dividido en tres naves, sus altares se encuentran entre los más suntuosos que dejara la era colonial.

Las piedras de Tunja

Y regresando a la carretera central, de la que se aparta por cinco minutos el breve ramal que conduce a Bojacá, al lado de la población de Facatativá se tropieza con el parque de Las Piedras de Tunja, extraño nombre, por cierto, puesto que sus inmensos monumentos naturales nada tienen que ver, ni por características ni por vecindad,

con la ciudad boyacense, centro que fue del imperio de los zaques. Se trata de rocas de centenares cuando no de miles de toneladas, esparcidas en el paisaje de suaves colinas, algunas con jeroglíficos aún sin descifrar, centro, al parecer, de un importante oratorio indígena.

El templo de sal

Por otra carretera que de Bogotá parte hacia el norte, a unos cuarenta kilómetros, se encuentra un templo subterráneo y gigantesco único en el mundo: una catedral labrada en minas de sal gema.
En la roca blanca fueron esculpidos sus altares, labradas, aun, sus imágenes. Al lado de la población de Zipaquirá, casi en una de sus calles, está la entrada que antes de la conquista horadaron los indígenas. La sal era para ellos elemento de transacciones con los pueblos vecinos. Para llegar hasta la catedral, en el centro de la montaña, se viaja aprovechando en parte los túneles que ellos perforaron y los sistemas de ventilación que utilizaban para mantener oxigenado su ambiente de trabajo. Los arcos del templo, cuya altura alcanza a setenta y cinco metros, se sostienen sobre blancas columnas inmensas. La catedral de sal constituye visita obligada para quien visita la región.

Guatavita: pasado y presente

De la misma vía central del norte que por una ligera desviación da acceso a Zipaquirá, se desprende, a la derecha, otro ramal que lleva a Guatavita, centro de un antiguo cacicazgo indígena, regido por un tirano y sometido, según los antiguos cronistas, al culto del demonio. A la muerte de su tío el cacique —pues sucedían al soberano los hijos de su hermana— el príncipe heredero era consagrado en una vistosa ceremonia, en la que el cacique y un grupo de sus cortesanos navegaban en una balsa de juncos hasta el centro de la laguna. El príncipe iba bañado en aceite y cubierto de polvo de oro, «y a sus pies le ponían un gran montón de oro y esmeraldas para que ofreciese a su dios». «Hacía el indio dorado el ofrecimiento echando todo el oro en medio de la laguna, y los demás caciques que iban con él y lo acompañaban hacían lo propio.»
Precisamente hace pocos años se encontró en un lugar no distante de

Abajo: *altar de la Catedral de Sal, gigantesco templo subterráneo labrado en las minas de sal gema.* Derecha: *vista de Guatavita la Nueva, polémico experimento arquitectónico realizado como consecuencia de la construcción de la represa de Tominé.*

Guatavita una balsa de oro tripulada por un cacique y un grupo de acompañantes, la cual figura en la colección formada para su museo por el Banco de la República como la más preciosa joya. Muchos historiadores consideran que el nombre de El Dorado, (que se ha pretendido ubicar en tan diversos sitios: en los Llanos Orientales, en las regiones del Sinú, en la Mesa de los Santos en Santander) nació de aquella ceremonia consagratoria.

Para ocultar a los conquistadores su tesoro, el cacique de Guatavita, según lo afirma el cronista Rodríguez Freyle, envió a las cordilleras de los Chíos, que dan vista a los Llanos, cien indios cargados de oro para que lo escondiesen, y a su regreso los hizo asesinar por quinientos guerreros que había apostado en un desfiladero.

La antigua, la original población de Guatavita fue sumergida por una represa para proveer de agua a Bogotá, y en sitio de mayor elevación se construyó un nuevo poblado, con curiosa diversidad de estilos entremezclados que ofrecen un pintoresco escenario cinematográfico y constituyen una continua atracción para el turismo. Aquella represa formó la laguna, considerablemente extensa, que puede apreciarse en la actualidad; pero ésta no es la que servía para las consagraciones indígenas: es otra infinitamente más pequeña, situada a unos dos kilómetros arriba de la carretera que desde Sesquilé conduce al poblado, y hasta muy cerca de la cual se llega en automóvil. Se trata, al parecer, de un antiguo cráter, y en numerosas ocasiones se ha intentado desaguarla. Su primer explorador fue, con permiso especial del rey Felipe II, Antonio de Sepúlveda, quien del reducido tramo de riberas que logró poner al descubierto extrajo grandes riquezas. Posteriormente se han realizado numerosas tentativas en el mismo sentido, con resultados cuya realidad se ignora, pero a los que los rumores circulantes entre los campesinos de aquellas vecindades atribuyen también pródigos éxitos. Finalmente, hace pocos años una asociación de visitantes ingleses intentó explorar su fondo con una pequeña draga, pero la oposición de los vecinos les creó dificultades para adelantar su labor y se vieron forzados a suspenderla.

Lagunas y saltos

Además de la laguna de Guatavita, se encuentran en los alrededores de Bogotá otras de interesante atractivo. Entre ellas, al oriente, hacia los cerros en donde la tradición afirma que fueron ocultados los tesoros del cacique, la de Chingaza, en una gélida región a tres mil trescientos metros de altura, y dominada por una bellísima serie de farallones en forma de peine gigantesco a la que se le conoce con el nombre de «El Organo»; con las aguas de sus ríos tributarios se construye una inmensa represa para aprovisionar de agua a la Bogotá del futuro; la de El Sisga, en el kilómetro setenta de la carretera central del norte; la de El Neusa, sitio favorito de navegación y pesca, a unos veinte kilómetros de la catedral de sal; la de Fúquene, centro sagrado aborigen, en las fértiles sabanas entre los poblados de Ubaté y Simijaca, y la del Muña, también centro de deportes, a unos treinta kilómetros de la capital, y como las demás fácilmente accesible por carretera.

Al llegar a la laguna o represa de El Muña, tomando un poco a la derecha, se encuentra el salto de El Tequendama, por donde el río Bogotá se despeña en ciento cuarenta metros de altu-

te del trayecto es casi paralela a la corriente del río Magdalena, el cual es cruzado por ella a la altura de La Dorada y Puerto Berrío. La comunicación entre Bogotá y La Dorada no ofrece todas las comodidades deseables, especialmente de enrielado estrecho, que provoca fuertes oscilaciones; pero difícilmente podría encontrarse en el país un viaje más interesante, ya que en ese sector se realiza el descenso desde los dos mil seiscientos metros de altura de la sabana hasta trescientos aproximadamente en el primer cruce de la gran corriente fluvial, y que por muchos kilómetros la línea férrea corre por el fondo del

palmente. La totalidad del recorrido por esta vía dentro del territorio boyacense ofrece el mismo aspecto generoso, en contraste con el de otras de sus regiones, en las que la naturaleza se presenta erosionada y abrupta, sin que el verdor de la hierba intente siquiera decorarla.

Boyacá es un departamento esencialmente histórico, poblado de recuerdos tanto de la vida en la época precolombina como de la campaña de independencia. El primero de ellos, a la entrada, veinte minutos apenas después de cruzar los límites con Cundinamarca, es el campo de Boyacá, en donde el Libertador Simón Bolívar

ra. Según la tradición indígena, la sabana fue inundada por un diluvio, como castigo de los dioses, hasta que apareció un ser extraño y bondadoso, de largas barbas blancas, a quien ellos llamaron Bochica, y con su cetro de oro golpeó las rocas de occidente y las hizo abrir para que por su brecha se precipitasen las aguas.

Un viaje impresionante

Una vía férrea de principal importancia parte de Bogotá y termina en la costa del Atlántico, en Santa Marta. El recorrido normal por ella es de unas veintitrés horas, y la mayor par-

cañón del río Negro, formado por montañas altísimas y de una estrechez que en ocasiones no pasa de sesenta metros.

Por caminos de Boyacá

El territorio del departamento de Boyacá se inicia a unos cien kilómetros de Bogotá, si se entra a él por la carretera central del norte. Desde el primer momento el paisaje sorprende con sus características especiales: es un paisaje bíblico, de blandas colinas matizadas en todas las tonalidades del verde, cultivadas de pastos, de papa, de cebada, de habas y de trigo princi-

abatió en 1819 la dominación española con un ejército semidesnudo que había conducido desde los Llanos orientales a través de los inhóspitos páramos de la cordillera. Allí se ve, conservado con especial celo, el pequeño puente, de apenas un poco más de tres metros de anchura, por el que pasaron hacia la capital las tropas victoriosas.

Tunja señorial

A unos trece minutos de viaje más allá se encuentra Tunja, fundada un año después que Bogotá por Gonzalo Suárez Rendón, uno de los capitanes

182

de Quesada, al pie de la loma de los Ahorcados. La llamaron así porque al llegar a Hunza, en donde residía con su corte el zaque Quemuenchatocha, situada al pie de ella, la hallaron poblada de horcas de las que pendían numerosos cadáveres de indígenas. En la loma de los Ahorcados fue erigido en 1587 un santuario, en homenaje a san Lázaro, para impetrarle que salvase a la ciudad de la terrible epidemia de viruela que la azotaba. Se le reconstruyó un siglo más tarde, y se encuentra en la actualidad magníficamente conservado. Su mayor interés reside en la decoración barroca de las columnas que soportan un arco

toral. Cada año se cumple allí una romería, animada por conjuntos folklóricos con sus tradicionales instrumentos de música, para recoger el barro que los peregrinos consideraban sagrado y con emplastos del cual buscan curar, por obra de milagro, las heridas y las enfermedades de la piel. En Tunja los españoles dejaron huella perdurable de su espíritu artístico. No sólo está presente en los numerosos templos, como un aspecto del homenaje a la divinidad, sino también en los edificios que fueron morada de personajes notables. En ellos se buscó siempre crear, en la lejana América casi acabada de descubrir,

un cierto aspecto palaciego. La arquitectura tiene aquí características singulares, por la mezcla de diversos estilos que para aquellos tiempos se manifiestan generalmente aislados en Europa. No es extraño, sino muy frecuente, encontrar fundidos en una misma construcción el mudéjar, que suele ser el predominante, el gótico, el renacentista, casi siempre con variaciones ocasionales que le daban la imaginación de los artistas en este nuevo ambiente. Tal es el caso, por ejemplo, de la catedral de la ciudad, cuya portada, realizada por el maestro Bartolomé Carrión, es considerada como el más alto valor arquitectó-

nico. También encierran gran interés el retablo de la capilla de la Hermandad del Clero, obra de Cristóbal de Morales Piedrahíta; el de la capilla del Fundador, y el de la Inmaculada; la capilla de Hernando Domínguez Camargo, donada en su testamento a la catedral por el gran poeta culterano de América; el retablo del expositorio, y la sillería del presbiterio, tallada por Amador Pérez y Francisco Velásquez; igualmente, el tríptico de San Sebastián y San Laureano, con sus extraordinarias pinturas renacentistas y la cruz del padre Vicente de Requexada, ante la cual se celebró la primera misa. Por último, en la llamada capilla de los Mancipes, realizada en el siglo XVI por Pedro Ruiz García y su hijo Antonio Ruiz Mancipe, la más ricamente decorada en Colombia y quizás una de las más bellas obras coloniales en todo el continente, muestra un artesonado en dorado policromado de suntuosidad y delicadeza incomparables. En ella se encuentran dos cuadros, «El descendimiento» y «La oración del huerto», de Angelino Medoro.

Testimonios de antigua grandeza

Un verdadero monumento del arte mestizo americano se halla en el convento de Santo Domingo, y en él, especialmente, en la capilla del Rosario. El convento empezó a construirse a mediados del siglo XVI, y en su iglesia se destacan el arco toral y las columnas de soporte, ricamente decoradas. Su expositorio, de ejecución mucho más tardía, pues al parecer fue realizado en el siglo XVIII por un artista anónimo, es también de suntuosidad extraordinaria. Se encuentran allí, entre otros, los cuadros «Santa Catalina» y «San Francisco», de Vásquez, y valiosos relieves de los maestros José de Sandoval y Lorenzo de Lugo, así como tallas al parecer del famoso artista español Roque Amador.

También de mediados del siglo XVI data la construcción del templo de San Francisco, interesante desde el punto de vista arquitectónico, y por las imágenes en alto relieve de san Agustín, san Jerónimo, san Gregorio y san Ambrosio, así como por su claustro, no obstante haber sido afectado por modificaciones que le restaron autenticidad.

En la pequeña capilla de La Epístola, una de las dos que integran el templo de Santa Bárbara, construido a fines del siglo XVI, se conservan ornamentos religiosos de gran valor, entre ellos uno finamente bordado en oro, que según versiones traídas por la leyenda fue hecho por doña Juana la Loca, y además, una de las custodias más antiguas de las que se conservan en suelo americano. La construcción de este templo es pobre en general desde el punto de vista arquitectónico, pero en ella se destaca brillantemente la decoración del presbiterio. Se encuentran allí, también, notables cuadros de la época, el principal entre ellos el de santa Ediverga. Además, la imagen de santa Bárbara, bajo un arco de plata labrada.

Otros templos considerados como centros vitales de interés en Tunja son los de San Ignacio, la capilla de San Laureano, meta de una tumultuaria procesión religiosa que se realiza cada año para rendir culto a la bellísima imagen que allí se venera; la capilla del Topo, en el monasterio del mismo nombre, uno de los monumentos arquitectónicos más notables, llamativo especialmente por la influencia manierista muy precisa, enfrentada, por cierto, a la mudéjar que en la techumbre fijaron modernas restauraciones, así como por su famosa imagen de la Inmaculada, atribuida a Legarda, el famoso maestro quiteño, y por el retablo mayor y el de san Antonio, en precioso barroco mestizo. Finalmente, se destaca la capilla de Santa Clara, que alberga valiosísimos retablos y cuyo presbiterio tiene en su techumbre una extraordinaria decoración con ángeles de seis alas. En el monasterio de que la capilla hace parte habitó hasta su muerte la madre Francisca Josefa de la Concepción del Castillo, más simplemente conocida como la madre Castillo, notable escritora de la época colonial.

Entre las edificaciones de tipo privado que fueron residencia de personajes notables en la primera época de la ciudad, y que provocan interés por sus características arquitectónicas, figuran como principales la casa del Fundador; la de don Juan de Castellanos, sacerdote contemporáneo suyo que escribió en verso la historia de aquellos tiempos americanos, extensa obra bajo el título de «Elegías de Varones Ilustres de Indias»; la del escribano don Juan de Vargas, y las de don Antonio Ruiz Mancipe y don Antonio de Mújica. Esta última es ocupada por una comunidad religiosa, y en su capilla se encuentra un cuadro de Medoro, el famoso pintor italiano, y otro atribuido a Velázquez. En cuanto a las tres primeras, son ellas notables por los frescos de sus artesonados, realizados al temple y en extensión de varios centenares de metros, dentro de la tendencia manierista que tanto influyó en la arquitectura de la ciudad, con presentación a veces simultánea de deidades mitológicas y de símbolos cristianos como el cordero pascual, y, en general, con animales decorativos, elefantes, tigres y jirafas, así como con las flores y los frutos del trópico americano.

Otra residencia privada de auténtico interés es la de don Jerónimo de Holguín, construida alrededor de 1560, en purísimo estilo andaluz, en la cual la ciudad ofreció un baile de gala al Libertador Simón Bolívar, breves días antes de que se librase la batalla de Boyacá. En esta casa, sede del Club Boyacá, principal centro social de Tunja, se encuentran muebles y espejos de la época de la colonia, y su portalón ostenta el escudo nobiliario de la antigua familia Holguín.

En un día especial de la semana, el club ofrece, como suelen hacerlo los principales restaurantes de la ciudad, el plato típico boyacense: el cuchuco de trigo con espinazo de cerdo, cuya preparación se hace simplemente a base de esos dos elementos y de la papa llamada criolla o amarilla con algunos condimentos usuales.

Un itinerario inolvidable

La carretera central del norte despide en Tunja dos ramales: uno que pasando por Paipa, Duitama y Sogamoso, llega también a las ferrerías de Belencito, y luego a las antiguas poblaciones de Tópaga, Mongua y Monguí, y a la laguna de Tota, para seguir

*Rodeada de extensos olivares, la pequeña y graciosa ciudad de Paipa,
ofrece el atractivo adicional de sus pozos de aguas termales
que tienen probadas propiedades medicinales.*

espués a los Llanos, y que conduce
la Villa de Leyva, a Sáchica, a los
monasterios del Ecce Homo y de la
Candelaria, por una desviación a este
último, y a Ráquira, y finalmente
Chiquinquirá. Al salir por el primero de ellos, todavía dentro del perímetro urbano, a mano izquierda, sorprende la presencia de un pequeño
lago de aguas oscuras, cercado por
verjas como un jardín privado, y conocido como «El Pozo de Donato».
Su origen se pierde en la leyenda.
Según ella, el emperador chibcha
Tuanzahúa, se enamoró de su hermana y se unió a ella. Indignada la
madre, quiso castigar a la princesa,
al intentarlo rompió una gran vasija
de barro que se encontraba entre ellas
llena de chicha, el antiguo licor aborigen. Al verterse, el líquido formó en
la tierra una pequeña charca que fue
profundizándose hasta límites desconocidos y extendiéndose en un diámetro aproximado de cuarenta metros. En ella, muchos años más tarde,

a la llegada de los conquistadores,
ocultaron grandes tesoros los indígenas. Numerosas personas, y aun
compañías comerciales debidamente
organizadas, los han buscado al través
de los años mediante el drenaje del
pequeño estanque, pero, al parecer, el
resultado común ha sido el fracaso. El
primero de tales exploradores fue,
a mediados del siglo XVIII, un castellano de apellido Donato, quien invirtió
en la inútil aventura la totalidad de sus
haberes.

Por esa misma vía se llega a Paipa, un
lugar de reposo con piscinas termales
en modernos hoteles. Y de allí, en una
corta desviación, al campo de batalla
del pantano de Vargas, que precedió
a la de Boyacá y que inició la derrota
definitiva de las armas españolas. La
acción fue decidida por la carga, en
apariencia suicida, de catorce jinetes
llaneros armados de lanzas, que con
su imprevisible audacia sembraron el
desconcierto en el ejército realista.
Un imponente monumento en bron-

ce que parece elevarse en el aire por el
propio impulso dinámico de los lan-
ceros, perpetúa su victoria en el sitio
mismo en que ella se logró.

Más adelante está situada Duitama,
en donde pudiera decirse que se concentra el mercado de las artesanías
boyacenses, principalmente tejidos
de lana y cerámicas. Las mantas y las
alfombras que allí se presentan son
famosas en todo el país.

Y a unos siete kilómetros después, el
museo Religioso, quizás el más interesante en su género de toda la América Latina. Empresa solitaria de un
obispo, monseñor Julio Franco Arango, quien a la llegada a su diócesis
halló que la inmensa mayoría de los
artísticos testimonios de la Colonia
estaban desapareciendo con destino
fraudulento a colecciones privadas
del país o a los mercados internacionales, ella ha logrado recoger centenares de piezas de los primeros siglos
de la nacionalidad. No se trata, en
general, de muestras especialmente

valiosas desde el punto de vista artístico, sino, de manera principal, por su significación histórica, realizadas por artesanos de las viejas aldeas en un estilo ingenuo. La colección de custodias u ostensorios tiene primordial significación dentro de este museo. En ella figura la que bendijo a las tropas libertadoras cuando se lanzaban a emprender la campaña de 1819, cruzado apenas el páramo, a su llegada de las llanuras orientales. Rodeado de jardines cuidados con amor, el museo Religioso tiene su sede en una antigua casona que perteneció a la familia Umaña y que puede considerarse, por sí misma, un valioso centro de atracción.

Un poco más adelante, Belencito, y allí la siderúrgica de Paz de Río, cuya producción es la base de la industria metalmecánica en el país. El ingreso a las instalaciones de la ferrería para presenciar el espectáculo de la fundición de toneladas de metal que corren por centenares en verdaderos ríos de fuego, es libre para los visitantes y se realiza cada día a horas determinadas.

Y a la derecha, Sogamoso, ciudad erigida en donde estuvo el gran oratorio de los chibchas, el templo del Sol, incendiado, según los cronistas, por un descuido de dos soldados españoles que pretendieron adelantarse a robar sus riquezas en la noche. Tal volumen tendrían sus columnas de troncos de árboles, que permanecieron ardiendo por más de cinco años, según el sospechoso decir de Castellanos.

Sogamoso es un sitio de partida para varios de los más interesantes centros de atracción turística en Boyacá: Tópaga, Mongua, Monguí, y la laguna de Tota, todos ellos a muy breve distancia, como que para llegar al más lejano se emplea apenas una media hora en automóvil.

Tópaga, ciudad indígena anterior a la conquista, es notable por su bellísimo templo, por los retablos que él contiene, y especialmente por el arco toral por el suntuoso artesonado refulgente de los altares, y por una de sus capillas esquineras, que es considerada entre las de mayor belleza de Colonia.

Cerca, muy cerca, se encuentra Mongua, mínima aldea de dos calles en que se conservan tras de rejas cinco estatuas indígenas esculpidas en piedra, de especial valor por ser muestra casi únicas de la cultura lítica de los chibchas.

Más que una aldea, Monguí es una basílica, una inmensa basílica erigida en moles de piedra. Desconciertan la monumentalidad del templo y la imponente extensión de su atrio en contraste con el área reducida de la población. Como monumento arquitectónico el templo y el convento adjunto tienen altísimo interés de reflejo fiel del renacimiento español. Los planos de esta fábrica aislada en una lejana colina boyacense fueron obra de Juan de Herrera, el famoso arquitecto de

:l Escorial. En su interior se atesora-
on lienzos valiosos de pintores euro-
eos y americanos, los más abundan-
es entre los últimos de Vásquez de
Arce y Ceballos. La construcción fue
ealizada especialmente para acoger la
magen de Nuestra Señora de Mon-
;uí, enviada por Felipe II a sus vasa-
los indígenas de América. Su monumentalidad puede explicarse dentro
le la «política de sustitución», que
uscaba reemplazar o sustituir el cul-
o idolátrico de los antiguos poblado-
es por el cristianismo, y que en Cho-
ula, en México, llegó al exceso de sus
rescientos templos católicos a fin de
niquilar hasta el recuerdo del orato-
io aborigen y opacar la celebridad de
u célebre pirámide sagrada. En
Monguí coincide, para sustentar esta
uposición, la circunstancia de hallar-
e, por su cercanía a Sogamoso, en
ompetencia con el templo del Sol.
Y la de haber sido arrasado, también
llí cerca y muy poco tiempo antes, el
nmemorial templo indígena de las

riberas de la laguna de Fúquene por
uno de los frailes guerreros de la
época.
A media hora de Sogamoso, la azul
laguna de Tota, poblada también de
leyendas aborígenes, ofrece uno de
los más bellos espectáculos naturales
del país.
A más de tres mil metros de altura
sobre el nivel del mar, y con unos
setenta y cinco kilómetros cuadrados
de superficie, está sembrada de verdes
islas y sobre ella se cumple un extraordinario fenómeno de descomposición de la luz que ocasiona la más
variada riqueza de colores, de índi-
gos, de lilas, de ocres, determinados
por circunstancias rápidamente variables en cuanto a temperatura
y humedad.
Apropiada para los deportes acuáti-
cos y rica en truchas, en sus mañanas
y en sus atardeceres se le ve surcada
por lanchas que parten desde los numerosos refugios turísticos de sus
riberas.

Villa de Leyva y alrededores

Poco menos de una hora tarda el
recorrido por carretera de Tunja a la
Villa de Leyva. En su mayor parte la
ruta avanza por en medio de colinas
despobladas, territorios de infinita
desolación, que parecen acabados de
surgir del sismo inicial y construyen
un paisaje dramático. De repente, ante la vista se abre el valle, a trechos
verdecido oscuramente de olivares.
Es un antiguo fondo marino. En él
abundan los fósiles, algunos magníficamente preservados, y entre ellos se
destaca el plesiosaurio de más de
veinte metros de longitud y setenta
siglos de edad, que para encerrarlo en
el lugar de su hallazgo se construye
un museo de vidrio.
La «Villa» se recuesta al pie de las
colinas. Es un sitio favorito del turismo nacional y de veraneo para los
habitantes de Bogotá. Fundada en
1572 por orden de uno de los primeros mandatarios civiles del país, en

ella murió don Antonio Nariño, conocido como El Precursor de la Independencia, y nació Antonio Ricaurte, uno de sus grandes héroes. Las casas en donde esa muerte y ese nacimiento ocurrieron son conservadas como monumentos en la pequeña ciudad, la cual tiene como uno de los principales encantos su clima, su típica arquitectura española aldeana, y sus capillas. La «casa de los portales», que cierra uno de los ángulos de la gran plaza, fue construida por el cronista de Indias y cura de Tunja don Juan de Castellanos.

En las inmediaciones de la población existe un pequeño pero valioso museo, en el cual se encuentra la confir-

mación de las afirmaciones de Hum boldt en el sentido de que el banano e planta natural de América, pues s exhibe uno de estos frutos en estad de conservación perfecta y con seten ta y cinco millones de años. Hay all además, colecciones de amatitas d ciento treinta y cinco millones d años.

A unos cinco minutos de la Villa d Leyva se halla la pequeña població de Sáchica, cuyas calles no alcanza en total una longitud de trescient metros. En su plaza, sin terminar e cuatro siglos de ser flanqueada, s erige un templo colonial de rústic belleza, cuya espadaña se decora po un balcón corrido exterior. Y, fren a él, la monolítica «cruz de adoctr nar», al pie de la cual se cumplía catequización de los indígenas y s sacaba de sus cuerpos el demoni insuflado en ellos por el culto de l ídolos, antes de que pudiesen cruza las puertas de la casa del dios cri tiano.

Izquierda: las materas adosadas a columnas y balcones marcan la nota de color en la rústica arquitectura. Abajo: la iglesia de Villa de Leyva recostada al pie de las suaves colinas, se destaca en una plaza de grandes dimensiones.

Un poco más allá, a unos cinco kilómetros, el monasterio del Santo Ecce Homo, de construcción monumental en un paisaje melancólico y árido. Erigido en medio de la soledad como una sorpresa, su arquitectura adelgaza la solidez en un gracioso campanil y en la fina arquería de los claustros. Data de mediados del siglo XVII, pero presenta detalles arquitectónicos medievales que parecen darle mayor antigüedad.

En la capilla del Ecce Homo se han guardado por siglos valiosos lienzos, y hasta hace muy poco decoraban el interior de su inmenso y suntuoso expositorio diecisiete miniaturas de fray Angélico, regaladas por el rey de España al finalizar la construcción del convento y ahora desaparecidas. En sus muros han sido descubiertos parcialmente frescos que por su factura recuerdan la manera primitiva de los españoles del siglo XI.

Y un poco al sur, con suave temperatura de veinte grados, demora la vieja población de Ráquira, sede de la industria popular de cerámica anterior en muchos años a la época de la conquista. Músicos, pescadores, personajes comunes del ambiente, son minuciosamente reproducidos en arcilla con extraordinario sentido artístico ingenuo y son conocidos en todo el territorio nacional. Allí cerca, en el desierto, el convento de La Candelaria, fundado en 1604, el primero entre todos los establecidos por los misioneros agustinos en América, especialmente rico en cuadros coloniales. Ese desierto, al igual que los fértiles valles de la extensa región, y que la sabana de Bogotá, situada al sur de ellos, quedaron desnudos cuando, según las tradiciones antiquísimas, Bochica, que había llegado por las cercanías de Pasca, y habitó luego en Sogamoso, rompió con su cetro de oro —antes de desaparecer entre las nubes— las montañas de roca que contenían las aguas de lo que hasta entonces había sido una inmensa laguna. Ello ocu-

rrió, al decir de los aborígenes «veinte edades atrás, de setenta años cristianos cada una».

Chiquinquirá

Otro santuario, quizás el de mayor importancia por la numerosa afluencia de fieles de todo el país, es el de Nuestra Señora de Chiquinquirá. La población, situada más allá de Villa de Leyva, fue fundada en la segunda mitad del siglo XVI en un valle fértil y de extraordinaria belleza. Su nombre indígena significa «Ciudad del Sacerdote». Para rendir culto a una imagen de la Virgen del Rosario se erigió en ella una basílica cuyo altar de mármol ostenta una ornamentación de gran riqueza.

Quizá sea Chiquinquirá el centro del folklore boyacense, representado principalmente en la música y en la danza del bambuco, un cadencioso y melancólico aire popular que extiende su influencia a otras diferentes

y antes de ser sometidos infligieron sangrientas derrotas a sus conquista dores. Are fue su dios creador. Llegó por los aires desde el occidente, como una nube, y bajo su vuelo se fueron elevando las montañas, y para po blarlas talló en madera a Tena, el primer hombre, y a Fura, la primera mujer sobre la Tierra. Vivieron jóve nes por siglos, hasta que un día llegó a sus labrantíos Zarbi y provocó la infidelidad de la mujer. Tena se suici dó reclinado en las rodillas de su esposa, y ésta fue condenada a soste ner en su regazo el cadáver y asistir así a su desintegración. A Zarbi lo trans formó Are en su cerro de piedra desnudo para que los rayos del sol le flagelasen. Pero su sangre reventó las rocas y corrió en un río que arrolló a Fura y a Tena, los separó violenta mente, y quedaron convertidos en dos peñones que se miran inmóviles por la eternidad. Antes de ser petrifi cada, de los ojos de Fura rodaron lágrimas de arrepentimiento, y ellas fueron penetrando la tierra de los montes y cuajando en gemas de tona lidades tan ricas como las de las mara villosas mariposas de aquellas regio nes de los muzos, cantadas por Ga briela Mistral:

> Al valle que llaman de Muzo
> que lo llamen valle de bodas.
> Mariposas anchas y azules
> vuelan, hijo, la tierra toda.
>
> Parece fábula que cuenta
> y que de ella arda mi boca:
> pero el milagro se repite
> donde al aire llaman Colombia.

Por el dolor de Fura, Are perdonó su pecado y dio a los dos peñascos espo sos una guardia eterna de tempes tades.

Las minas de esmeraldas han sido origen de enriquecimientos fabulo sos. Su explotación ilegal, realizada en horas de la noche, crea un ambien te de terror y de crimen. Las piedras son de calidad infinitamente superior

regiones andinas del país, y que ha sido estilizado para el ballet y llevado a los escenarios mundiales. Aquí se le ejecuta en las fiestas comunes, y en las encrucijadas de los caminos, en su primitiva pureza.

La tierra de las esmeraldas

Unos cien kilómetros al oeste de Chi quinquirá, en dirección a la corriente

El parque natural «El Gallineral», en el departamento de Santander, es hoy uno de los más bellos escenarios naturales de Colombia.

del río Magdalena, se encuentran las más ricas regiones esmeraldíferas de Colombia, cuyos centros principales son las aldeas de Muzo, Otanche y Barbur. Estas minas, así como las que existen en Coscuez, Somondoco y Chivor, vienen siendo explotadas desde siglos antes de la conquista. Las esmeraldas eran para los aborígenes objetos de decoración real y tenían alta importancia dentro de sus activi dades comerciales, ya que en sus tran sacciones llegaron ellas hasta el impe rio de los incas. La historia del pueblo muzo, poblador de toda aquella re gión, se pierde en las brumas de la leyenda. Eran grandes guerreros,

las que se extraían en la frontera entre Etiopía y Egipto, de donde proviene la que decora la tiara papal, las del monte Zavaca y a las de Iberia. En la propia capital del país existen céntricas vías casi monopolizadas por el comercio de esas gemas, que de allí van a los mercados internacionales, y en ellas suele ser frecuente el intercambio de disparos, como en las películas del viejo oeste norteamericano.

Hacia los Santanderes

Por la carretera central del norte que lleva de Bogotá a Tunja, se continúa, a través de poblados tan pintorescos como Arcabuco, Moniquierá y Barbosa, y se llega al departamento de Santander, que se cruza saltando de ciudad en ciudad histórica. El Socorro, fundada en la segunda mitad del siglo XVII, en donde cien años más tarde explotó el primer movimiento de independencia y las gentes de «el común» formaron ejércitos que bajo el comando de José Antonio Galán marcharon hacia la capital del país de victoria en victoria. Galán fue el primero en proclamar la libertad de los esclavos. El gobierno capituló ante los insurrectos. Pero una vez que se desintegraron sus fuerzas, él y sus principales compañeros fueron aprisionados, se les ahorcó, y sus cabezas fueron paseadas en triunfo. En la plaza de El Socorro se alza la estatua de Galán, y un machete en lugar de una espada —buen capitán de pueblo— brilla al sol en su mano.

Un poco más allá, San Gil, fundada en 1660, de calles empedradas y antiguas casonas con fantasma, en medio de una región productora de tabaco por valor de centenares de millones de pesos cada año. La comida típica de Santander tiene allí, y en el bello escenario natural de «El Gallineral», que queda al lado, su expresión más elevada: el «mute», sopa clásica pre-

191

parada con maíz triturado, garbanzos, ahuyama, y pequeños trozos de estómago de rumiantes; los tamales, envueltos en hojas de plátano que se ablandan previamente al fuego, y en los que una capa de harina de maíz cocida envuelve un interior de cerdo adobado principalmente con garbanzos y cebolla; y el cabrito asado, o en pepitoria, un guiso aliñado fuertemente. El cabrito es, en sus diversas formas, el plato de más definido tipismo regional.

Prácticamente allí, en San Gil, se inicia el descenso violento de la carretera, para llegar al tormentoso río Chicamocha y luego a Bucaramanga, la capital del departamento. Y en el filo de la cordillera, al empezar esa caída casi vertical, se desprende hacia la izquierda un ramal que en sólo cinco minutos conduce a una antigua aldea casi olvidada: Aratoca. Quizá sea ella una de las más interesantes en todo el país por el ambiente vetusto intocado, sus muros del espesor de una muralla, y su pequeño y bellísimo templo. Parece perdida en el tiempo, y es difícil entender por qué causas le ha sido negada toda promoción turística, a pesar de su vivo y real interés. Un escritor colombiano que por la tercera década de este siglo figuró entre los más notables periodistas del país, Jaime Barrera Parra, definía así a la capital de su departamento: «Más que una ciudad, Bucaramanga es una amable manera de vivir.» Difícilmente podría lograrse mejor síntesis. Decorada de parques florecidos, cruzada por amplias avenidas, casi impresionantemente limpia, y relativamente moderna puesto que fue fundada sólo a finales del siglo XVIII, ya en los albores de la independencia, mantiene en su temperatura de primavera un ambiente notoriamente intelectual, cuyo foco de irradiación es la Universidad Industrial de Santander, creada al parecer bajo la influencia de la producción y la refinación de hidrocarburos en sus localidades satélites de El Centro y Barrancabermeja.

En los departamentos de Santander y de Norte de Santander es una misma la población, predominantemente blanca, con una bronceada influencia indígena ocasional, y otra, en las clases más elevadas, de inmigrantes alemanes. Son también similares sus costumbres, su alimentación y su temperamento, de tal manera que la frontera entre ellos aparece apenas

como un accidente oficial. Se hallan unidos por la carretera central, que al entrar a Norte de Santander pasa por la histórica ciudad de Pamplona, por el páramo del Almorzadero, de paisaje interesante en medio de su dramática desolación, por Chinácota, la aldea de orígenes indígenas en donde Ambrosui Ehinger, o Alfinger, o Dalfinger, el cruel aventurero alemán contratado por los Welser para conquistar en su provecho territorios americanos, pereció con la garganta atravesada de un flechazo. Poco antes de su muerte, cegado por la ambición, quiso pedir a Venezuela refuerzos para adelantar la conquista de El Dorado, que él creía en tierras de Sinú, y envió por ellos a su capitán Iñigo de Vasconia, llevando en indios cargueros los cinco mil quinientos castellanos de oro que ya había recogido. La expedición se extravió en las selvas. Se agotaron las provisiones, y con los indios como víctimas se inició la antropofagia. Por allí, al pie de una ceiba

gigantesca, quedó enterrado el oro. Uno a uno se fueron devorando, hasta que al cabo sólo quedan, que se sepa, Francisco Martín y tres soldados. Estos lo abandonan en la noche, dejándole cristianamente, para que sobreviviese, un muslo de aborigen. Martín, al despertar en la mañana, se lanzó a la corriente de un río, caballero en un viejo tronco de árbol. Navegó así, con su extraña ración alimenticia, hasta encontrar un poblado indígena del que se convirtió en cacique. Así, en medio de depredación, de horror y de muerte, pasa la sombra de Alfinger por la historia de América. Atrás, en Santander, en un picacho de la cordillera, quedó el «hoyo del aire», que en ambos Santanderes se cita como un trozo de la leyenda común. Físicamente es sólo una depresión de cerca de cien metros de diámetro por cien de profundidad, cuyas corrientes de aire vertical ejercen tal atracción que sólo es posible aproximarse a sus bordes arrastrándose y asiéndose

fuertemente a la tierra, pues de lo contrario llevarían al audaz explorador hasta el fondo mortal. Pero legendariamente es mucho más, pues los habitantes de los Santanderes están seguros de que allí lanzaron los indígenas inmensos tesoros que jamás podrán recuperarse.

La capital del Norte de Santander es Cúcuta. Allí, en su cercanía inmediata, en la Villa del Rosario, nació el general Francisco de Paula Santander, uno de los más grandes próceres de la independencia americana, compañero y segundo del Libertador Simón Bolívar y quien, en medio del tumulto de la revolución y de la guerra, creó una ordenación de leyes y dio a Colombia su histórica fisonomía civil. Fue fundada en 1735, en el territorio indígena de los cúcutas. Hoy es, por su cercanía a la frontera venezolana, un activo centro de intercambio comercial. Extrañamente, fue fundada por una mujer, doña Juana Rangel de Cuéllar, oriunda de Pamplona, de

donde vino a sentar sus bases en el valle del Zulia. De Cúcuta partió Bolívar en 1813 para la campaña libertadora de Venezuela, y en la cercana Villa del Rosario se reunió el Congreso que trazó las normas constitucionales de la Gran Colombia. Un terremoto la destruyó casi totalmente en 1875, pero pronto fue reconstruida. En ella se perpetúa la memoria de Mercedes Abrego, heroína patriota fusilada por los ejércitos del rey. Dos grandes arterias de tráfico arrancan de allí hacia Venezuela: la que conduce al norte, hacia Maracaibo; y la que, cruzando el puente internacional Simón Bolívar, va a Caracas.

Aún en Cúcuta, la tendencia folklorista hace que se escuchen los sones lánguidos de la guabina.

La Amazonia colombiana está integrada por los territorios cuyos ríos fluyen directa o indirectamente al Amazonas. Por tal razón no se cataloga dentro de ella a las vastas regiones del Meta y el Vichada, a pesar de que en muchos aspectos, y como integrantes de los Llanos orientales, tienen con aquéllos características comunes. Forman, pues, la Amazonia, los ríos Putumayo, Caquetá, Vaupés, Guainía y Amazonas, situados hacia los límites del sur y el sureste del país. Constituyen un mundo en la mayor parte de su inmensa extensión cubierto de selvas oscuras, cruzado de caudalosos ríos, y en muchos de sus sectores sin hollar por la planta del hombre civilizado. La población total de esas regiones alcanza sólo a unos doscientos setenta mil habitantes, es decir, un núcleo humano concentrable en cualquier pequeña ciudad sin importancia. Y se trata de una extensión de más de cuatrocientos mil kilómetros cuadrados. Las reducidas con-

centraciones de blancos y de indígenas se encuentran distantes entre sí, aisladas en la inmensidad, en ocasiones a muchos días de lancha o de canoa por el lomo de corrientes primitivas y salvajes, en medio de un silencio que sólo perturba desde las riberas la gritería matinal de los monos, el aire cruzado por el vuelo de los loros y las guacamayas, y el de otras aves vistosas y extrañas, muchas de ellas no clasificadas todavía por los naturalistas.

El aislamiento refuerza en los llaneros como en los pobladores de la Amazonia el sentido de la independencia. El hombre está enfrentado a la naturaleza y tiene que confiar, ante todo, en sí mismo. Una copla de las regiones orientales lo expresa mejor que un ensayo sociológico:

> *Sobre el Llano está la palma,*
> *sobre la palma el lucero,*
> *sobre mi caballo yo,*
> *y sobre yo mi sombrero.*

No pudiera decirse que hay platos típicos de los Llanos o de la Amazonia. La alimentación está basada en los recursos inmediatos. En la caza y la pesca, de modo principal. No hay platos típicos, pero hay platos deliciosos: la «palometa» y la «gamitana», la primera de carnes blanquísimas, semejantes a la de la merluza,

y la segunda de carnes oscuras y de rico sabor, se preparan sin necesidad de condimentos, simplemente fritas en aceite en extremo caliente. Se les pesca en todos los ríos; y de los animales que en abundancia provee la selva, la guatinaja, en otras zonas conocida por los nombres de guagua, lapa o borugo, un roedor que alcanza hasta treinta libras de peso, satisface las más estrictas exigencias gastronómicas. Asada sobre brasas, o guisada, su carne es extraordinariamente rica. Quizá pudiera mencionarse como el plato más propio de toda esa región, especialmente de su zona de grandes sabanas, pobladas de pastos naturales, la ternera «a la llanera», res de menos de dos años que se asa colocando sus carnes abiertas en estacas a corta distancia, veinticinco o treinta centímetros apenas, de una hoguera.

Solamente a una de las cinco capitales de los territorios amazónicos, a Florencia, en el Caquetá, es posible llegar directamente por tierra. Las demás son accesibles por aire, o por aire y por agua. En todo caso, la más distante de Bogotá queda a menos de dos horas de vuelo.

Extrañamente, en medio de esas regiones selváticas, pobladas de posibilidades de aventura, de leyendas y de misterio, se encuentran instalaciones de relativo confort para el turista. Las hay, principalmente, en Florencia

Abajo: *Leticia, bello puerto pluvial del Amazonas.*
Derecha arriba: *indio del Putumayo pescando.*
Derecha abajo: *uno de los caños de agua que surcan la selva ribereña.*

centro de partida hacia grandes instalaciones pecuarias, algunas hasta con setenta y ochenta mil cabezas de ganado; hacia la bellísima laguna de Chahira, poblada de aves migratorias; hacia la navegación por el gran río Caquetá. También existen en Guainía, en su capital, Puerto Asís, antes llamado Puerto Inírida, a tres o cuatro kilómetros de la cual se encuentra, en medio de la selva, la laguna de Macazabe, y muy cercanos también amplios remansos del río en donde suele practicarse el esquí. Igualmente en Leticia, la verdadera capital de la Amazonia si se tiene en cuenta su posición sobre el gran río,

casi enfrente —menos de dos horas por deslizador— de la ciudad portuaria de Benjamín Constant, perteneciente al Brasil, y atractiva especialmente por su ubicación en medio de la selva virgen, por sus cercanos caseríos indígenas, por sus excursiones al Atacuarí o a los poblados de los indios ticunas, formados por grandes «malocas», construcciones para la habitación común de varias familias bajo un solo techo de paja, o a la bella región lacustre de Yaguacacá en donde abunda la Victoria Regia, una planta de extraordinarias flores, cuyas hojas acuáticas sostienen el peso de un hombre. Difícilmente podría

encontrarse en el mundo una zon[a] más llena de encanto para el turism[o] que busque fuera de la civilizació[n] rutinaria intensas y nuevas sensa[-]ciones.

En los pequeños poblados indígenas de la Amazonia y la Orinoquia
la vida tiene el ritmo de épocas primitivas.
Las chozas de techo de paja congregan a las familias dedicadas a la caza, la pesca
y pequeños cultivos de subsistencia, como la yuca.

CREDITOS FOTOGRAFICOS

Abajo se incluye la lista de los fotógrafos o archivos fotográficos que han colaborado en est
libro. Cada fotógrafo lleva un número de identificación. En la página siguiente aparece u
plano general del libro, página por página. Para localizar a quién pertenece una determinad
fotografía, basta con remitirse al plano general y relacionar la página que interesa con e
número de identificación del fotógrafo y la situación de la ilustración.

1   Nereo, Apartado Aéreo 9631, Bogotá

2   Fernando Urbina, Calle 45 n.° 78-61, Bogotá

3   Carlos Salamanca, Apartado Aéreo 12117, Bogotá

4   Alvaro Herrera, Bogotá

5   Arturo Jaramillo, Apartado Aéreo 91763, Bogotá

6   Egar, Apartado Aéreo 56532, Bogotá

7   Mario Zafra, calle 22 n.° 24-44, Bucaramanga

8   Ernesto Eraso Navarrete, Apartado Aéreo 666, Pasto

9   Abdú Eljaiek, Apartado Aéreo 101098, Bogotá

10 Jorge Vanegas, Apartado Aéreo 51105, Bogotá

11 Eduardo González, Apartado Aéreo 1407, Cúcuta

12 Richard Cross, Bogotá

13 Víctor Macaya, Apartado Aéreo 32695, Bogotá

14 Víctor Englebert, Apartado Aéreo 8221, Cali

15 Rudolf, Apartado Aéreo 51010, Bogotá

16 Sergio Trujillo Dávila, Apartado Aéreo 5311, Bogotá

17 Guillermo Muñoz, Apartado Aéreo 20913, Bogotá

18 Julio César Perafán, Calle 4 A n.° 1-14, Popayán

19 Félix Tisnes, Apartado Aéreo 26995, Bogotá

20 Archivo Salmer, Rambla de Cataluña 54, Barcelona

21 Hernán Díaz, Apartado Aéreo 11115, Bogotá

22 Oscar Monsalve, Museo Arte Moderno, Bogotá

23 Papel periódico ilustrado, Bogotá

24 Historia de la música en Colombia, Plaza & Janés, Bogotá

25 Iván Arcila, Bogotá

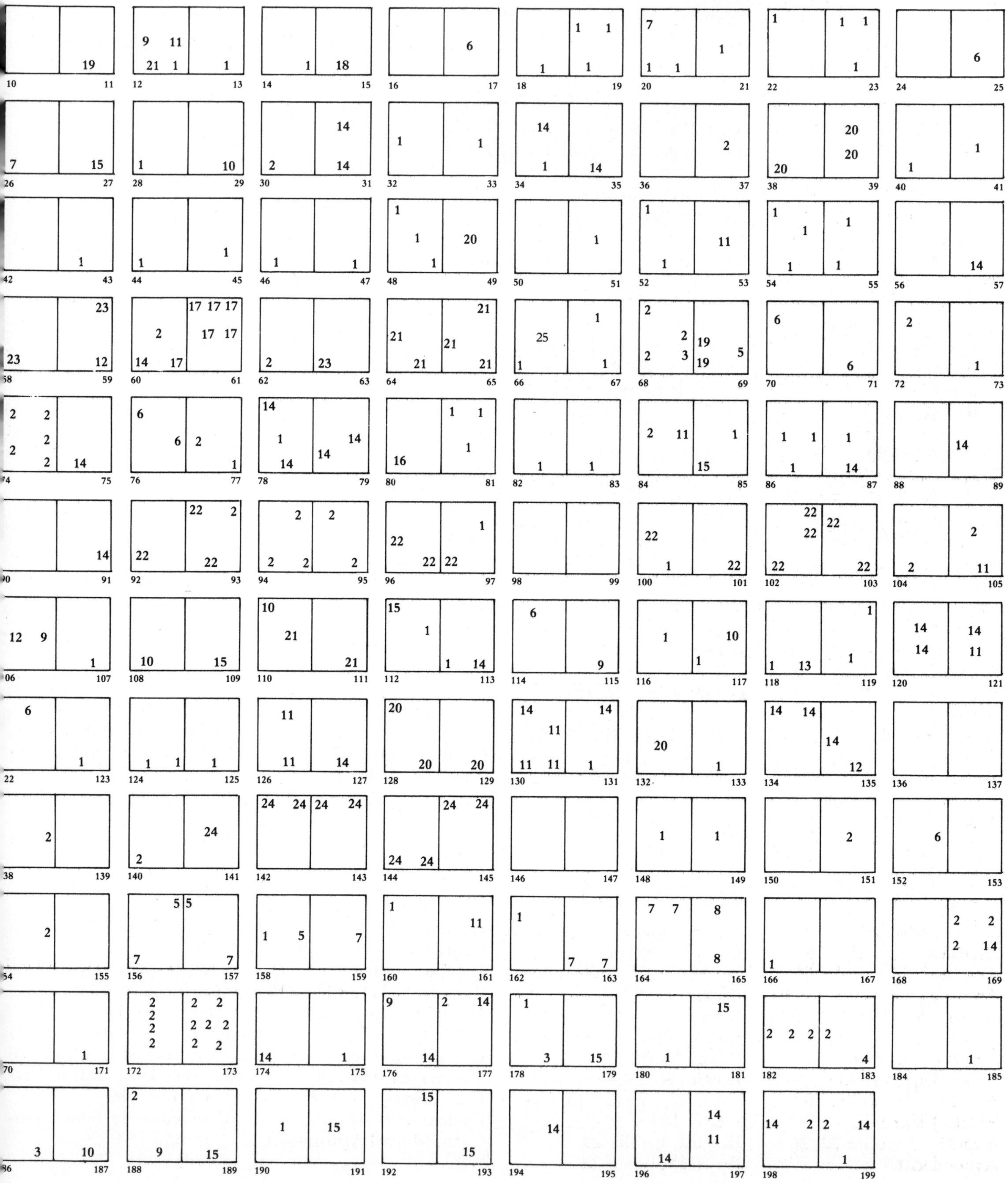

INDICE

LOS AUTORES

ABADIA, GUILLERMO

Nació en Bogotá, en 1912. Hizo estudios de comercio, filosofía y letras, farmacia y medicina.

Más tarde profesor de Historia del Arte en diversos centros culturales. Socio fundador y secretario de la Junta Nacional de Folklore y del Centro de Investigaciones Folklóricas de Bogotá. Profesor de las cátedras de folklor general en el Conservatorio Nacional de Música.

Actualmente es asesor de folklore en el Instituto Colombiano de Cultura. Ha sido invitado a numerosos congresos mundiales y regionales de folklore antropología cultural, indigenismo, etc. Son también numerosas sus intervenciones radiofónicas y como conferenciante tanto en Colombia como tambié fuera de ella.

Entre sus obras más importantes se puede citar *Compendio general del folklor colombiano*, un libro capital para el conocimiento de esta materia y del cual s han hecho ya varias ediciones, así como sus obras *Música folklórica colombian* y *Danzas de Colombia*.

ARCINIEGAS, GERMAN

Germán Arciniegas nació en Bogotá en 1900. Durante su vida universitaria fu líder estudiantil, fundó la Federación de Estudiantes de Colombia y de esa experiencias nació su primer libro, *El Estudiante de la Mesa Redonda* (1932 además de un ambicioso proyecto de reforma universitaria presentado a congreso colombiano cuando se le eligió diputado como candidato de lo universitarios.

Profesor de sociología, historia y literatura, lo fue primero en Colombi y luego en Nueva York, en la Universidad de Columbia. Dos veces ministr de educación. Embajador de Colombia ante los gobiernos de Italia, Israe y Venezuela.

Entre sus libros figuran *Los Comuneros* (1938), *Biografía del Caribe* (1945), *Entr la Libertad y el Miedo* (1952), *América Mágica* (1959), *El Continente de los Sie Colores* (1965), *Nueva Imagen del Caribe* (1970), *Roma Secretísima* (1972), *Págin Escogidas* (1975), *América en Europa* (1976), *Fernando Botero* (1979), *Simó Bolívar* (1980).

BARNEY CABRERA, EUGENIO

Nació en Santander de Quilachao (Cauca) en 1917 y murió en Bogotá el 25 d febrero de 1980.

Fue profesor de la Universidad Nacional y director de Bellas Artes y de departamento de Humanidades de la misma universidad.

Decano de la Facultad de Ciencias Humanas y director de la Biblioteca Centra Entre sus numerosos escritos figuran: *Geografía del Arte en Colombia* 1963 y *Arte Agustiniano. —Boceto para una interpretación estética* 1964.

Fue director científico para la obra *Historia del Arte Colombiano* y autor d numerosos artículos sobre arte precolombino.

Fue el editor de la obra *Arte monumental prehistórico*, del profesor K. Th. Preuss 1979, y redactor, en compañía de Pablo Gamboa, de las notas marginale destinadas a la misma obra.

La desaparición del doctor Barney Cabrera constituyó un duro golpe para l antropología colombiana, pues su excelente juicio y dedicación investigativ dieron nuevas luces a la ciencia colombiana.

CABALLERO CALDERON, EDUARDO

Eduardo Caballero Calderón nació en Bogotá, Colombia, en 1910. Tra desempeñar cargos políticos y diplomáticos en Colombia, Perú, Argentin y España, fue representante de su patria en la UNESCO.

Es columnista de *El Espectador*, periódico colombiano que dirigió de 193 a 1943.

A sus primeras obras —*El arte de vivir y soñar, Caminos subterráneos*— siguiero varias dedicadas a la gente y al campo de Boyacá, el país de los Tipacoques, a que está vinculado por antiguos lazos familiares. *Ancha es Castilla* nos revela, e excepcional estilo, el paisaje y alma castellanos.

Con su novela titulada *El buen salvaje* obtuvo el Premio Eugenio Nadal 196 por unanimidad.

Académico de la lengua y figura relevante de la intelectualidad colombiana, su obras *Historia de Colombia en cuentos, El Cristo de espaldas* —aparte de las y citadas—, ocupan un lugar de excepción en la historia de la literatur colombiana actual.

CARRANZA, EDUARDO

Eduardo Carranza nació en Apiay, en los Llanos Orientales, en 1913. Hizo sus estudios en la Escuela Normal de Bogotá.

Ha ejercido durante años el profesorado, enseñando literatura colombiana y española en universidades y colegios de Bogotá.

Ha dirigido las siguientes publicaciones literarias: *Revista del Colegio del Rosario, Revista de las Indias, Revista de la Universidad de los Andes* y el suplemento literario de *El Tiempo.*

En 1939 inició, en unión de otros destacados intelectuales, el movimiento «Piedra y Cielo», al cual se le atribuye gran importancia en la crónica literaria colombiana. Ha tenido siempre una intensa actividad como orador, conferenciante y polemista. Como diplomático, ha sido agregado cultural de las embajadas de Colombia en Chile y en España.

Es miembro de número de la Academia Colombiana de la Lengua. Ha publicado, *Canciones para iniciar una fiesta* y *Seis elegías y un himno,* entre otros libros.

CARRIZOSA UMAÑA, JULIO

Nació en Bogotá en 1935. Cursó estudios de bachillerato en el Gimnasio Moderno y posteriormente de Ingeniería Civil y Filosofía y Letras en la Universidad Nacional de Bogotá.

La ampliación de sus estudios en The Ohio State University y en la Universidad de Harvard.

Ha sido Director Nacional de Catastro; Director General del Instituto Geográfico Agustín Cosazzi; gerente del Instituto Nacional de Recursos Naturales Renovables del Ambiente INDERENA.

También ha sido profesor de la Universidad de los Andes y decano de la Facultad de Economía de la Universidad de América. Pertenece a la Sociedad Colombiana de Ingenieros y a la Sociedad Colombiana de Economistas, habiendo representado a Colombia en numerosas reuniones y congresos de su especialidad.

Con trabajos sobre agricultura, ecología, desarrollo económico, ha colaborado en importantes revistas y publicaciones universitarias.

MORALES BENITEZ, OTTO

Otto Morales Benítez nació en Riosucio (Caldas) en 1920, cursó sus estudios primarios en Riosucio y Popayán, graduándose posteriormente como abogado en la universidad pontificia boliviana de Medellín, en 1944.

Actualmente, y desde hace bastantes años, ejerce su profesión en Bogotá. Ha sido profesor de la Universidad bolivariana y del gimnasio femenino en las especialidades de literatura americana, universal y colombiana. Igualmente ha sido profesor de derecho internacional público, administrativo, agrario y también de sociología en el Externado de Colombia, la Universidad libre y la Universidad de las Américas.

Varias veces senador de la República por el departamento de Caldas, diputado y representante a la Cámara. Ministro del Trabajo, y Agricultura. Es académico de número de la Academia Colombiana de la Historia y miembro correspondiente de la Lengua y de la Jurisprudencia.

Entre sus publicaciones podemos destacar *Revolución y caudillos, Obra escogida, Aguja de marear.*

PERDOMO ESCOBAR,
JOSE IGNACIO

Nació en Bogotá en 1917 y murió en la misma ciudad en 1980. Cursó estudios en el Instituto de la Salle y en el Gimnasio Moderno. Posteriormente estudió derecho y música en la Universidad de Michigan.

A su regreso, y al mismo tiempo que realizaba sus trabajos como escritor e investigador de la música colombiana, tuvo también una importante actividad docente y pública: Secretario del Conservatorio Nacional de Música; Prefecto del Colegio Mayor de Nuestra Señora del Rosario; Sacristán Mayor de la Catedral de Bogotá; académico de número de la Academia Colombiana de Historia, etc.

Entre sus obras más importantes podemos citar las siguientes por orden de popularidad *Historia de la Música en Colombia, Catálogo Monumental de la Parroquia de Nuestra Señora de Las Aguas, El Archivo Musical de la Catedral de Bogotá* y *La Opera en Colombia.*

Su figura ha sido una de las más significativas de la historia de la cultura y la música colombiana.

RESTREPO MAYA, BERNARDO

Nacido en Medellín el 10 de mayo de 1910. Estudios en la Universidad d[e] Antioquia, interrumpidos a consecuencia de huelga contra el Rector de [la] Facultad de Derecho y Ciencias Políticas Dr. Miguel Moreno Jaramillo, siend[o] entonces Restrepo Presidente del Centro Departamental de Estudiantes d[e] Antioquia.

Se inició en el periodismo como redactor de *El Espectador* y fue posteriorment[e] su corresponsal en Barranquilla, ciudad en la cual actuó también com[o] editorialista de *Diario del Comercio* y también como redactor de *El Heraldo*. U[n] tiempo después actuó como Director de la Biblioteca Departamental d[el] Atlántico.

Posteriormente fue designado Cónsul de Colombia en Filadelfia, en dond[e] residió por dos años.

Durante más de cuarenta años ha sido colaborador de *El Espectador* en divers[as] secciones literarias y crítica de arte. Los temas de carácter turístico han sid[o] siempre de su predilección.

RUIZ GOMEZ, DARIO

Darío Ruiz Gómez ha publicado dos libros de cuentos, dos libros de poem[as] y una novela. Incluido en varias antologías, cuentos y artículos suyos han sid[o] traducidos a varios idiomas. Habitual colaborador de importantes revist[as] y periódicos, sus estudios sobre la arquitectura y el urbanismo en Colomb[ia] han tenido dos vertientes: la investigativa, redescubriendo el verdadero alcan[ce] de un pasado, y polémico en el sentido de definir lo que verdaderamen[te] significa el término «Patrimonio cultural». Ha publicado sobre estos tema[s] *Puertas, ventanas y portones*, acerca de la poética de la arquitectura regional [de] Antioquia (1970), *Ruta de Robledo* (1977) sobre la arquitectura coloni[al] *Colonización antioqueña* sobre la arquitectura regional y *Ciudad de la memo[ria]* (1980) acerca de la arquitectura republicana en Medellín. Acaba de terminar [un] extenso estudio sobre el desarrollo de la arquitectura y el urbanismo en [la] región de Antioquia y el Viejo Caldas. En la actualidad es catedrático [de] Historia de la Arquitectura Contemporánea en la Facultad de Arquitectura [de] la Universidad Nacional de Medellín.

URIBE WHITE, ENRIQUE

Enrique Uribe White nació en Tuluá, Valle del Cauca, en 1898. Hi[zo] bachillerato en la Escuela de Minas de Medellín.

En 1917 viajó a Estados Unidos y trabajó algún tiempo en el Laboratorio d[el] señor Tomás Alba Edison. Posteriormente terminó sus estudios de ingenie[ría] civil en M.I.T.

Al regresar al Valle trabajó en su profesión y fue ingeniero jefe en la may[or] parte de la carretera Popayán-Pasto. También construyó la carretera Moril[lo-] Sevilla y trabajó en muchas seccionales del Valle y Caldas. Vino a Bogotá y f[ue] propietario y editor de la revista PAN. Luego estuvo durante seis años com[o] Director de la Biblioteca Nacional entregándose después y completame[nte] a escribir.

Ha escrito libros de historia y traducciones de poesías. Su obra monumenta[l es] la *Iconografía del Libertador*. Tiene 83 años y ahora está en proceso de edici[ón] por el Banco de la República, su último libro *Apólogos de la Visión Perdida*. Lle[va] en total 26 libros publicados.